文春文庫

約束の冬

上

宮本輝

文藝春秋

約束の冬　上

第一章

その家に氷見(ひみ)留美子と母の泰江が帰って来たのは、事故からちょうど十年がたった四月の末であった。

十年前、二十二歳だった留美子と、母、そして十九歳の弟の亮(りょう)は、新築のその家に引っ越してわずか十二日間だけ暮らした。

まだ引っ越しの荷物を納めるべき場所に納めるどころか、夥(おびただ)しい段ボール箱の蓋をすべてあけるまもなく、父は急な出張でドイツのデュッセルドルフにある現地法人の工場へ向かい、そこで仕事を終えたあと、車で隣の町へと食事に行く途中、高速道路で大型トレーラーに激突されて死んだのだった。

五十歳になったばかりだった父が自分の「家」についての信条と趣味に徹底的にこだわって建てた念願の住まいで暮らしたのは、たったの三日間だった。

事故の非は完全にトレーラー側にあったが、ドイツの保険会社との交渉を電話やファックスだけで済ませることはできず、現地の工場スタッフにすべてをゆだねるわけにもいかなかったし、動転している気弱な母ひとりではおぼつかなくて、留美子はその年三回、デュッセルドルフと東京とを行ったり来たりした。だがそのためには、まだ入社して一ヵ月もたっていない大手の電機メーカーを辞めなければならなかった。

留美子自身、父の不慮の死で正常な精神状態ではなかったゆえの判断ではあったが、相手側の過失による事故によって支払われる賠償金が、今後の自分たちに及ぼすものはあまりにも大きいと考えた末のことだった。

事故の報を受け、留美子と亮と一緒にデュッセルドルフへ飛んだ母は、父の遺体とともに帰国したあと、新築したばかりの家には戻らなかった。二つ違いの姉の家に身を寄せて、そこで気持ちが落ち着くまですごしたいと言い張り、独り身の伯母もそうすることを勧めてくれたからだった。

弟の亮は、秋からニューヨークの大学に留学することが決まっていて、その準備のために六月に入るとすぐに渡米した。

「一生分の大金を使って家なんて建てるもんじゃないわね。寿命を奪う家ってあるらしいわ」

伯母のひどくのんびりした口調の言葉が持つ意味を深く考えすぎただけではなく、留美子も、渋谷から東横線で十二分、駅から歩いて七、八分のところにある家でひとり暮らしをしたくなかった。忌まわしいものをその新築の家に感じたのだった。その忌まわしさの元には、父が出張に出かけた日の、ひとりの見知らぬ少年による薄気味悪い出来事があった。

渋谷で母に頼まれた買い物をしてから電車に乗ってN駅まで帰って来て、一戸建ての家が並ぶゆるやかな坂道を歩いていると、パン屋の前に立っていた十五、六歳の少年が、ふいに留美子に向かって片方の腕を伸ばした。

留美子は驚きの声をあげて、咄嗟にあとずさりした。少年の手には青い封筒があった。

「これ、読んで下さい」

紺色のトレーナーに汚れたコットンパンツ姿の少年は、それだけ言うと、駅への道を走って行った。

留美子は、何かのチラシであろうと思い、なかを見る気もないまま周りにゴミ箱はないものかと捜したが見当たらず、浴室用の掃除具の入っているデパートの袋にそれを突っ込んで家に帰った。そしてそのまま袋を浴室の洗面台の近くに置いて、夕食を済ませ、寝る前にシャワーを浴びるとき、袋の中身を出した。

まったく気にも留めていなかったので、青い封筒をそのまま洗面台の下のクズ籠に捨てかけて、広告物が入っているにしては上等の封筒だなと思い、封をあけたのだった。そこには、ボールペンによる角張った字で書かれた手紙と、もう一枚手書きの地図が入っていた。

留美子は、ほとんど全裸に近い格好で、立ったまま手紙を読んだ。

――空を飛ぶ蜘蛛を見たことがありますか？　ぼくは見ました。蜘蛛が空を飛んで行くのです。十年後の誕生日にぼくは二十六歳になります。十二月五日です。その日の朝、地図に示したところでお待ちしています。お天気が良ければ、ここでたくさんの小さな蜘蛛が飛び立つのが見られるはずです。ぼくはそのとき、あなたに結婚を申し込むつもりです。こんな変な手紙を読んで下さってありがとうございました。須藤俊国——。

留美子は、

「なに、これ……」

とつぶやき、母を呼ぼうとしたが、シャワーを浴びてからでもいいだろうと考えて浴室へ入った。少年の顔を思い出そうとしたが、トレーナーの衿元から突き出ていた日に灼(や)けた首以外思い出せなかった。

母は警察に届けたほうがいいのではないかと何度も不安そうに言った。

「まだ十五歳よ。男の子って、いやねェ。何をしでかすかわかりゃしない」

母は、いったん自分の寝室に入ってからも、留美子の部屋にやって来て、窓の鍵はちゃんと締めるように、とか、カーテンは隙間(すきま)なく閉まっているか、とか、夜遅く帰宅するときは電話をかけてくるように、とか言った。

そして、その手紙はしばらく捨てないほうがいいとつけくわえた。不審なことが身辺に起こったら、その手紙は犯人を割り出すのに役立つはずだというのだった。

「私、ここに引っ越して、まだ三日よ。あの子、誰かと間違えたんだと思うわ。そうかァ……、私、高校生に見えるのかもね」

冗談めかして留美子は笑ったが、母の言うとおり、手書きの手紙と地図はしばらく保存しておくことにした。

その翌日の夜、父の事故死を伝える電話がかかったのだった。

だから、留美子よりも七歳も歳下の、十五歳だという少年から手渡された単なるいたずらなのか、あるいは相手を間違えたのか、それともまぎれもなく留美子を対象にしたのか判断のつきかねる気味悪い手紙のことは、留美子の心から吹き飛んでしまった。

けれども、父の葬儀を終え、母があの目黒の家には戻りたくない、自分の姉の家でしばらく暮らしたいと言い張ったとき、伯母の悪意のない何気ない、それにしてはあまりに自分たち一家に当てはまるような言葉と、少年から手渡された手紙とが、留美子のなかで符合してしまったのだった。

父がそこに住むことを心待ちにしていた家に、もはや父は帰ってはこない。それなのにどうして自分と母の二人が、その家で暮らしたりできよう。縁がなかったというよりも、自分たち一家には分不相応な家だったのだ……。

そう決断を下して、家を売りに出した。交通の便、環境等を考えると、買い手はすぐにあらわれる。留美子も母も、仲介に入った不動産業者もそう思っていた。

だが、家はいつまでたっても売れなかった。バブル経済の崩壊という社会的事情もあったが、買いたいと積極的な意欲を示す人があらわれても、いざ契約の段階にまで話が進むと、その人物が健康を損ねて家を買うどころではなくなったり、何らかの経済的、家庭的事情などによって交渉は頓挫（とんざ）してしまうのだった。

もっと土地が大きければ、と不動産業者は言った。四十五坪では、そこにマンションを建てることは難しい、と。

東隣は百五十坪ほどの、広い庭のある医師の家で、西隣はそれよりもっと広い旧家だったが、氷見家の家が完成する半年前に二世帯住宅に建て替えたばかりだった。

この二軒の土地も含めて手に入るのなら、どこの不動産会社も競って買うだろうが、そんなことは起こりそうにない。それでも、どうしてもすぐに手離したいならと提示してきた金額は、まだ世間にうとい留美子でもわかるほどの、足元を見た、ある意味では悪辣（あくらつ）で侮辱的なものだった。

三年たち四年たち、もうあの家を売るのはやめて二人で暮らそう、そうすることをお父さんも願っているかもしれない……。

母がそんなことを言いだしたころ、伯母が脳梗塞（のうこうそく）で倒れ、寝たきりになってしまった。

中堅の出版社の経理部に勤めて、生涯を独身でおくった伯母が、父の死後、注いでくれた愛情や心遣いが母と留美子にとっていかに大きな支えになったかはかりしれなかった。

母は自分の姉の介護をするために、目黒の家に戻るのを中止した。

伯母はことしの二月に、自宅での六年間の寝たきり生活を経て亡くなった。残った伯母の家の処分を終えて、留美子と母は、目黒の家へと戻ったのだった。

　引っ越し業者の若い作業員たちが、家具を指定された場所へと運んで帰って行ったのは夕方の五時だった。

「蒸し暑いわねェ。昼から雨だっていう天気予報だったけど、降らなくてよかった」

　留美子は、玄関の上がり口から台所とリビングにつづく廊下を長い柄のついたモップで掃除しながら言った。母は、段ボール箱から食器類を出し、それを台所の流しのところで洗っていた。

「誰も住んでなくても、家って、十年たつと、やっぱり十年たったっていう感じになるのね」

　留美子がモップを動かす手を止めて、そう言うと、母も水道を止めて、

「だって、お父さんたら、廊下の板も、天井の板も、壁板も柱も、鉋（かんな）で削るな、新しくするな、古いままにしといてくれって註文したんだもの……。この家のなかの木は、五十年間使い込んできたもの、百年間使い込んできたものが、そのまま合体しただけなんだもの」

　と言った。

「十年前も、新築の家に引っ越したって気がしなかったわ」

「贅沢（ぜいたく）な家ですよ、こんな家を建てさせてもらって嬉しかったですって、工務店の棟梁が、しみじみと言ったくらいだもの……。私、台所とリビングとお風呂場だけは、木と

漆喰以外のものを使ってくれって、お父さんと刺し違える覚悟で頼んだ日のこと、いまでも覚えてる……」

と母は言って、リビングのテーブルのところに行き、椅子に坐った。そのテーブルセットは、父が出張先の金沢の骨董屋でみつけて、新しい家のために買ったものだった。伯母の家には置き場所がなくて、十年間、この目黒の無人の家のリビングに置かれたままだったのだ。大正の初期に日本へ家族とともに赴任したドイツ人の外交官が、日本人の職人にブナのむく材で作らせたという六人掛けのテーブルと椅子だった。

「檜のお風呂をあきらめたときは、お父さん、ほんとに落ち込んでたわよねェ」

留美子は、自分のパソコンとか筆記具、それにアドレス帳などをしまった段ボール箱を二階の自分の部屋に持ってあがる前に、少し一服しようと思い、急須に茶の葉を入れながら、そう言った。

「だって、えって声をあげるくらい高かったんだもの。見積書を見たときのお父さんの顔……。これだけ木を使ったら、予算を相当オーバーするってこと、覚悟なさっといて下さいねって、設計士に念を押されてたのに……」

家の裏側には、低いブロック塀を挟んで、古い瓦屋根の平屋がある。

十年前、その家には、息子に会社の跡を継がせて貿易業から引退したばかりだという六十五歳の老人が住んでいたが、あの人はまだお元気なのだろうか。お名前はたしか佐島徹蔵さん……。

留美子はそう思いながら、ポットの湯を急須に注ぎ、台所の窓からその老人の家を見やった。

そこから見えるのも、佐島老人の家の台所の窓で、明かりは灯っていなかったが、人が暮らしているしるしとして、物干し竿が二本架けられ、そこにバスタオルと足拭きマットが干されていた。

老人の家の西隣は、変わった形の屋根の二階屋で、老人の息子夫婦が住んでいる。息子夫婦といっても十年前すでに四十二、三歳で、たしか高校生の娘が二人いたはずだったから、いまはその娘たちも成人し、あるいは別のところで暮らしているかもしれなかった。

父が買った土地も、その東隣の医師宅も、元はその佐島老人の所有地だった。だから、医師宅と父が買った土地は合計二百坪ほどのひとつの宅地だったのだが、どういう事情からか医師は百六十坪弱だけを購入してそこに自宅を建てたので、周囲に高層マンションのない住宅地に、歯が抜けたように四十五坪の土地が更地で残ったのだという。

留美子の父は日本中の土地が常識外れの高騰をつづけていたときに、東京都内の交通至便な住宅地の土地を買ったことになる。この土地を買ったら、建物を建てるための費用が失くなってしまうという母の反対を押し切って、質素で住みごこちのいい、心が柔らかくなる家を低予算で建ててみせるから、まあ見ていろと父は言ったのだった。

父が勤める会社は、極めて高い技術力で海外でも評価される精密機器のメーカーで、空気がきれいで地震が少ない地を選んで、国内に二ヵ所工場を持っていた。

ひとつは栃木県と福島県の境あたりの村に、もうひとつは岡山県北西部の田圃と植林山とが隣接する村に、であった。

二ヵ所の工場の周辺には旧家が多く、それは老朽化し、住人の世代交替が起こっていて、同時に折からの土地ブームで、古い家を壊して流行りの新建材を使った薄っぺらな建物に建て替える人たちが増えていた。

父はそこに目をつけて、それらが壊される際に廃棄物として捨てられるであろう床板や天井の梁や階段の板などを格安で手当たり次第に譲ってもらい、それらをどう組み合わせるかを主眼にした設計を依頼したのだった。

だから、完成した目黒の家は、外から見ても、一昔や二昔どころではない、なんだかひどく懐かしい趣きのする、こぢんまりしたもので、内部に至っては、五十年以上たつ柱、百年近く使われてきた栗材の床、部屋の大きさに比して異様なほどに太い梁、真新しい漆喰壁と調和のとれない黒ずんだ天井板、手すりの木材とは材質も色合いも異なる階段などが、留美子や母の目から見ればあまりにも装飾性のない単調すぎる古めかしいものとなった。

だが工事中、それら年代物の木材が運び込まれて組み合わされていくのを間近で見ていたのであろう佐島老人は、引っ越しの挨拶に訪れた留美子一家に、賞讃の言葉で接した。

「いやア、すばらしいお住まいがとうとう完成しましたねェ。廊下とお二階の部屋にお使いになった栗の木の板の、あの底光りする光沢は惚れぼれしますね。いちばん太い梁は松ですな。柱は杉ですか？　使い込まれて、いい味わいで」

佐島老人は、若いころはさぞかし秀麗であったろうと思わせる品の良い顔立ちに、控えめな笑みを浮かべて言ったあと、

「失礼しました。氷見さんのおうちのなかをいつも覗いていたわけではございませんが……」

と背筋を伸ばして丁寧にお辞儀をし、父が持参した和菓子の箱を受け取ったのだった。

「素人考えで、衝動的に古い木材を集めましてから設計士に頼み込んだものですから、工事にたずさわる方々には難儀ばかりかけてしまいまして。出来上がった家を実際にこの目で見ましたら、なんですか、周りの立派なおうちとか町並みの雰囲気を乱すような、みすぼらしくて時代遅れのものになってしまいまして」

父はそう言ったが、どうだ、見る人が見れば、ちゃんとわかってくれるのだぞという目で留美子たちに視線を注ぎ、家に帰ってからも、

「わかる人にはわかるんだよ」

と悦に入りつづけたのだった。

留美子は、茶を飲むと、段ボール箱を二階の自分の部屋に運んだ。留美子の部屋も、

父の書斎と並んで南向きに大きな窓がある。その窓からは、佐島老人の家の瓦屋根と、その向こう側の門のところに植えられている蘇鉄の木の先端が見える。

佐島老人の家の前は一方通行の道で、その道の向こうには立派な塀に囲まれた、最近の都会には珍しい白壁の土蔵を持つ二階屋がある。

その家も、築後三十年はたっていそうな、どこにでもある日本家屋で、窓ぎわの壁には室内の空調機と室外のモーターとをつなぐ白い管が出ている。

土蔵の右隣は、最近建ったと思われる台形の薄い屋根の、テレビのコマーシャルでよく目にする出窓の多い家で、この界隈では最も大きな敷地のなかにある。

その家と土蔵のある家とのあいだには空間があって、空間の五百メートルほど先には、どこかの会社の社宅らしいコンクリート造りの五階建てが見える。

そしてその左側には、公園のなかでいちばん高い楠の先端と四本の電線が見える。

それが、留美子の部屋と、隣の父の三畳の広さしかない書斎の窓から眺められる風景であった。

十年間閉めたままだったカーテンは外して、きのう新しいカーテンに替えたたし、父の書斎とを仕切る漆喰の壁ぎわには、さっき引っ越し業者の青年四人が本棚を運び、反対側の壁ぎわにはベッドを置いた。

留美子は、父と二人きりで写っている写真をおさめた額を段ボール箱から出した。

その写真は、留美子が大学に合格した日の夜に、父と母と三人で銀座の寿司屋でお祝

い の食事をした際、母が撮ったものだった。

幼いころの、父と二人きりでおさまっている写真は多いのだが、留美子がおとなに近づいてからは、なぜか写真のどこかに弟の亮がふざけた表情で写っていたり、家に遊びに来た誰かと一緒だったり、あるいは父か留美子のどちらかの顔がぶれていたりした。父の突然の事故死のあと、留美子はアルバムからその一葉を選んで額に入れ、本棚の一角に飾ってきたが、目黒の家に戻ると決まったとき、この手札型のサイズの写真を父の書斎の造りつけの本棚に置こうと思ったのだった。

十年前の引っ越しも慌ただしい作業で、いちおう荷物がすべて家のなかに運び込まれたのは予定よりも大幅に遅れた夜の九時ごろだったと記憶している。たしかその夜は、伯母が作って持って来てくれた三段の重箱に詰められたお弁当を食べ、そのあとそれぞれが風呂に入り終わったときは夜中の一時すぎで、荷物のほとんどに手をつけることなく寝てしまった。

翌日は、父も留美子も出社し、帰宅してから近所の家々に挨拶をして廻った。母ひとりで片づけ作業をしていたが、途中で疲れて早々に寝てしまった。

だから、父はついに自分の夢であった書斎で一息つくことは一度もなかったのだ。

留美子は写真をおさめた額を持って父の書斎へ行った。

元は何に使われていたのかわからないが、ぶあついブナの板に別の古い材質の木で脚をつけた長さ一メートル、奥行き六十センチの机は、南に面した窓の下に組み込まれて取り外すことができないので、いまもそのままそこにあった。椅子は父が友人から譲り受けた中国の明代の、一見、箱に背凭れをつけたかに思える頑丈なもので、それも十年間、書斎の机と一緒に置かれたままだった。

留美子の部屋とを仕切る壁は漆喰だが、木以外のものを使ってあるのは、そことアルミの窓枠だけで、床も天井も西側の壁も、すべて古い木だった。

その木の板の壁の下に、高さ一メートル二十センチ、奥行き一メートルの、ほぼ正方形の形にくりぬかれたような空間があって、そのいったい何を収納するためなのかわからない、穴蔵とも呼べそうなものを、父がなぜ意図的に作ったのか、留美子は知らない。花瓶を入れて花を飾るにしては大きすぎるし、テレビとかラジオとかCDデッキを置くための穴にしては、いささか手が込みすぎている。造りつけの本棚におさまりきれなかった書籍類を入れるつもりだったのか、それとも仕事関係の資料とかノートなどを収納するつもりだったのか……。いずれにしてもそこは、長細い殺風景な部屋のなかの、なんだか謎めいた穴蔵なのだった。

「コンクリート・ジャングルっていう言い方で都会を表現した一時期があってね。俺が高校生くらいのときかな。高度成長の時代に、東京でも大阪でも、どんどんビルが建つようになって、建築中のビルでは鉄骨がむき出しで……。まったくコンクリートのジャングルだなアって、都心の道を歩くたびに思ったもんだよ」

どうしてそんなに病的なまでに木に執着するのかと、目黒に家を建てることが決まったころ、母が不満そうに、そしてあきれ顔でなじりながら問い詰めたとき、父はそう言ったのだった。

「俺はべつに『自然派』を気どってるわけでもないし、頑迷な信条にとりつかれてるわけでもないんだ。ただ、身も心も安らぐ巣に帰りたいんだ。身の丈に合った大きさの、明るすぎることも暗すぎることもない、家そのものが息をして生きてるっていう、そんな家が待ってたら、コンクリートのジャングルのなかでへとへとになっても、ああ、家に帰って生き返ろうって思えるじゃないか」

荒だった声はたてないし、母に手をあげたこともないが、じつは気が短くて癇癪持ちな父は、自分が理想とする家を建てるという点に関しては気長に意志を通した。

「それがこの家なのよねェ……」

留美子は、机の上に額を置き、せめて薄いクッションでも敷きたくなる硬い椅子に坐った。

階段をのぼってくる音がして、母の泰江が、あけたままの書斎のドアのところで、

「これ、貴美ちゃんの家に持って行ったけど、十年間一度もあけずにしまったままだったのよ」

と言った。母は、もう色も赤茶けて、封をしてあるガムテープも変質し、「書斎」と水性マーカーで書かれた亮の字も褪せている段ボール箱を両手でかかえていた。

父がとりあえずこの書斎に置いたものが入っているのだという。

「これは大事なものかもしれないってのは、あのとき全部別の箱に入れたの。このなかにはねエ、たしか、石が三つ、何かのパンフレットが四、五冊、それと、お父さんが韓国で買ってきた小さな手文庫、……だけだったと思うわ」

母は段ボール箱を机の横に置き、いま駅の近くの寿司屋に盛り合わせを出前してくれるよう頼んだと言った。

「石？　石って？」

と留美子は訊いた。

「どこかで拾ってきた石よ。大中小ってあって、それを並べると、一頭の鯨に見えるんだって……」

どう説明されても、自分には鯨には見えないが、捨ててしまう気にもなれなくて、手文庫と一緒に段ボール箱にしまったのだと母は言った。

「机の上に置くスタンドとこの部屋用のスタンドは別の箱に入れたんだけど、どの箱にだったのか忘れちゃって……」

母の言葉で、留美子は父の書斎の天井には照明器具がないことに初めて気づいた。

十年前の引っ越し作業のときは、せいぜい二回か三回、何かの荷物を書斎に運んだだけだったし、自分の部屋の片づけを急いだので、父の書斎の様子など気にかけなかったのだった。

「明かりは、自分の目の高さよりも下にあるほうがいいんだって言い張って、机には読書用のスタンドだけ。部屋の明かりは……」

母は奇妙な穴蔵の近くを指さし、

「そこにもうひとつ高さ一メートルくらいのスタンドを置いてたのよ」

と言い、階下に降りていった。

日は暮れてきて、明かりがないと書斎の天井や壁や床の木目は見えなくなった。出前の寿司が届くまでに、せめて自分の衣類だけでも整理しなければと思い、留美子は書斎の窓を閉めるために窓ぎわに近づいた。

そこから、佐島老人の家の台所で動く人の姿が見えた。佐島老人のものではなかった。台所のすりガラス越しに動いているのは、かなり肉づきのいい女性のようで、さっきまで物干し竿に架かっていた洗濯物も取り込まれていた。

自分たちで運べそうな小物類は、きのう留美子の勤める税務会計事務所の四人の職員たちが手伝ってくれて、二台の車でこの家に持ってきたのだが、その際、留美子と母は、十年前に挨拶におもむいた家々に、再び挨拶をして廻ったのだが、佐島老人宅は不在で、その隣の老人の息子の家にも誰もいなかったのだった。

氷見家が引っ越してきたばかりなのに無人と化した事情を近所の人たちは知っていたが、もう十年前のことだからと考えたのか、ほとんどの人はそれには触れず、「まあご丁寧にありがとうございます。今後ともどうかよろしく」といった型通りの言葉を返してきただけであった。

「この家、売れなかったはずよねェ……」

留美子は書斎の窓を閉め、いったん自分の部屋へと行きかけたが、十年間伯母の家の納戸の奥に置かれたままだったのであろう段ボール箱のガムテープをはがし、なかに入っている手文庫と、三つの石と、ぶあつい数冊のパンフレットを出した。

五冊のパンフレットのうちの二冊は、父が大学を卒業してから二十八年間勤めつづけた会社の概要を紹介したもので、残りはカメラと電気冷蔵庫と照明器具の製品を紹介したものだった。どれも残しておかなければならないものではなさそうで、留美子は会社概要だけを本棚に置き、あとは段ボール箱に戻した。

手文庫には鍵がかかっていて、赤と青の太い房飾りのついた鍵は、手文庫の蓋にセロテープで貼りつけてあった。

それを机の上に置き、留美子は三つの石を並べた。たしかに、河原にいくらでも落ちていそうな変哲のない石であった。

ひとつはおむすびを立てたような形の、子供の拳大で、もうひとつはややひらべったい円筒形、そしてもうひとつはイチョウの葉が反ったような形の、ところどころに青黒い縞のある石だった。

「鯨かァ……。どう並べたら鯨に見えるの？　お父さんて、変な人だったのかも……」

留美子は、下戸で、ビールをグラスに半分も飲めば顔中真っ赤になる父の、食卓にもトイレにも常に置いてあって、家でくつろいでいるときに穿くズボンのポケットにも必ず入れてある小さなメモ帳に、思いついた数字とかxとかyとか、曲線と曲線とかを書きつけていた姿を思い浮かべた。

精密機器の設計の現場で父が事故の直前まで取り組んでいた仕事がいかなるものであったのか留美子は知らない。

だが、そのときどきに取り組む仕事のための数理計算は、食事中も入浴中も、テレビを観ているときも、通勤の途中でも、父の頭から離れたことがなかったのを留美子は、いまは一種の羨望（せんぼう）の念を抱いて思い起こすのだった。

「おもしろい仕事がうちの社に舞い込んでね。俺はやっと男子一生の仕事に巡り合うかもしれないよ」

急なドイツ出張に向かう日の朝、父が母にそう言っているのを留美子は耳にしていたが、それがどんな仕事であったのか、留美子も母も知らないままになってしまった。

西の空に落ちようとしている夕日を頼りに、留美子は三つの石を並べた。並べる順序を変えたり、それぞれの石を横にしたり縦にしたり裏返したりしているうちに、ふいにそれは鯨に似た形になった。

それも見ようによってはといった程度でしかなかったが、おむすび形のを頭部に、円筒形のを胴体に、イチョウの葉に似たのを尾っぽにと想定して、あらためて鯨に擬（ぎ）すつもりで配置を動かすと、こんどははっきりと鯨そっくりになった。

留美子は、それを見つめて笑った。

「ほんとだ。鯨だわ。マッコウ鯨ね」

その形が崩れないようにして、留美子は三つの石を机の上に残っている夕日の細い光のなかに置いた。

そして、セロテープをはがし、手文庫の蓋についている鍵を持つと、鍵穴に差し込んだ。その手文庫も、父が仕事で韓国に行った際に、古道具屋でみつけて買ってきたものだった。昔の土蔵の鍵に似た単純な細工のそれは、かえって鍵穴に合わせにくかったが、少し力を込めて廻すと、かすかな金属の音をたてて回転した。

木の蓋をあけると封筒が入っていた。

父への個人的な手紙ならば見ないほうがいいのではと思ったが、骨董品の手文庫にしまうような手紙があの父にもあったのかと少しほほえましい気がして、留美子はその青い封筒を出した。それは十五歳の少年が留美子に手渡したあの手紙だったのだ。

留美子は我知らず眉根を寄せ、なんだか怖いものに触れる思いでなかの便箋を出し、それが間違いなく十年前の気味の悪い手紙であることを確かめると、書斎から出て、二階の廊下の大窓のところに立った。

なぜ手紙が父の手文庫に入っているのかを母に訊こうと思ったのだが、大窓から見える真向かいの家の庭があまりに美しくて、足を止めたのだった。

留美子の家の玄関はほとんど北向きで、玄関の前の道も一方通行の、車が二台なんとかすれちがえるほどの幅だった。その道を挟んで、留美子の家と向かい合う格好で建っている上原という表札のかかっている家は、石積みの台の上にコノテヒノキの木を垣根として植えていて、それはきれいに刈り込まれてはいたが丈が高く、古い木製の門扉も人間の背丈よりはるかに大きいので、外からはなかのたたずまいがまったくわからないのだった。

いわゆる昔の洋館風の家はさほど大きくはなかったが、鱗壁(うろこかべ)も、落ち着いた意匠の窓も、門扉を取りつける石造りの丸くて太い柱も、年月を経るごとに味わいを深めてきたのであろうことをうかがわせていた。

留美子が見惚(みと)れたのは、門扉から玄関へとつづく敷石が隠れるほどに植えられた木の見事さであった。

やまもも、もちの木、カイヅカ、ヒマラヤ杉、ハナミズキ……。それ以外にも、留美子が名前を知らない木が数本あって、どれもみな立派な大木であった。

玄関横の壁ぎわには蔓(つる)バラが植えられ、それは鱗壁に貼りつくように枝を伸ばし、無数の蕾(つぼみ)をつけている。蔓バラの幹も太くて、そこに植えられてから十年、いや二十年近くたっていそうだった。

上原家の庭がこんなにも美しいということを十年前にはどうして気づかなかったのか……。

留美子はそう思ったが、庭というものに惹(ひ)かれるようになったのは、自分が貝塚造園という会社の税務を担当するようになったからだと気づいた。

静岡に本社と農園を持つ造園会社に、月に一度監査のためにおもむくようになってちょうど一年たつが、行くたびに「庭」というものに対する知識を得ている。というよりも、知識を持たなければ、造園会社の金の出入りを正確に掌握することはできないのだった。だから留美子は、庭に使うさまざまな植物の名をわずか一年で、かなりの数、おぼえてしまった。

案外、父は、この家を建てるにあたって、向かいの上原家の庭も計算に入れて、それを借景とすることまで考えたのではないだろうか……。

おそらく、上原家の住人よりも、その庭の美しさを楽しめそうな自分の家の二階の窓の意図的な大きさと位置を確認して、留美子はそう思った。

「お父さんの手文庫に、こんなものが入ってた」

リビングに行くと、留美子はそう言って青い封筒を母の前に置いた。

「これ、何?」

と母は訊いて老眼鏡を捜した。

「あの変てこりんな手紙よ。蜘蛛が空を飛ぶとか何とか、わけのわからないことを書いて、十五歳の男の子が私にくれた手紙よ」

「えっ? それ、いつの話なの?」

母の泰江は、老眼鏡をどこに置いたのか忘れたらしく、中身を出して重ねてある段ボール箱のなかを捜しながら訊いた。

「十年前よ。ここに引っ越してすぐのころに、駅前のパン屋さんの前で、見たこともない男の子に、私が手紙をもらったでしょう?」

それでも母は思い出せないようだった。

留美子は、手紙のことを母に思い出させるために、一緒に老眼鏡を捜した。それは洗面所の棚の上にあった。

手紙を読んでやっと思い出した母は、

「どうしてこれがお父さんの手文庫のなかにあるのよ」

と留美子に訊いた。

「私が訊いてるんじゃないの……。何かが起こったときのためにこの手紙は置いとこうって言って、お母さんがどこかにしまったのよ」

母は、そのときのことを思い出そうとして、老眼鏡をかけたまま天井を見つめた。

「この手紙をもらったとき、お父さんはもうドイツに出発してたわよねェ」

留美子はそう言ったが、記憶は曖昧で、父の事故の日を中心にした数日間のことを明確には思い出せなかった。そこだけ、さまざまな事柄が順不同で折り重なっている。

「お父さんの事故、この手紙をもらった次の日だったわ」

留美子がそう言うと、母は指を折ってかぞえ、

「だったら、お父さんはもう日本を発ってたわ」

と言い、そこでやっと思い出したのだった。

「そうよ、私よ。この手紙を手文庫にしまったのは私。やっぱりお父さんに見せといたほうがいいと思って、二階の書斎の机の上に置いたわ。間違いないわ。お父さんがドイツから帰って来たら見せようと思って……。それで、貴美ちゃんの家に移るとき、何も考えないで手文庫に入れたんだと思うわ。あのときは、正常な精神状態じゃなかったから……」

「いやだなァ、こんなものがまた私のところに舞い戻って来て……。なんだか不吉だわ」

と留美子は言った。

「破って捨てちゃいなさいよ」

母は空の段ボール箱を留美子の足元に置いた。

チャイムが鳴り、寿司屋の店員が出前を届けに来たことを告げた。留美子は青い封筒を段ボール箱のなかに投げ入れ、玄関へと走った。

翌日の夜、仕事が思っていたよりもはかどらず、勤め先の檜山(ひやま)税務会計事務所のある西新宿のSビルを七時前に出ると、山手線で渋谷まで行ってそこでいったん降りたあと、東横線に乗り換えるために歩きだした留美子は、大きな紙袋を両手でかかえた男とぶつかった。

「すみません」

とお互い同時に声を出し、同時に無言で見つめあった。留美子が結婚を約束しあって三年間つきあい、去年の秋に別れた男だったのだ。

「あっ」

と小さく声を洩(も)らし、そのあとの言葉に詰まって、何かひとことでも喋(しゃべ)るべきなのかどうかと思ううちに、男のうしろに妻が三、四歳の男の子の手を引いて立っているのに気づいた。

「お久しぶりです」

と男は言ったが、留美子は小さくお辞儀を返すと、慌ててまた山手線の改札口へと戻った。

戻ってから、自分はどうしてこんなにうろたえているのかとなさけなくなり、いまから東京駅へ行けば、弟の亮が乗った新幹線の到着時刻に充分間に合うなと咄嗟に考え、やって来た電車に逃げるようにして乗ってしまった。

そのまま男と行き過ぎてしまえば何ということもないのに、狼狽(ろうばい)してしまって男とその妻子とが歩いて行こうとしていた方向へとあと戻りした自分に腹が立った。

留美子が五つ歳上のその男と知り合ったとき、男は妻と別居していた。離婚することはもうお互いが承諾しあっているのだが、結婚と同時に妻の父親の経営する会社の役員に就任した男は、その会社から円満に身を引くまでは、正式に離婚できないでいると留美子に説明した。義父は健康が優れず、実質的には自分が社長の会社なので、しかるべき人にバトンタッチしてから離婚という手続きを踏むのが人間の道だと思うからだ、と。

自分を信じてほしい、一年も待たせはしない。自分は妻の住む家にもう二年近く帰っていないし、今後も帰る気はない。離婚のための最終的な話し合いも、二人が暮らした家ではなく、弁護士も同席した他の場所で行うつもりだ。いまひとりで暮らしているマンションの鍵は留美子にも渡しておこう。いつでも自由にそこに行ってくれ。そうすれば、妻が訪れることもなく、電話もかかってはこないということがわかるはずだ……。

留美子は男を信じたし、そのときの男の言葉に嘘はなかったのだといまでも思っていた。

だが、留美子と知り合い、留美子と深い関係になってからすぐに、妻の妊娠がわかったということを男が隠しつづけたのは、「嘘」とは異質な、「あえて真実を告げなかった」と言葉を変えて表現されるべきものなのかどうかを、いまの留美子は考えたくはなかった。

もし騙されたのだとすれば、騙された私が愚かだったのだ。留美子はそう思っている。だから、妻と子と一緒に歩いていた男とばったりでくわしたからといって、うろたえて、来た道を引き返してしまった自分がなさけなくて、留美子は空席があるのに扉の近くに立ったまま、母の泰江から電話がかかってきた際に走り書きしたメモをハンドバッグから出した。

弟の亮が名古屋から乗る新幹線の列車名と到着時刻、それに車輌番号が書いてあった。

母は、亮を迎えに行ってくれと頼むつもりもないまま到着時刻などを伝えたのであろうし、留美子もそんな気もないまま、何気なく机の上のメモ用紙に控えただけだった。

留美子は、男と男の妻子の姿を思い出したくなくて、メモ用紙に目をやったまま、今夜は亮に何かおいしいものでもご馳走してやろうと決めた。こんな機会でもなければ、いつも財布のなかはからっぽに近い弟と二人で食事をすることはあるまい……。

留美子は、夜中の三時まで営業している銀座の「とと一」という店に行こうと思った。そこは、名の知られた料理人が新しくひらいた店で、割烹料理だが、自分の食べたいものを一品か二品にご飯と吸い物だけ註文してもいいのだった。勤め先の所長である檜山鷹雄がつれて行ってくれて、それ以来何度か留美子も友だちと行ったことがあった。

「思いがけない出費だわ」

留美子は、電車の扉のガラス窓に映っている自分に言った。

「ぼくは約束は必ず守る男なんだ」

いったい何十回言ったかしれない男の言葉が、車輛のあちこちから聞こえてきそうな気がした。

亮は、どう見ても大きすぎる冬物のジャケットを着て、畳半分ほどの厚い紙に覆われた角張った荷物とともに新幹線から降りて来て、留美子に気づくと、

「あれっ？　迎えに来てくれたの？」

と驚き顔で言った。

「そうよ。お金返してもらおうと思って……。あの五万円、返して。こんどは逃がさないわよ」

留美子はそう言って片手を突き出した。

背はそれほど高くはないが、中学、高校とラグビー部員だった氷見亮は、肩幅が人目をひくほど広くて、その上にいささか小さすぎる顔が載っている。肩幅が広いから小さく見えるのではなく、亮の顔は日本人の男の平均的な顔の大きさよりもはるかに小さいのだった。

「えっ！　もうちょっと待ってくれよ。俺、姉ちゃんに金貸してもらおうと思って、東京に来たのに」

「冗談じゃないわ。前に借りた五万円も返さないで、また新しく借りようなんて、きみは何考えてるのよ」

「だって俺、帰りの飛行機代、ないんだよ。姉ちゃん、金貸してくれよ。ねェ、姉ちゃん」

「姉ちゃん姉ちゃんて大きな声で言わないでよ。かっこ悪いでしょう」

留美子は、亮よりも五歩ほど先を歩いて、ホームの階段を降りた。周りの人々が、亮の「姉ちゃん」と呼ぶ声で留美子を見つめたからだった。

「姉ちゃん、ハイテクのブラジャーしてるだろう。おっぱい、でかくなったよ」

亮は角ばった大きな荷物を両手で持って、留美子のうしろから言った。

「そんなこと、大きな声で言わないでよ。それと、姉ちゃんていうの、やめなさいよ」

留美子は、亮の声を耳にして、姉ちゃんと呼ばれた女の胸に視線を注いできた中年の男の目から逃げるために歩を止めた。

「じゃあ、留美ちゃん、お願いですから、もう一回だけ五万円貸して下さい。来年の正月までには必ず返します」

「その荷物、なんとかならないの？　そんな大きい荷物を持って電車に乗ったら、車掌さんに怒られるんじゃないの？　それ何なの、いったい」

「朝鮮の李朝の時代の飾り棚。留美ちゃんへの俺からのプレゼント」

と亮は言い、腹が減ったと訴えた。

「大分からわざわざ持って来たの？」

「きょう和歌山の熊野で手に入れたんだ。直径一メートル五十センチの杉の根っこと樹齢五百年の欅の倒木と、カイヅカの原木を買って、この棚いいなァって賞めつづけたら、製材所の親父さんが、出世払いでいいよって言ってくれて。気が変わらないうちにって思って、古い毛布にくるんで、その上から紙で包んで、かついで来たんだぜ。留美ちゃんのために」

「氷見家の血には、木が入ってるのね。先祖は木こりだったのかもしれない。亮といいお父さんといい、とにかく木が好きだっていう病気よ」

留美子は、亮の持っているものがあまりに重そうなので、電車で有楽町に行くのはやめて、東京駅の改札口を出るとタクシーに乗った。亮が出世払いで買ったという李朝時代の飾り棚は、かろうじて車のトランクに入った。

亮は、ニューヨークの大学で情報工学を学び、卒業して日本の大学院でさらに勉強をつづけたが、担当教授の推めでコンピューター関連の大手企業に就職した。

コンピューターのシステム開発の技士としてであったが、二年後に突然退社し、友人の父親が営む大分県の製材所で働き始めた。「木工」に生涯を捧げたいなどと言いだし、母に相談もせず大分県へ行ってしまって、そこで仕事のかたわら、廃屋となった農家を自分の住まい兼工房として借り、一枚板のテーブルや飾り棚などを造っている。

これまでに亮が製作したものが売れたのは二点だけだった。杉のぶあつい一枚板のテーブルと、カイヅカの木で造った飾り棚で、それによって得た収入は、すべて将来の仕事のための原木の購入にあてたという。

亮に言わせれば、樹齢を重ねた原木をどれだけ蓄積しておくかで、十年先二十年先三十年先の自分の仕事が左右されるからだった。

「氷見家の血には木が入ってるだなんて……。前世は森の精だったとか何とか言ってもらいたいなァ」

亮は言って、タクシーのなかから東京の夜の街を見つめていた。

留美子は、日頃は口の重い弟が饒舌になって冗談を言える相手が、母と、姉である自分、そしてごく限られた友人だけなのを知っていた。

それ以外の相手の前では、自分の意思や、独特の機知を発揮できず、損ばかりしている。

こんなに気が弱くて、よくも四年間のアメリカ留学に耐えられたものだと思うのだが、ひとつのことに取り組み始めると石にかじりついてもやめないというところがあって、中学高校を通して一度もレギュラーになれず、コーチや先輩から、お前には向いていないのではないかと何度引導を渡されても、ついにラグビー部をやめることはなかった。

それなのに、誰が考えても将来有望な職業を捨て、母に何の相談もしないまま、まったく経験のない畑違いの道へと突き進んでしまった。

大分県U市にある製材所の社長には、うちにいてはたいした勉強にもならないだろうから、木工の名人と言われる職人のもとで修業しろ、俺から頼んでやるからと勧められているらしいが、本人は、まだ「木」というものを扱う現場で学んでおきたいものがあるのでと言って、昼間は製材所の社員として働いているのだった。

銀座の「とと一」が混み始めるのは、夜の十二時を過ぎてかららしいので、留美子と亮がカウンターだけの店内に入ったときは、客は二組だけだった。

「ねエ、高いんじゃないの? こんな高級な店なんて、親父が生きてたとき、この近くのステーキハウスにつれてってもらって以来だよ。留美ちゃん、この店によく来るの?」

亮は白い割烹着を着た若い板前に、この大きな荷物を入口近くの壁ぎわに置いてもいいかと断ってから、そう声をひそめて訊いた。

「そりゃあ銀座だし、有名な料理人が遊び半分でやってるお店だっていっても、安くはないわよ。でも高くもないの。月に一度くらいなら、私のお給料でも大丈夫」

「遊び半分でやってるって、どういうこと？」

「夜、映画やお芝居を観たりして、さあ何か食べたいって思っても、料理屋さんにしてもお寿司屋さんにしても、たいてい九時か十時には店を閉めちゃうでしょう。仕事で遅くなって、何かおいしいものを少しだけ食べたいなアって思っても、そんな時間には気楽に入れるお店がない……。ここのご主人、つねづねそう思ってて、じゃあ自分でそんな店をつくろうって」

留美子は「白魚のとじ煮」と「蛤のおぼろ蒸し」、それに「筍ご飯」を註文した。亮は、品書きを手にとって迷いに迷い、「合鴨ロース煮」と「きすの天麩羅」を頼んだ。

「お酒、お銚子に一本だけ飲んでもいいかな……」

亮が遠慮ぎみに耳元でささやいたので、留美子は笑いながら、

「私も飲むから二本ね」

と言った。

そのとき背後で大きな音がした。店の玄関先を掃除していたらしい見習いの板前が、まさかそんなところに大きな荷物が置いてあるとは思わなかったのか、箒と汚れた水の入ったバケツを持って留美子と亮のうしろを通りかかってぶつかったのだった。バケツの

水はすべて亮の荷物の上に撒(ま)かれてしまった。

店の者たちは謝りながら、タオルを持って集まって来た。

「ちゃんと前を見て歩かねェか」

客だと思っていたセーター姿の初老の男が、憮然(ぶぜん)とした表情で若い板前を叱り、タオルで梱包(こんぽう)してある紙を拭(ふ)いたが、水は浸み込んでしまっていた。

「濡れても大丈夫な物ですから」

そう言いながらも、亮は慌てて包んである紙を破り取った。角(かど)の部分に毛布をあてがった、黒っぽい木肌の何のてらいもない飾り棚が古ぼけた姿をあらわした。

「バカヤロー、ちゃんときれいに拭いて、新しい紙でお包みするのが先だろう」

「とと一」の主人は、濡れた客の荷物よりも床にこぼれた水を気にしてそれをモップで拭きかけた板前をいらだたしげに睨(にら)みつけて叱った。

「いや、こんな大きな荷物を持って来たぼくが悪いんです。すみません、ご迷惑かけて……」

亮はそう言って、タオルで棚の上の部分を拭いたが、さして濡れてはいなかった。

「これは何ですか？」

主人が訊いた。

「棚です」

と亮は答えた。

「古い物ですねェ」

「朝鮮の李朝時代の物です」

「お客さまは、こういうものを扱うお仕事をなさってるんですか?」

「いや、まァ、扱うっていうのか……」

「じゃあ、これは売り物ですか? だったら私に売って下さいませんか」

「えっ」

「いやァ、これはすばらしいもんですよ。李朝時代かァ……。十九世紀の朝鮮の物ってわけですねェ」

「ええ」

「十万てのは、ちょっと虫がよすぎますよねェ。二十万でどうですか?」

「あっ」

「じゃあ三十万。三十万だったら、いま現金でお支払いできるんですがねェ」

「うっ」

「駄目ですか?」

「いっ」

留美子は、主人に気づかれないよう、亮のふくらはぎのあたりを軽く蹴った。

「三十万で私に譲って下さいよ」

「おっ、おっ」

「おーい、俺の財布、持ってこい」

いったい何を言いたいのか、あっ、とか、いっ、とかしか口にせず、まばたきばかり繰り返している亮のふくらはぎを、留美子はもう一度蹴り、相手の気が変わらないうちに、さっさと売ってしまえという意味の目配せをした。

手渡された三十枚の一万円札をかぞえもせずに握りしめたまま、亮は留美子を見つめた。留美子が笑顔で頷（うなず）き返すと、やっと亮は、

「これはたぶん栗の木だと思うんです。李朝時代のものに間違いありません。どなたか目利（めき）きの人に観てもらって下さい」

と言った。

主人は、

「よし、もう私のもんですよ」

と笑い、カウンターの奥の壁を指差して、若い板前に、あそこへ運ぶようにと指示した。

「この壁の空間がねェ、なんだか目障りで、神経にさわって仕方なかったんですよ。どんな絵を飾っても駄目。壺や皿を置いても駄目。花なんか活（い）けた日にゃあ目もあてられない。だけど空間のままだと、どうにもしまりがない。この李朝時代の棚ですよ。これ以外のものは考えられませんよ」

主人は、板前に、もっと右、いやもうちょっと左と指示して、食器類をしまってある

らしい引き戸の台の上に、古ぼけた李朝の棚を載せた。そして、その棚に、自分が気にいっているというぐい呑みと小皿を二つずつ並べた。

「二十年ほど前に無理して買った香合があるんですよ。桃山時代のね。それをこの棚の、上から二段目の右側に、ぽつんと置きたいなァ」

領収書をあとで郵送してくれないかと言って、「とと一」の主人は名刺を亮に渡した。

註文した料理がカウンターに置かれて、ぬる燗の二合徳利は主人が持って来た。留美子と亮に酌をしてくれて、

「いやァ、なんともいえない良さがありますねェ。うちの若いのの粗相でこれがあらわれたとき、俺が捜し求めてたのは、これだって雷に打たれたみたく思っちゃった。どうです、この味わい……」

と棚を見つめながら言った。

主人が店の奥に引っ込んでしまうと、留美子は、ぬる燗の酒を少しずつ味わいながら、

「なさけないわねェ」

と亮の頭をこづいた。

「あっ、いっ、うっ、えっ、おっ……。亮が言った言葉って、あいうえおの五文字だけじゃないの。もうちょっとちゃんと自分の考えを喋れないの？　よくもそれであの自己主張の国・アメリカで四年間も暮らせたわねェ」

「だって、きょうこれを俺に売ってくれた人、二万円くらいでいいよって。それが十万

でどうかってここのご主人に言われて、泡食っちゃって」

そう言って亮は「合鴨ロース煮」を食べ、ぐい呑みについだ酒を飲み、

「うまいなア、脳髄が痺れるくらいうまいなア」

と目を細めた。犬が痒いところを掻いてもらっているような表情だったので、留美子は自分が註文した「白魚のとじ煮」も少し食べてみたらと皿を亮のほうへ寄せた。

「たったの二万円だったの？　この李朝時代の朝鮮の棚……」

「大きな声で言うなよ。店の人に聞こえるだろう。俺、なんか犯罪を犯したような気分で落ち着かないんだから」

「二万円を出世払いにしてもらって、二十九にもなった男が恥ずかしくないの？　二百万円を出世払いっていうんだったらわかるけど。亮の財布には、いつもどのくらい入ってるの？」

「いまは、千二百円」

留美子は、亮の「合鴨ロース煮」をひときれ食べた。

「なにすんだよ。人のものを断りもなく横から取るなよ」

留美子は、亮の後頭部を掌で叩いた。

「よくもえらそうにそんなことが言えるわね。千二百円しか財布に入ってない二十九歳の男が……。千二百円しか持たなくて、新幹線で東京駅に降り立つなんて、あんたの社会人としての証しはどこにあるのよ。人生、何が起こるのかわからないってのに。合鴨

のロース煮のひときれで、この頼りになるありがたいお姉さまを敵に廻すつもりなのね。じゃあ、その『きすの天麩羅』も食べないでよ。お酒も飲むな。これ、みんな私の奢りなんだからね」

すると、今夜は俺がご馳走するから、「春の刺身盛り合わせ」を追加しないかと亮は言った。

「一万円札が三十枚、天から降ってきたんだから。俺がじゃんじゃん奢っちゃう」

「ほんとね。お金が天から降ってきたわよね。二万円のガラクタが三十万円になったんだもんね。こういうのをアブク銭っていうのよ。私、この『近江牛の炭火焼き』にする。それにお酒をもう一本」

亮は周りをうかがい、さらに声をひそめて言った。

「最初にこの棚を売ってくれって言われたときはびっくりして『えっ』って。その次に、二十万でどうかって言われて、『あっ、それはいただきすぎです』って言いかけたんだけど、泡食ってたから『あっ』としか口から出なくて。じゃあ三十万って来たから、喉に何かが詰まったみたいになって『うっ』って……。『駄目ですか』って訊かれたとき、『いくらなんでも三十万も頂戴できません』って言うつもりで声を出したんだけど、最初の『いっ』だけであとがつづかなくて」

「最後の『おっ、おっ』ってのは?」

留美子は口のなかの合鴨のロース煮が噴き出ないよう笑いを懸命にこらえて訊いた。

「あの瞬間はほとんど意識のない状態だったから、ただ意味もなく声を出してたって感じだね」

と亮は言い、「きすの天麩羅」を食べた。

あんなに気が弱くて、ちゃんと社会を渡っていけるのかと母はつねづね案じているし、留美子も弟の人の良さとか、自己主張というもののない、いつも一歩も二歩も引いて他者と向き合う性格とかに苛立ったり、はがゆい思いを抱くのだが、ひょっとしたらこの子は「大物」ではないのかと考えたりする。

来年三十歳になるというのに、二十年三十年先のためにいま自分の原木を集めておくのだと、まるで深刻ぶったふうもなく言って、製材所からもらう少ない給料を貯め、それを惜しげもなく使ってしまう。

半年前に五万円を貸したのは、どういう経路で亮のところに巡り着いたのかはわからないが、長さ三メートル、直径五十センチのブナの原木で、根っこから離れた部分の、木としては希少で価値のあるものを買うためには持ち金では足りなかったからだった。

けれども、「生木」なので、そのブナの原木が何らかの「物」として加工できるようになるには何年もかかるらしい。

そんなものをいま買うよりも、木工職人としての腕を磨くことを先決にすれば、やがてはすでに乾燥された質のいい木材を仕入れて、それでテーブルや椅子や飾り棚などが作れるではないかと留美子は思うのだが、亮は原木というものに触れておきたいのだと言うばかりだった。

焦らないし急がない……。性格なのか、あるいはいつかどこかで得た信条なのか、亮のそのやり方は、ある意味では見事といってもいいくらいで、留美子は亮といると気持ちがやすらいだり、自分のあくせくした日々が空疎に思えたりする。

だが、大手のコンピューター関連の会社を突然辞めたときも、友人のつてで大分県U市の製材所で働くことが決まったときも、亮は、なぜそうしたいのかを喋らなかった。

「近江牛の炭火焼き」がカウンターに置かれると、亮はズボンのポケットからさっき受け取った三十万円を出し、一万円札を五枚抜いて、それを留美子に渡した。

「長いこと借りてたから、きょうのこの店のお勘定が利子ってことにしといてくれよ」

「そんな気前のいいことするから、すぐにお金がなくなるのよ。いつまでもあると思うな親と金って言葉があるのよ。知ってる?」

と留美子は言い、徳利の酒を亮のぐい呑みについだ。

「まったくそのとおりだよなァ……。でもとりあえず、あの五万円お返しします。長いことありがとう」

それから亮は、和歌山県の熊野に、たぶんいまの日本では一番かもしれない木工職人がいるのだと言った。

「あと一年か二年たったら、その人の弟子にしてもらえるかもしれないんだ」

留美子は、こんな質問は弟の決意や意欲に水をさすことになると承知しつつも、

「一年か二年先に弟子になるってのは、亮が木工にたずさわる仕事でいちおう収入を得られるまでにはあと何年かかるってことなの？」

と訊いた。

「早くて十年かなァ」

亮は気を悪くしたふうでもなく、なんだか他人事のようにそう答えた。

「十年たったら四十歳目前よ。それまでずっといまみたいな貧乏生活なの？」

「うん、……まあたぶんそうだろうなァ」

「好きな人、いないの？」

「いたけど、ふられた。結婚しようって約束してたんだけどね」

それから亮は、ふいに話題を変えた。その変え方がぎごちなかったので、留美子は亮が自分のいやな思い出から離れようとしたのではなく、姉の心の傷をおもんぱかったのだということがわかった。亮は、留美子と、別れた男とのいきさつを知っている。その男と結婚するというのは、いわば既定の事実といってもいいほどに定まっていたので、留美子は当然母にも男を紹介したし、亮が上京した折、三人で食事を一緒にしたこともあったのだった。

「自然に起こる山火事とか森林火災ってのは、空気が乾燥しすぎてるとこへ強風が吹きつづけて、木と木がこすれ合って、その摩擦熱で引火する場合が多いんだけど……」

と亮は言った。

「森林火災は火の勢いも強くて、消火作業も難しくて、それによる損害も地球的規模に及んだりするだろう？　だけど俺は、じつは大自然の偉大な知恵がその背景にあるっていう説が信じられるようになってきたんだ」

樹木が密生している山や森林には、樹齢百年を超える巨木も数多い。あらゆる木には実がなり、それが種となって周辺に落ちる。鳥がくわえて遠くへ運んだりもする。リスやウサギなどの小動物の餌にもなり、木の実を主食とする幾多の生き物を養いもする。だがそれが種であるということは、それらの種は次代を担うというのが最も重要な使命なのだ。

そしてそれらのほとんどは、大きな木の下で朽ちていくか、土中にもぐり込んだまま、本来の働きをせずに年月を経ていく。

巨木の下では発芽しにくく、土は多くの木々に養分を吸収されて、少しずつ痩せていき、新しい命を育む力を失っていく……。

「そういう状態が何十年もつづくと、年老いた木同士が、静かな満月の夜に、いろいろと話し合うんじゃないかって、俺は思うんだよ」

「話し合うって、木のおじいさんやおばあさんたちが？」

「うん。どうだい、もうそろそろ若い連中のための場所を作ってやるときが来たんじゃないかね、って」

亮は真顔でそう言って、留美子のぐい呑みに酒をついだ。

「それで、気象条件が整う日を待って、お互いの肌と肌をこすり合わせて発火させて、山や森林を燃え尽きさせて、自分たちは焼け焦げて理想的な養分と化して土に戻って行って、土中でその時期を待ってた種たちを発芽させ、育て、また新しい森林を誕生させて行くんだ」

亮は一呼吸置いて、こう言った。

「そうやって芽を出した新しい連中がだよ、立派な大木に育って、広大な焼け跡がまた広大な森林になるには、少なくとも五、六十年はかかるよ。ということは、俺が自分はこうなりたい、こうしたいって決めた道でなんとか飯も食えるようになるための十年なんてじつに短いもんだろう?」

「それって、なかなかおもしろい含蓄(がんちく)に富んだ三段論法よね」

留美子は茶化すように言ったが、いつも茫洋(ぼうよう)としていて無口な弟の内面に初めて触れた気がして、その横顔を見つめた。

留美子はさっき返してもらった五万円を亮のジャケットの胸ポケットにねじ込み、

「出世払いでいいわ。我が弟の心意気に姉ちゃんは惚れたぜ」

と言い、今夜はまさに天から降って来たようなその三十万円を一銭も使わせないとつけくわえた。

すると亮は、若い板前に、ご主人はもうきょうはお帰りになったのかと訊いた。

「さあ、どうでしょうか……。たぶん帰っちゃったと思うんですが……」

ご主人にどんな用なのかと留美子が訊くと、亮は声をひそめて、

「この李朝時代の棚、返してもらおうと思って」

と言った。

「えっ？　返してもらうって、売るのをやめるってこと？」

「うん。見れば見るほど、いい棚だよ。俺、ここのご主人の勢いと、三十万円という現金に目がくらんで、思わず売っちゃったけど、この棚、俺、手離したくないよ」

「そんなの駄目よ。亮は売っちゃったのよ。代金も受け取ったのよ。もうこの棚は、このご主人のものなの。それが社会の掟ってものじゃないの。お金返しますから、売ったものも返して下さいなんて、そんなこと世の中では通用しないわよ」

留美子にそう言われて、亮はポケットから出しかけた紙幣を元に戻し、

「そうだよね。留美ちゃんの言うとおりだよね」

とつぶやき、それきり黙り込んで、料理をたいらげた。その食べっぷりには一種の爽快さがあった。料理のひとつひとつを丹念に味わいつつも、すべてを食べ終わるまでは箸の動きも、咀嚼力も一定のリズムを崩さないという亮の食べ方も、留美子は今夜初めて目にしたような気がした。

十年。たったの十年。だが長い長い十年。

留美子は胸のなかでそうつぶやいてみた。

十年前、父が外国で事故死した。あのときは父の死への哀しみだけでなく、これから

の自分たちの生活に対する不安も大きくのしかかっていて、友だちがうらやむほどの大企業をあとさきも考えず辞めてしまった。事故に対する補償が、今後の母の人生や、アメリカ留学が決まっていた弟の学費や生活費に欠くべからざるものになると思ったからだった。

自分のこれからに関しては、あの当座、さして案じてはいなかった、と留美子は思った。

まだ入社したばかりで、仕事というものについても、社会というものについても、いわば右も左もわからなかったが、自分の替わりはいくらでもいるのだと入社早々に思い知ってしまった。

それはつまり、自分という女に特別な能力が何もないからだ、と。

「つまらない男と結婚して、それによって生じる多くのつまらなさを我慢して生きることくらい女にとっての不幸はないんだぞ」

留美子が中学生になったころから父がしょっちゅう言った言葉が、事故のあと、しばしば甦(よみがえ)ってきて、留美子は思いのほかに多額な賠償金を受け取ったとき、自分もあらためて勉強しなおして、何か専門的な能力を身につけようと決めた。

子供のころから数字を足したり割ったり、さまざまに組み合わせたりといったことが好きだったのと、仲の良かった友人の父が税理士で、その人の勧めもあって、税理士をめざして勉強を始めたのは二十三歳のときだった。

二年間専門学校に通い、そのあと税理士事務所でアルバイトをしながら勉強をつづけ、二十七歳のとき初めて税理士試験を受けたが不合格だった。

一回で試験に通るやつなんか稀だよという何人かの税理士の言葉で、翌年も翌々年も挑んだが駄目だった。

五回挑戦して合格しなかったら、そのときまたあらためて自分の将来について考えようと気持ちを切り替えたころ、ひとりの男を好きになってしまった。

男が妻と正式に離婚する日を待ちつづけた三年のあいだに、留美子は自分が税理士の資格を得ることは、さして重要ではないのだという考え方に傾いていった。

日本の社会は、女性の税理士に対して偏見がありすぎて、女にうちの社の税務業務をまかせて大丈夫なのかとあからさまに口に出す事業主は多いが、実績のある税理士事務所に勤めていて、そこの一線級の職員として顧問先に派遣されると、逆に男よりも厚遇され、信頼を寄せられるという妙なところがあることに気づいたからだった。

いまの勤め先である檜山税務会計事務所の檜山鷹雄とは、税務会計業務専門のコンピューター・ソフトの講習会で知り合い、うちで働いてみないかと誘われた。

檜山鷹雄は、当時は三十五歳で、事務所を開設してまだ三年しかたっていなかった。

彼は、コンピューター・ソフトの扱いに対する留美子の飲み込みの速さとその応用力に舌を巻いたらしかったが、じつは留美子の会話のめりはりの良さや、頭の回転の速さ、さらには女としての清潔感を買って、自分の事務所の重要な戦力になると予想したのだと、あとになって語った。

檜山鷹雄は才に走りすぎるところはあったが、税理士としての能力は、留美子がこれまでに見たどんな税理士よりも優れていたし、あくまでも税法に則った晴朗な税務管理を顧問先に求めることを絶対的な方針としていた。そうした方針の範囲での正当な節税対策に知恵を絞ろうとする檜山のやり方を「能なし」と評価して、他の税理士に乗り替える顧問先もあったが、いまでは五人のスタッフでは処理できないほどに顧問先は増えていた。

留美子は、檜山税務会計事務所で一年半事務仕事に従事し、その後一年間、檜山の助手として一緒に多くの顧問先を訪問して実務を経験したあと、

「うちでは一番の腕ききです」

という檜山のふれこみで、五社を直接に担当するまでになっていた。

だがそうなるまでには、いったいどれほどの檜山の叱責や容赦のない罵倒に耐えたかしれなかった。事務所のパソコンと自分のパソコンとを連動させて、帰宅してから夜明け近くまで仕事をした日も多かった。そうしたいわば修業の時代と同時並行のかたちで留美子の報われることのなかった恋もつづいた。

だから、留美子にとっては二十二歳から今日までの十年間は一瞬でもあったし、同じ年代の者よりも二倍も三倍も生きたと錯覚するほどに長くも感じられるのだった。

留美子が亮と目黒の家に帰ると、母の泰江がリビングの椅子にいかにも疲れたといった表情で坐っていて、

「ねエ、私の老眼鏡がまたみつからないのよ」

となさけなさそうに言った。

老眼鏡をかけなければ、新聞どころか、炊飯器の目盛も、洗剤の箱に書いてある使用量や注意書きも読めなくて、結局朝から何ひとつ満足に用事を片づけられなかったのだという。

「留美子、私の老眼鏡を最後に見たのは、どこでだった?」

そう訊かれて、留美子は、あの十年前の手紙を母は読んでいたのではないかと思い、

「このテーブルの上に置いたのは見たけど……」

と言った。

「そのあとは知らないわ。私、もうお母さんの老眼鏡を捜すのはいやよ。これまでいったい何回一緒に家のなかを捜し廻ったと思うの? 捜し物って疲れるのよ。あれって、なんだか不思議なくらい消耗(しょうもう)するんだから」

留美子の、わざといじわるに言った言葉に母はなさけなさそうな表情で、

「もう思いつくありとあらゆるところを捜して、へとへとなのよ。私、あの手紙をここで読んで、そのあと出前のお寿司を食べて、それからどうしたかしら。眠る前、またこの椅子に坐って、捨てるものを段ボール箱に入れて……」

と言った。

「それだよ、きっと。何かのひょうしに、その段ボール箱のなかに眼鏡を落としちゃったんだよ」

亮は言って、廊下の板を手で撫でたり、柱や天井板を見つめた。亮も、この目黒の家には十日ほどしか暮らさなかったが、当時は「木」に興味は持っていなくて、

「なんだよ、このお化け屋敷みたいなボロ家は」

と文句ばかり言い続けたのだった。

「そうよ、段ボール箱よ。きっとそこに落として、気づかないまま出しちゃったのよ」

留美子はそう言って、あの段ボール箱の山は専門の業者が引き取ってくれることになっていて、あしたトラックで取りに来る約束ではないのかと母に訊いた。

「それが、さっき持って行ってくれたの」

と母は言った。

「ここから二駅ほど離れたところでも引っ越しがあって、捨てるゴミを引き取りに来たんだけど、予想よりもゴミが少なくて、トラックの荷台に空きがあるからって」

「それ何時ごろ？」

と留美子は訊いた。ほんの三十分ほど前だったと母は答えた。

「その業者に電話して頼んでみるわ。迷惑がられて、さんざんいやみを言われそうだけど」

留美子は手帳にひかえてあった業者の電話番号を見た。

電話をかけると、応対した若い男は、運転手に連絡をしてみましょうと意外なくらい親切な口調で言ってくれて、五分ほどで折り返しの電話をくれた。

トラックの運転手は、氷見家に立ち寄ったあと、五分ほど走ったところにあるコンビニの駐車場に停まっておにぎりを買い、いま車内でそれを食べていたところなので、食べ終わったら氷見家に戻ってくれるという。

留美子は何度も礼を言って電話を切り、

「運転手さんに何かお礼をしないと」

と言った。

業者のトラックはすぐにやって来た。氷見家が出した段ボール箱は七個だった。留美子と亮は玄関先で、それらの中身を出し、母の老眼鏡をみつけだした。

「ありましたか？　じゃあ、もういいですね？」

運転手はそう言うなり、すぐにトラックをスタートさせて去って行った。老眼鏡さえみつかれば、ゴミの入っている段ボール箱は必要ないのだが、動きだしたトラックを止めて、この段ボール箱も持って行ってくれとは頼みにくくて、留美子と亮はそれを持ってリビングへ戻った。

母は、戻ってくれた運転手のためにコーヒーをいれていたが、礼を言うまもなく帰って行ったと聞いて、

「申し訳なかったわねェ」

とつぶやきながらも、老眼鏡を洗剤で洗った。

「他にも大事なものをこの段ボール箱に落としてるんじゃないのか?」

亮はそう言って、ほとんどが紙クズだらけの段ボール箱の中身を出し、

「ほらね、やっぱり……。これ、大事な手紙じゃないのかい?」

と苦笑しながら、青い封筒をテーブルに置いた。

留美子はそれをしばらく見つめ、テーブルに立てた肘(ひじ)に自分の顎(あご)を載せて、何を考えるでもなくコーヒーの香りを嗅ぎながら、

「この手紙、また戻って来た……」

と胸の内で言った。なんだか薄気味が悪くなってきて、留美子はいったん手紙を段ボール箱のなかに投げ捨てたが、妙に気になってきて、それをつまみ出すと、封筒のなかの手紙を読んだ。

――空を飛ぶ蜘蛛(くも)を見たことがありますか?

という十年前に十五歳の少年によってボールペンで書かれた文章が、いささかも色あせずにそこにあった。

――ぼくは見ました。十二月五日です。蜘蛛が空を飛んで行くのです。十年後の誕生日にぼくは二十六歳になります。その日の朝、地図に示したところでお待ちしています。お天気が良ければ、ここでたくさんの小さな蜘蛛が飛び立つのが見られるはずです。ぼ

くはそのとき、あなたに結婚を申し込むつもりです。こんな変な手紙を読んで下さってありがとうございました。須藤俊国――。

十年前は、手紙そのものに不快感を抱いて、少年が描いた地図はほとんど無視したのだが、地図には岡山県総社市A町とあって、山と山とのあいだに田圃（たんぼ）を示す印があり、そのなかに川が流れ、橋が二本架かっている。

×印は、その橋と山とのあいだの田圃のなかにあり、「甲斐家の前の道から東へ歩いて十五分」と細かな文字で書いてあった。

あの少年は、ことしの十二月に二十六歳になるのだなと留美子は思った。

こんな手紙を十五歳のときに氷見留美子という七歳年長の女に手渡したことすら、もう忘れてしまったことだろう。

もしおぼえていたとしたら、それこそ異常な性格の持ち主だと考えなくてはならない。

この少年が、人まちがいではなく、確かに氷見留美子という年長の女に渡したのだとすれば、いったいどこでこの私を見たのであろう。

私が東横線のN駅を使ったのは、わずか三日間で、その三日間のうちで家と駅とのあいだを行き来したのは、買い物も含めて五、六回にすぎなかったはずだ……。

いずれにしても、少年が実際にこの氷見留美子を見たのは、せいぜい二、三回程度でしかなかったはずだ。

いったいどこで私を見ていたのだろう。

手紙に添えられた地図はごく簡単なものだったが、山は山の形をしていたし、田圃には短い線で、植えられたばかりの稲の苗が規則正しく並べられて描いてあり、山から山へとゆるやかな曲線を描いて流れる川にはメダカらしい小魚も泳いでいる。

山の麓の村には六軒の瓦屋根の家があり、神社があり、その神社の境内には「樹齢八百年の杉の木」という説明書きとともに、確かに大きな杉らしい木も丁寧に描かれていて、仔細に見ると、杉の木の根元で犬が寝ているのだった。

十年前、手紙を見たときは、それらは留美子の目には留まらなかった。ただ気味悪さと不快感だけが先行して、稚気に溢れた、しかも要領よくまとめられた地図を見る気にもならなかった。

岡山県総社市が、岡山のどのあたりにあるのか、留美子は知らなかった。市であるからには、かなりの人口を擁するのであろうが、地図に示された地は、もういまの日本では少なくなったのどかな山里という雰囲気で、市の中心部からはかなり離れていると想像できる。

留美子は、コーヒーポットに残っていたコーヒーをデミタスカップに注ぎ、それを飲みながら、手紙の主を変質的ストーカーと決めつけてしまえない何物かを感じ始めた。それは絵地図がかもしだす不思議な優しさに、心がなごんだからであった。

留美子は、病的なストーカーにつけ狙われたことはなかったが、学生のころ、友人がその被害に遭い、郵送されてきた何通かの手紙を見せてもらったことがあった。

書かれていたものは、「交際してほしい」だの「どこそこで待っている」だのの繰り返しなのだが、字そのものに尖りがあって、一枚の便箋全体に正常ではない、なにかしら鬼気迫る乱れのようなものを感じた。

字は小さくて読みづらく、誤字や脱字もあり、書いた人間の精神状態が安定していないだけでなく、字面から発散してくるもののなかに、やはり異常としか言いようのない力があったことをおぼえている。

それと比べると、十五歳の少年が書いた手紙には、柔らかさと優しさが漂っている。

「この坊や、どこで私に一目惚れしたのかな」

留美子は、そうつぶやき、二階にあがると、青い封筒を自分の机の引き出しにしまった。

絵地図が、なぜかその手紙を捨て難くさせたようでもあったが、十年前に十五歳だった少年が、もしこの近所に住んでいるとしたら、あれから十年たって、いまどんな青年になっているのか見てみたいといういたずら心が生じたのだった。

風呂に入る用意をしてリビングへ行くと、亮が左の薬指をしきりに動かしていた。

「やっとちゃんと動くようになったよ」

と亮は指を見ながら言った。去年の十月に檜の植林山で「枝打ち」という作業をしていてナタで指を切り、四針縫った。腱も傷つけていて、半分しか曲がらなくなっていたのだが、三月ごろから曲げても痛まなくなったと亮は説明した。

「枝打ちって？」

と留美子は訊いた。

「原木を切り出す前の、まあ一種の手続きみたいなもんだよ」

一本の木の苗を植えて、それが十年から十五年くらいたつと「枝打ち」という作業をしなければならない。木のてっぺんあたりの三分の一ほどの部分の枝はそのままにして、残りの三分の二の枝をナタや鋸（のこぎり）で切り落としてしまう。

そうしないと、節が増えたり、それが大きくなって、いい木材に育たない。

亮はそう説明した。

「枝打ちって、重労働でね。スパイクのついた靴を履いて、まだ細い木にのぼって行って、五十年六十年先のために枝を落とすんだ。枝打ちをする職人が少なくなってる。若い人たちは、もうそんな面倒で金にならない仕事の跡を継ごうなんて考えないんだ」

「五十年六十年先？」

と留美子はコーヒーカップを持ったまま訊き返した。

「そうだよ」

「去年の十月にその枝打ちってのをした木が使えるようになるのは、五十年六十年先なの？」

「そうだよ。枝打ちをしといて、あとはその木が育つのを五十年か六十年待つんだ。そうしないと、いい木はとれないんだ」

亮のその事もなげな言い方で、留美子は自分が聞きまちがいをしたのではないとわかり、

「じゃあ、去年の十月に枝打ちした檜が、立派に木材として亮の前に再登場するころには、亮は八十歳か九十歳になってるって計算じゃないの」

「うん、そうだよ。木を育てるってのは、つまりそういうことなんだもん。いま家を建てるときに使う木や、テーブルなんかの家具にする立派な木は、どれもおじいさんが残してくれたもんなんだよ。それを孫が切って製材して、商いにしてるんだ。俺だって、八十歳や九十歳になるまで生きられるかどうかわからないし、長生きできても、もうその木を使って仕事をする体力はないと思うよ」

「へぇェ……」

留美子は、リビングの奥に使われている、おそらく杉であろうと思われる柱を指差し、あれは製材するために切られたとき、樹齢何年くらいだったと思うか、と亮に訊いた。

「あれで八十年はたってるだろうなァ。それからどこかの家の柱になって百年くらいかなァ」

まあとにかく凄い木だらけの家なんだ、親父が建てたこの家はと言って亮は笑った。

「木の宝庫だよ、この家は。親父って、木を見る目があったんだな。それに、漆喰の壁だって昔風の正統的漆喰で、化学糊剤なんて入ってないから、柱と漆喰のあいだに多少の隙間は出来るし、壁にも細い亀裂が出来るけど、それも周りの木の古さで気にならな

いしね」

亮の言葉に、先に風呂に入ろうとしていた母は、

「でも私はこのリビング、もうちょっと明るくしたいわねェ」

と言った。

「女って、やっぱり可愛らしいカーテンとかブラインドとか、インテリア用品で部屋を飾りたいものなのよ。だけど、この家で花柄のカーテンなんかしたら、なんだか似合わないっていうか、浮いてしまうっていうか……」

留美子もそう言って、あしたの出張の準備をするために二階にあがった。

廊下の窓から上原家の庭が見えた。庭の真ん中に水銀灯がひとつあったが、それは消されていて、玄関の近くと、よく剪定(せんてい)されたカイヅカの木の下に五十センチばかりの高さの丸い庭園灯が黄色い光を拡げていた。

玄関横の部屋にはレースがかかっていて、目を凝らせば室内の調度品がおぼろに見えるのだが、それは失礼なことだと思い、留美子は庭の底から浮きあがってくるような黄色い明かりを受けているヒマラヤ杉を見つめた。

亮が二階にあがってきて、父の書斎をのぞいた。

「へえ、いい部屋だなァ」

そうつぶやいて、亮は書斎の椅子に腰かけ、

「俺、たまに帰って来たときは、この部屋を使わせてもらおうかなァ」

と言った。そして何の意味もなく穿(うが)たれた奇妙な穴蔵のなかに体を丸めて入り、立て膝をしてその板壁に凭(もた)れた。

「こういう場所があると、人間って落ち着くんだよね。ここで本を読んでもいいし、何を考えるでもなくボーッとしてるのもいいし」

「えっ？　それ、人間が入るための穴なの？」

と留美子は訊いた。

「たぶん、そんなつもりで、あえて造ったんだと思うよ。だって留美ちゃんもここに入ってみたら、気分が落ち着いて、なんだか自分だけの世界に隠れたような気持ちになるよ」

留美子は亮に代わってもらって、その四角い穴蔵のなかに入ってみた。小さな電気スタンドがあれば、本を読むのにこれほど適した空間はあるまいと思われた。

「ねエ、樹齢何百年もの木なんて、勝手に切っちゃあいけないんでしょう？　植林山にそんな木が残ってるはずないだろうし……。でもバーの一枚板のカウンターとか、大きなテーブルには、樹齢五百年とか六百年とかの一枚板が使われたりするけど、あんな木は、誰がどこで手にいれてくるの？」

と留美子は訊いた。

そういう木をみつけてくる専門の業者がいるのだと亮は言った。

「鵜(う)の目鷹の目で、日本中のお寺や神社や、古い庭木のある旧家なんかをチェックしてて、台風のあとなんかに動きだすんだ」

強風で老木が倒れるのを待っていて、あそこの神社の樹齢五百年のイチョウが倒れた、とか、とうとう枯れてしまった、とかの情報を得ると、それを買いに行くのだという。

木の価値を知らない者にとっては、倒れたり枯れたりした巨木は、ただ始末におえない厄介な物にしかすぎなくなったので、誰かが持って行ってくれるとなるとありがたがって、「金なんか要らない」と言い、ただどころかお礼におみやげをくれたりもする。

業者はその貴重な木を、知り合いの製材所や木工家に直接売ったり、木材の産地で定期的に催される「銘木市」で売るのだ……。

「国有林で枯れたり倒れたりした木は、役所が競売にかけるしね。ブナやナラやクルミやクリやセンなんて数の少ない木は、だいたい役所の判断で流通ルートに乗るんだよ」

自分はベニマツが好きなのだが、それはシベリアから輸入されてくると亮は言い、亡き父の書斎の机を撫でた。

「これがベニマツ。シベリア産だよ」

「どうしてわかるの？　私、ブナだと思っていたわ」

と留美子は訊いた。

「木目が詰まってて、いい匂いがするよ。これだけのベニマツの天板は、徹底的に管理されたシベリアの北のマゴってところで育ったベニマツしかないと思うな。樹齢三百年から五百年ってところかなア。アメリカやカナダから輸入されるホワイト・パインも、ベニマツと特性が似た松だけど、シベリア産のベニマツは別格だね。木そのものも柔らかいんだけど、時間がたてばたつほど肌ざわりも柔らかくなっていって……」

亮も書斎の穴蔵に入って来て、留美子と向かい合い、立て膝の状態で壁に凭れた。

「親父が子供のころ住んでた家の近くに、名人って言われた指物師（さしものし）がいたんだって」

と亮は言った。

「学校から帰って来ると、近所の友だちとは遊ばなくて、その指物師の仕事場の窓から、日が暮れるまで仕事をするのを見てたらしいよ」

父は自分も指物師になりたいと思ったが、高等学校の数学の教師だった父親は頑として反対しつづけた。俺は高等学校の教師にしかなれなかったが、お前にはもっともっと勉強して数学というものを極めてもらいたい……。祖父はそう言ったという。

「だから、俺がコンピューターの勉強をしたいって言いだしたとき、親父はなんだか凄く残念そうに笑って、『物を作る仕事って素晴らしいぞ。この世は一回きりだぞ。一回きりなんだから、楽しい仕事で飯を食わなきゃ損だぞ』って俺に何度も何度も言ったんだ」

母が下から、早く風呂に入るようにと声をかけたので、留美子は穴蔵から出た。

きのうは朝から晩まで鉋を研（と）いでいたのだと亮は言った。

「鉋は三年という言葉があって、いちおうちゃんと鉋を使えるようになるのに三年かかるって意味なんだけど、ほんとにやっと最近、ああ鉋ってこういうふうに動かすのかってわかってきたよ」

亮も穴蔵から出て来ると、廊下に立ち止まり、上原家の庭を見つめた。そして、最近、自分の選択や決心が正しかったのかどうか迷いが生じているのだと言った。

「迷いって?」

と留美子も窓から上原家の庭に見入りながら訊いた。

「迷いっていうよりも、ただの先行き不安による決意の揺らぎってやつかもしれないんだけど、プロとアマの違いってのが、わからなくなってきちゃって……」

昔は「日曜大工」という言い方をしたそうだが、仕事の合い間に自分で本棚や椅子を作るのが趣味だという人は多かった。

いまは、自分で木を買ってきて、ちゃんと自分用の道具も揃え、専用の作業場まで持って、仕事を終えた夜や休日に木工に没頭する人は多い。それらの人々の数は「日曜大工」と呼ばれた時代よりもはるかに増えているらしい。

そんな人たちが作ったテーブルや椅子やチェストや食器棚のなかには、一見、玄人(くろうと)はだしどころか、値段をつけて売ってもおかしくないものもある……。

亮はそう言った。

「俺が作るものなんか足元にも及ばないくらい立派な作品があるんだ。だけど、それを実際に使い始めると、一、二週間で、ああやっぱり素人が作ったもんなんだなァってわかるようになるんだ。どこがどう違うのかって明確には説明できないんだけど、プロのなかでも名人って言われる人が同じ材質で同じ形のものを作ると、時間がたてばたつほど、その良さが出て来るんだ。いったいどこがどう違うのか……。俺にはいまのところ、それがわからなくて……。それがわからなければ、俺は前へ進めないような気がして……」

留美子は亮が言わんとしているものを理解できる気がしたが、自分とは無縁の世界のことに関して、どんな励ましの言葉を使えばいいのかわからなかった。

「でも、そういうことが見えてきたってことは、亮が成長したからなんじゃないの？」

と留美子は言った。

なんだか確信のない無責任な言い方だなと思い、さらに何か補足しようと言葉を捜そうとしたが、亮の目に光が増した。

「そうかなア……。留美ちゃん、それって俺が成長した証しかなア……」

書斎に戻り、椅子に腰かけて、亮は留美子に背を向けたまま、父が事故死し、その遺体が日本に帰って来た翌日の葬儀で、棺のなかの父に最後の別れをしたときは、ただ悔しさと虚しさだけだったと言った。

「だけど留学生活を終えて、コンピューターの仕事についてたったの二年間で、身も心もぼろぼろになったとき、死んだ親父と約束したんだ。親父の憧れだった仕事に、俺がついてみせるって」

「約束？　お父さんにそんな約束をしたの？」

留美子は意外な思いを抱いて、亮の背に声をかけた。時代の花形であるはずのコンピューターの仕事にわずか二年従事しただけで、若い亮が身も心もぼろぼろになったということも意外だった。

「コンピューターの仕事ってのはねェ、システムをデザインするのも、ソフトを開発するのも、どっちも結局はそれにたずさわる個人の能力に頼るしかないんだ。で、コンピューターってものに関する限りは、その個人の能力は二種類にしか分類されない。仕事ができるやつか、できないやつか、その二種類。中間はいないっていってもいいくらいだよ」

だから、仕事のできる人間に大事な仕事はすべて託される。ひとりの人間の物理的能力を超えて集中するのだと亮は言った。

「俺、二年間で休みが取れたのはかぞえるほどだったよ。正月に三日間と週末とか祝日を合わせて十日ほど。朝から夜中まで仕事をして、やっと寝ても枕元の携帯電話で起こされる。電源を切って寝ればいいじゃないかって人は言うけど、大事な仕事をかかえて、いつどんなトラブルが発生するかわからないってのに、そんな無責任なことできないだろう。携帯電話で夜中に起こされて、パジャマの上に背広を着て会社へ駆けつけたことなんか数限りないよ」

まず最初に胃をこわした。その次に不眠症になった。ミルクをグラスに一杯。トーストを半分。たったそれだけを胃に入れただけで、三時間も四時間も胸がもたれて、吐きそうになる。さあ寝ようとベッドに入っても、一時間ほどまどろんだだけで目が醒めて、それきり眠れなくなる……。

「あっ、これは俺っていう人間が崩壊しつつあるんだって気がついて、その恐怖で頭が変になりそうになってたとき、親父が、お金があったらこの人の作った家具をひとつだけ買いたいって言ってた人の、ナラのテーブルと椅子を見たんだ」

「どこで?」

「デパートで何人かの木工職人が作った家具の展示会をやってて、偶然、本を捜してそのデパートの書籍売り場に行ったんだ」

　その椅子は、どんな大男でも包み込んでしまいそうな大きな椅子で、何の装飾もない、子供が工作の時間に作ったような、一見粗い感じのするテーブルと椅子だった。

「ああ、親父が好きだって言ってたのは、この人の作った家具なのかって思って、その椅子に腰かけてみたんだ」

　その瞬間、自分が何か大きくて優しいものに包み込まれたような安心感が全身を満たした……。

「俺、決めたんだよ。その椅子に坐りながら、よし、俺はこの仕事をやるぞって親父に約束したんだ。電撃的約束だよ」

　母が、早く風呂に入るようにとまた呼んだので、留美子は階段をおりていった。あしたは日帰りで大阪へ出張しなければならなかった。

第二章

それまで毎日の習慣だった寝酒をやめて四年がたつ上原桂二郎は、やはり寝酒をやめたぶん就寝する時間が遅くなっていた。

寝酒といってもスコッチの水割りをダブルで二杯と決めていて、よほどのことがないかぎりそれ以上飲むことはなかった。

だが稀に、気分がひどく滅入っていたり、逆にちょっとしたことにはしゃいでいるときには、それが三杯になったり四杯になったりしたこともある。

お陰でよく眠れたし、少々飲みすぎても二日酔いになったこともない。

年に二回の検診では、いまのところ格別に悪いところはみつかってはいないが、五十四歳になり、とにかく十七歳のときから吸ってきた煙草（たばこ）もそろそろやめたほうがいいと親しい医者に言われ、三ヵ月前には紙巻き煙草をやめ、その代わりに上等の葉巻を喫（の）むようになった。

紙巻き煙草も葉巻も、結局は同じ煙草ではないかと二人の息子にからかわれるのだが、桂二郎は、その意見に対してだけは、いささか自分でもむきになりすぎているなと照れ臭くなるほどに反論する。

紙巻き煙草は喉や肺で味わうが、葉巻は口のなかで煙をころがして、その味と香りを楽しむのだから、まったく別物だと主張し、また実際、桂二郎自身そう固く信じているのだった。

桂二郎は五十歳のときに二歳下の妻を亡くした。当時、二人の息子、俊国と浩司は二十二歳と十八歳で、俊国は大学の卒業を目前にしていたし、浩司は第一志望の大学受験に失敗して浪人生活に入るかどうか迷いつづけていた。

いわば二人の息子にとっては最初の人生の節目といってもいい時期に、母親は四十八歳の若さで逝ってしまい、桂二郎は自分を律するつもりで寝酒をやめ、さらに最近になって紙巻き煙草を葉巻に替えたのだった。

桂二郎は三十歳のとき結婚した。桂二郎は初婚だったが、妻のさち子は先夫を亡くして三年たっていて、先夫とのあいだにもうけた俊国という子供がいた。

桂二郎とさち子が結婚したとき、俊国は二歳で、須藤俊国という名から上原俊国と戸籍上での名前が変わったのだった。

桂二郎はリビングの窓を薄くあけて、ヒュミドールからコイーバのランセロを出し、シガーカッターで吸い口を切ると、極力小さくしたライターの火で葉巻の先端をあぶりながら、道ひとつへだてた真向かいの氷見家の風変わりなたたずまいを見つめた。

かつては佐島家の土地であったところが分割して売りに出され、医師がその分割分を超えた坪数を買ったために、この界隈の町並みにあってはいささか中途半端な土地が残ってしまっていた。

そこはちょうど上原家の真向かいにあたるので、上原桂二郎がいつも坐るリビングの揺り椅子からは更地のままいつまでも買い手のつかない土地の上の、ぽかんとあいた空間が見えていた。上原家の生け垣はぶあつくて丈が高く、道も空地も見えないのだった。

それが十年前、どうやら買い手があらわれたらしいと妻が小耳に挟んできて数日後に工事が始まった。

桂二郎は、自宅の真向かいにどこの誰が引っ越してこようとも気にもとめないのだが、新築工事が進むにつれて、妻がさもご注進に及ぶといった多少の野次馬的興味をともなった表情で、出来あがっていく家の奇妙さを日々報告することに幾分の苦々しさを感じながら聞き流した。

元来、桂二郎は他人の噂をする輩を恥ずべき人間だと思っていたし、妻の持つ幾つかの美徳のなかには、女特有のかまびすしさがないということも含まれていたからだった。

聞き流して空返事をするだけであっても、妻の口から出る切れぎれな話を統合すると、数ヵ月後には「お向かいさん」になる氷見家の建物は、昔の武家屋敷を小さくしたものらしいというだけではなく、それはすでにどこかに建っていたものを解体して、新しい土地の上に組み立て直しているのではないかと推測できるのだった。

氷見家が完成すると、それは武家屋敷と表現するにはあまりに小さくて簡素な、けれども屋根瓦と壁と門扉だけが新しい、どこかの山里の年代を経た旧家に似た建物が上原家の真向かいに出現したのだった。

そのような建て主のこだわりの表現といったものにはなにかしらこれみよがしの臭味がへばりついているものだが、界隈の家々と比すといっそう小さく見える氷見家のたたずまいは、朝、迎えに来た社の車に乗り込むときも、夜遅く帰宅して、車から降りたときも、桂二郎をしばしその前にたたずませるだけの味わいに満ちていた。

このような家を建てる当主とはいったいどのような人物であろうかと思い、一度その人相風体を見てみたいものだと、桂二郎にしては珍しく興味をそそられたが、氷見家の人々は引っ越して来て間もなく大きな災厄に襲われてしまった。

氷見家のまだ五十歳の当主が、仕事先のドイツで交通事故死したということを桂二郎が知ったのは、ちょうど同じ時期にミュンヘンで滞在していたホテルへの妻からの電話でだった。

詳しいことはわからないが、氷見さんが日本を発ったのはあなたと同じ日だったらしいから、ひょっとしたら同じ飛行機に乗り合わせていたのかもしれないという。

上原桂二郎がミュンヘンから帰国したのは、それから十日後だったが、そのときすでに氷見家の人々は新築した家から去ってしまっていた。

どんな事情かはわからないが、しばらく夫人の親戚の家で暮らすらしいという噂を妻が耳にしてきたのだが、氷見家の残された遺族はそれきり戻ってこなかった。

その氷見家の人々が、十年間空家だった家にきのう戻って来た。

桂二郎は庭のカイヅカとヒマラヤ杉のあいだから見える氷見家の二階の明かりを見ながら、寝る前に喫む葉巻を選ぶために、もう一度ヒュミドールの蓋をあけた。

さっき先端をあぶったコイーバのランセロは、今夜の自分には喫煙時間が長すぎる気がしたのだった。それは十九・二センチあって、喫い終わるのにだいたい一時間十五分かかる。

読みたい本もなく、聴きたい音楽もない。「ここまで」と決めた長さを喫わないと一日の最後に何かをやり残した気がして寝つきが悪くなるという妙な習慣がついてしまっていたので、桂二郎は先端に少しだけ焦げめのついてしまったコイーバのランセロをヒュミドールに戻した。

葉巻を最も適した湿度七十パーセントに保つための、ヒュミドールと呼ばれる杉材で作られた大きな箱のなかには常時十二種類の葉巻が入っている。

キューバ産のハバナ・シガーでは、モンテクリストの二銘柄、ロミオYジュリエッタ、コイーバの三銘柄、ボリバー、ラファエロ・ゴンザレス。アップマン。ドミニカ産はダビドフのアニベルサリオNo.1、グランクリュNo.1、そしてプレミアムのNo.1だった。

その日の気分や体調によって、コイーバのロブストスがうまいと感じるときもあれば、それがいやに舌に辛くて、香りに飽きてしまうときもある。

ダビドフのアニベルサリオNo.1をいじましく指が熱くなっても吸いつづける夜もあれば、三分の一も喫っていないのに、ボリバーの土臭さを味わいたくなって、それに火をつける日もある。

いずれにしても、就寝前の四十分から一時間半くらいの、葉巻をゆっくり喫いながら、小さくあけた窓から庭を眺める時間は、桂二郎にとっては必要欠くべからざる時間になっていた。

桂二郎は葉巻の煙を決して肺には入れないことにしていたが、ごくたまに少量を胸に吸い込む場合もある。そんなときは、だいたいにおいて、社員の誰かに腹を立てていたり、会社の経営に関して、自分の目論見とは異なる流れが生じているときだった。

桂二郎がパジャマに着替え、たったひとりでリビングに坐り、ヒュミドールの蓋をあけて、今夜はどの葉巻を喫おうかと、それぞれの葉巻を鼻の近くに持って来て香りを嗅ぐのは、宴席が長引いて帰宅が遅くならないかぎり、夜の十一時ごろと決まっている。

その夜の葉巻をうまいと感じ、四分の一くらいの長さになったところで喫むのをやめ、砂糖の入っていない熱いココアを飲んでから歯を磨き、そして居間の窓に鍵をかけ、寝室に入るという手順が誰に邪魔されることなく円滑に運ぶときは、よく眠れるし、不快な夢を見たりもしない。

桂二郎にとっては、いわば「世は事もなし」といった夜のための儀式として葉巻が必要なのだった。

妻の死後四年たって、周りではときおり再婚を勧めるものも出てきていたが、人生設計といった大袈裟なものではなく、桂二郎にとって自分が再び妻というものを持つことはまったく考慮の外にあった。死んだ妻に忠義だてする思いからではなく、ストイックな心情にことさらこだわるわけでもない。妻というものは生涯において一人だけだと思っているにすぎない。

ある年齢を超えてからの再婚は、得るものに比して失うものがあまりにも大きいという例を身近な者二人の再婚後の生活から学んだことも、桂二郎の今後の生き方への心構えのなかに刻印されている。

人間五十を過ぎれば、それなりに係累(けいるい)も増える。それは再婚相手のほうも同じで、たとえば子供たちや、自分の兄妹や、甥や姪やといった者たちは相手方にも存在している。友人知人といった者たちも、そのほとんどは妻が元気だったころからのつき合いで、彼等は彼等なりに桂二郎の妻にまつわる思い出を持っている。

そういった事柄は、新しく伴侶となる人間にとっては、あまりよろこばしいこととはいえない。

それが近親者ともなると、ふいの他人の侵入で乱される事柄は予想を超えて多いに違いない。

女を必要とするならば愛人でも作ればいいし、金さえ使えばその場かぎりの女はいくらでもいるはずだった。

父親の、そのような一見青臭い信条をからかうのは、まだ二十二歳の次男の浩司のほうで、

「好きな人ができたら再婚しなよ」

と屈託のない表情で言う。しかし極くたまにそんな話題に及ぶと、自分の意見をさしはさまないものの、表情を一瞬翳らせるのは、ことしの十二月に二十六歳になる長男の俊国のほうだった。

俊国の本当の父親は、彼が生まれたときすでに事故死していたので、実の父への思い出というものは皆無であって、母親の再婚相手である上原桂二郎を父として育ってきたことになる。

桂二郎は、俊国と浩司とをわけへだてしないことを自分のなかの強固な法律として二人に接しつづけたが、なにもそのような肩肘張った心構えを意識しなくても、浩司が生まれる前も生まれてからも、俊国のことが愛しくてたまらなかった。

三十歳近く年齢が違うのに、なぜか「気が合う」のだった。気が合うという言い方以外に、他に言葉が見当たらない。

その俊国に、自分は実の父ではないと明かしたのは、俊国が小学校を卒業するころだった。

それを本人に教えるのはもう少し大きくなってからと桂二郎も妻も考えていたのだが、

妻の亡夫の父、つまり俊国にとっては祖父にあたる須藤潤介が、たったひとりの孫と逢いたがって、気遣いに溢れた丁重な手紙を書き送ってきたのだった。

再婚して須藤家を出、いまは上原家の人間として平和に暮らしているかつての嫁だけでなく、その良人のお心を乱す結果となることは充分に理解しているし、お二人だけでなく、まだ年端もいかない俊国をも混乱させるであろうことに思い悩み、我儘な心を制御すべく己を律しつづけたが、わずか二十五歳と三ヵ月で妻と子を遺して逝った一人息子の血を受け継ぐ、小生にとっては唯一の孫の成長に何らかの形でかかわりたいという願望は切なるものを通り越えて、狂おしいまでに高まっている……。

当時六十六歳になっていた俊国の祖父からの長い手紙には、岡山県総社市の小学校の校長であった人物の礼節と真情とが横溢していて、桂二郎は俊国に本当のことをしらせる時期は、案外、思春期にまたがる難しい年代よりも、十一歳という現在のほうがいいかもしれないと考え、それを妻に伝えた。

須藤家の義父は、自分がこれまでに接した人間のなかでもとびきりに優れた人格の持ち主であったという妻の言葉で、桂二郎は決断した。

微妙な言葉遣いを駆使して、十一歳の俊国に真実を伝え、俺も一緒について行くから、おじいさまに逢ってきてはどうかと話すと、俊国は、お父さんと一緒なら行ってもいいと、意外なほどに屈託なく応じた。

俊国の実の父は土木工学の技師で、大学を卒業してすぐに東京を本社とする土木関係では知られた会社に就職し、同じ会社に勤めていたさち子と知り合って結婚した。ところが妻から妊娠を知らされた直後、大雨がつづくダム工事現場で、大量の資材を満載していたトロッコを支えるワイヤーがゆるみ、それを補強する雨中での作業中の事故で死んだのだった。

ワイヤーが切れて動きだしたトロッコは、屈強な男が十人かかっても押し戻すことができなかったという。

俊国が十一歳のときの夏休みに、桂二郎は岡山県の総社市A町に住む須藤潤介の居宅を訪ねた。俊国を祖父に預け、自分はその足で東京へ帰った。もし帰りたがるようであれば、即座に自分が東京へ送って行くと須藤潤介は約束したからだった。

その年の夏を契機として、俊国は毎年少なくとも一度は岡山県総社市の祖父の家へ遊びに行くようになり、ときには正月も一人暮らしの祖父とすごしたりもした。

須藤潤介は、小学校を定年で辞めたあと、先祖伝来の田畑を耕しながら、教育の仕事にたずさわりつづけていたが、息子を若くして亡くして二年後には妻にも死なれ、それ以後誰に頼ろうともせず一人暮らしをつづけて、ことし八十歳になった。

桂二郎の父と母もすでに亡くなっていたので、次男の浩司は祖父や祖母というものをほとんど知らずに育っている。

だが俊国にとっては、十一歳のときに突然あらわれた祖父と毎年触れ合って、ひとりの人間が老いて行く過程を見ている。

それだけのせいではないのだろうが、俊国は浩司と比すと、人の話の聞き役に廻ることが上手だった。その点に関しては浩司はある意味では我儘で、自己主張が強すぎると桂二郎は思っていた。

俊国は広告代理店に勤めて丸四年になり、浩司もことし大学を卒業して自動車メーカーに就職し、いまは研修期間ということで工場の近くの寮生活に入ったばかりだった。

上原家は曾祖父の代から調理器具を作る会社を営んできた。調理器具といっても、最初は鍋や釜やヤカンなどを作っている町工場にすぎなかったのだが、祖父が経営者としての才覚に恵まれていて、平凡な町工場から、商品を全国のデパートや大型店へと流通させることのできる調理器具メーカーへと発展させた。

父はその上原工業の経営を安定させることに人生の大半を注いだが、桂二郎は、鍋、釜、ヤカン、ポット、フライパンなどの製造販売だけでなく、システム化された大型の厨房(ちゅうぼう)器具に社業の伸長を賭けて、ホテルやレストランや弁当業者といった、とにかく調理にかかわる会社が必要とする器具の開発に取り組み、その業界ではシェアを全国三位にまで発展させたのだった。

桂二郎が父の跡を継いだのは三十三歳のときで、結婚して三年目だった。

いずれは上原工業を継がねばならぬと覚悟はしていたが、桂二郎は大学を出ると一般には名は知られてはいないが、給食業界では関西では最も大きな会社に勤めた。そこは、大手企業や役所の従業員食堂、大学や専門学校の学生食堂を請け負う会社だった。

親の跡を継いで鍋やフライパンなどを作りつづけるだけでは能がないと考えての、将来への布石という確固たる信念を、桂二郎はすでに二十二歳のときに確立したことになる。

桂二郎は、少し迷ってから、コイーバのロブストスに火をつけ、氷見家の二階の窓にあらためて目を凝らし、十年前の俊国のしでかした、桂二郎から見れば少年らしい滑稽な、けれども当の俊国に言わせれば「取り返しのつかない大犯罪」の対象者である氷見家の長女を見てみたいものだと思った。

十年前、高校生だった俊国は、いつになく落ち着きがなく、それでいて口数が少なく、何か心配事があるような表情で、その日は帰宅が遅くなることが決まっていた父を夜中の一時まで待っていた。

そして、自分は取り返しのつかないことをしでかしてしまったのだと、母がいないところで桂二郎に打ち明けたのだった。

幼いころから繊細ではあっても、どこか鷹揚(おうよう)なところもある俊国が桂二郎に初めて見せた怯(おび)えの目にただならぬものを感じ、とにかく何をやってしまったのかを正直に話せと促した。

十五歳の少年がしでかす大犯罪？

桂二郎が咄嗟に脳裏に描いたのは、窃盗とか傷害事件という言葉であった。

いずれにしても、やってしまったことは仕方がない。それがいかなることであろうとも、自分は父親として俊国を守らなければならぬ。法を犯したのなら、すみやかに警察に申し出て、法にのっとって罪をあがなうしかない……。

ごく短い時間に、桂二郎の頭のなかにはそのような考えが走った。会社と契約している顧問弁護士の顔までが浮かび出たりもした。

けれども、俊国が意を決したかのように告白した「取り返しのつかない大犯罪」とは、口をきいたこともない歳上の女にラブレターを手渡してしまったということだった。

「ラブレター？　どんなことを書いたんだ？」

と桂二郎は、それがなぜ「取り返しのつかない大犯罪」となるのかとまたさまざまに頭をめぐらしつつ訊いた。脅迫的な文章で交際を迫っていたりしたら、確かにそれは犯罪行為かもしれない、と。

「十年たったら結婚を申し込むって書いちゃったんだ」

と俊国はうなだれたまま、目だけ父親に向けて言った。

岡山のおじいちゃんの家の近くでみた「空飛ぶ蜘蛛」のことも書いたという。

「空飛ぶ蜘蛛……？　なんだ、それは」

桂二郎に問われて、その蜘蛛について説明する俊国の話し方は要領を得なかった。

落ち着くようにと桂二郎は俊国の両肩に手を置き、

「ラブレターを渡したくらいで、どうしてそれが犯罪になるんだ」

と訊いた。

「だって、相手はぜんぜんぼくのことを知らないんだよ。それに、ぼくよりもだいぶ歳上で……」

「歳上って、幾つくらい?」

「さあ……。その人、二十歳くらいかなァ」

ストーカーと呼ばれる犯罪者が多くなっていて、このあいだもその特集番組をテレビで放映していた。被害に遭った女性の訴えで犯人が逮捕されるまでのドキュメンタリーだった。その犯人は、高校生のときからひとりの女をつけまわしつづけたのだ。

ぼくもそんな人間だと思われて警察に訴えられるかもしれない……。

桂二郎は、自分とほとんど背丈がおなじになりつつある俊国と向かい合ったまま、安堵の笑みを浮かべて床に坐り込んだ。そして、そんなことは犯罪の範疇には入らないから安心するようにと言った。すると俊国は偽名を使ったから犯罪ではないのかと訊いた。須藤俊国という名を使ったのだ、と。

それも犯罪と呼ばれるほどのことではないから心配しなくてもいいと言って、桂二郎は笑ってみせた。

だが、俊国はその翌日から玄関を使わなくなり、裏の勝手口から周りに気を配りながら用心深く出入りするようになった。

とにかく相手は真向かいの住人なので、顔を見られたらまずいと考えたらしかった。

しかし、その真向かいの住人は、突然の不幸によって引っ越して行ってしまった。

桂二郎は、俊国が現在の本名ではなく、実の父方の姓である「須藤」を使ったのが、そのときだけではないことを知っていた。

俊国が中学二年生のとき、教科書の裏表紙に「上原俊国」と書き、その裏側に「須藤俊国」と書いていることを偶然に知ったのだった。

すべての教科書やノートやその他の自分の持ち物に「須藤俊国」と書いているのではなさそうだったが、桂二郎は、俊国の胸の内がわかるようでもあり、どこかはかりかねもして、思春期の男の子の心には到底戻れそうにもない自分が、あまり深刻にそのことにこだわるのもおとなげないと考え、いっさい知らん振りを通してきた。

小さなことにはこだわらない性格ではあったが、桂二郎にとっては、二歳のときから自分の息子として育ててきた俊国が、誰にも内緒で須藤姓を使う場合があることには心が痛んだ。

だが、それについては、さまざまな思いを頑固に胸のなかにしまって、俊国と親子として接しつづけてきたのだった。

須藤姓を俊国がときに使うことで、自分がいささかでもそれまでの俊国に対する接し方に変化があったとは桂二郎は思っていない。その点に関しては自分は感情を制御できる人間だと自負していた。

社長は恐い……。これが若い社員の、自分への大方の印象であることを桂二郎は知っている。

誰がそのような社員の感想を桂二郎に伝えたのか、あるいは何かの折に自然に耳に入って来たのか、桂二郎は思い出すことができない。

だが桂二郎が知るかぎりにおいて、社長・上原桂二郎は、風貌も、声も、動作も、喋る内容も、いっさいがっさいが、若い社員を畏怖させるものであるらしかった。

学生のころ、ただ静かに音楽を聴いていたり、食堂で何かを食べていたり、ぼんやりと道を歩いていたりして、そのとき一緒にいる友人に、

「お前、何を怒ってるんだ?」

と訊かれたことが何度もある。

「いや、ぜんぜん怒ってなんかないよ」

意外な思いで、少々憮然と答え返したことも何度かある。それで桂二郎は、しばしば鏡に自分の顔を映して見つめたものだった。

たしかに甘い容貌の優男といった目鼻だちではないが、映画に出て来る典型的な悪役面の、見ただけで思わずこの人とは目を合わさないようにしようと相手に緊張させる顔でもない。

「にがみばしったいい男」とは言い難いが、自分の顔を嫌いだとは思えない。

眉が太く、鼻はさして高くはないが厚みがあり、唇は上も下も薄いほうかもしれない。目も、つり上がってもいないし垂れ下がってもいない。俗に言う「泣きボクロ」らし

きものが左目の下にあって、それは見ようによっては顔立ちに愛嬌を与えている。

身長は平均的日本人といったところであろう。全体の骨格は祖父に似たらしく頑丈だが、そこから推測するほど体重は多くはない……。

桂二郎は客観的に自分の容貌をそう結論づけて、つまり問題は目鼻だちではなく、表情の動きにあるのではないかと考えた。

笑顔が少ない……。つまり、そういうことなのであろう。

自分も生身の人間だから、おかしければ笑う、その笑った顔も、別段奇異に歪むわけでもなさそうだ。

人が普通は笑う場面において、自分は意識したことはないが、笑う回数が少ないのではないのか……、自分では笑っているつもりでも、それは笑顔とまでは至っていなくて、逆に怒っているかのように変化するのかもしれない……。

それで桂二郎は、人と話をするときには可能なかぎり笑うよう努力した時期があった。といっても、十日もつづきはしなかった。おかしくもないのに笑おうとしている自分にすぐに嫌気がさしてしまったのだった。

「自分は自分以上のものにはなれない」

桂二郎は、心に閃いたその言葉を己の信条とするべく、上等の和紙を手に入れて大きな筆で書いたが、書道など習ったことがないので、自分でも茫然となるほど下手で稚拙な字が紙の上にあらわれて、慌てて破り捨ててしまった。

それ以後、自分の顔のことに関しては考えないことにして十数年がたったころ、若い社員の多くが抱いている上原桂二郎という人間への印象を知ったのだった。

そのことを専務の赤倉雄市に冗談めかして明かすと、

「社長は恐がられているほうがいいのです」

と言う。

社長の秘書になって四年目の、まだ二十八歳だった小松聖司には、

「私も若い社員のひとりですが、まあはっきり申し上げると、やっぱり恐いですね」

と言われた。

「でもそれが社長のいいところなんですから、お気になさらないほうが……」

桂二郎は、そのときの小松聖司の、いかにも答えに窮したといった表情を思い出して小さく笑った。

自分の無愛想といえばいえる、愛嬌がなさすぎる、どうやら人に威圧感を与える容貌は、その生まれついての目鼻立ちに起因していることは間違いのないところだが、中学生のときのある出来事が、やはり大きく影響しているであろうことを桂二郎は自覚していた。

中学生になってすぐのころ、ひとりの人物が上原家を訪れた。祖父の学生時代の親友ということだった。

祖父は風呂場で転んで膝の骨を折り、長期間入院生活を強いられたのだが、その間、

祖父は頑としてリハビリというものを拒否したため、医者の警告どおり脚が弱くなって、寝たきり状態のまま退院してきた。

「いまさら自分の脚を鍛えてどうする。わしは鍛えに鍛えて歳をとったので、もう肉体を鍛えるということからは卒業させてもらいたい。寝たきりになれば周りに多大な迷惑をかけるが、いささかでも迷惑だと感じるなら、そんな老人を収容する施設に入れてもらいたい。わしは若いころから動きに動き、働きつづけ、自分を律しつづけた。動いたり働いたり、己を律することにもう疲れた」

祖父らしい言い方であって、ひとたび口にしたことは必ず実行する人間であることは家族全員が知悉していた。

それで家に帰ってきて以来、祖父のベッドでの生活が始まった。ちょうどそのころ、祖父が旧制高校のころの友だちという同年齢の老人が見舞いに訪れたのだった。

その老人が帰りがけに、玄関のところで遊んでいた桂二郎に目を留め、

「きみは、いい顔をしておるな」

と言った。

「心を鍛えれば、もっともっといい顔になる。そうざらにはお目にかかれないというくらい立派な顔になってみせなさい」

老人はそれだけ言って帰って行った。たったそれだけのことであった。老人が桂二郎を見ていたのは、ものの一分か二分であった。

だが、「心を鍛えれば、もっともっといい顔になる。そうざらにはお目にかかれないというくらい立派な顔になってみせなさい」

という言葉が、中学生の桂二郎のなかに刻みつけたものは大きかった。なぜか素直に、よし、立派な顔になってみせるぞと思った。

といって、その言葉によって何か具体的に精神的訓練を己に課したわけではない。ただ漠然と、人間の顔には、いい顔というもの、立派な顔というものがあるのだと知ったにすぎなかった。

「きみは、いい顔をしておるな」

その短いひとことは、顔の美醜ではなく、人相のことを言ったのだとわかって、桂二郎は、自分という人間のほとんどすべてを賞めてもらったような気がしただけにすぎなかった。

だがその老人と同じ言葉を、須藤潤介は初めて逢った日に、桂二郎に言ったのだった。

「あなたは、いいお顔をなさっておりますな」

「無愛想でして、若い社員たちからは恐い顔だと言われておりますようです」

桂二郎はそう応じ返しながら、いやこの須藤潤介こそ「いい顔」の持ち主だなと思った。

小柄で無駄な肉がなく、頭髪は年相応に少なくなっていて、眉毛には白い毛が混じっている。鼻は日本人には珍しいくらいに高いが、目は小粒で細い。その目には、絶えずかすかな笑みが沈んでいるように感じられる。

といって、人を小馬鹿にしている笑みでは決してなく、相手のいいところも悪いところも見抜いて、しかもそのどちらをも受け入れているという笑みなのだった。

桂二郎は、岡山県総社市A町の、川のほとりの須藤潤介の質素な家の周りは、いまはさぞかし美しいことだろうと思った。

美しいのは、家の周りだけではない。八畳二間きりの平屋の古い木造の家も美しい。須藤潤介は、玄関の三和土（たたき）からつづく八畳の間を自分の勉強部屋と称している。そこには、小さな文机（ふづくえ）がひとつ置いてある。文机には引き出しがなく、それに替わる一見道具箱のような、大きめの手文庫とも言えるものを置いている。本棚は、寝室として使う奥の八畳の間にあるが、そこには教育関係の書物は一冊も入っていない。

日本の古典全集二十六巻。ベルグソン全集九巻。大漢和辞典。英和辞典。そして百科事典三十八巻と五人の画家の画集。

それはいつも本棚の同じ場所にあって、本棚にも本のどこにも埃（ほこり）はついていない。

二つの部屋には、何ひとつ装飾品といったものはない。

須藤潤介は、毎朝、掃除機ではなく箒とチリ取りを使って家中の掃除をし、畳は雑巾で丁寧に拭く。寝る前に、汚れたところが目につくと、朝と同じように掃除をする。

天井も壁も柱もみな古くて、一輪の花も活けられていないのに、その家のなか全体が、美しいのだった。殺風景すぎるといえばいえるのにもかかわらず、凛（りん）としたものが家のなかにつねに漂っている……。

桂二郎は、久しぶりに須藤潤介に逢いたいと思った。もう二年逢っていない。それまではずっと、石油ストーブで冬をすごしてきたと知って、去年、電気式のパネルヒーターを送った。さほど高価なものではないが、イタリア製の世界的に知られたメーカーのもので、それなら消し忘れても安全だと思ったのだった。だが、そんなものをひとつ送っただけで済ましてしまったことに、桂二郎はずっと悔いを抱きつづけていた。いかに矍鑠（かくしゃく）としているとはいえ、須藤潤介はもう八十歳なのだ。週に二回、近郊の町からアルバイトの主婦が雑用を手伝いに来てくれるのだが、四六時中、潤介に気を配っているわけではない。

何か不測の事態が生じたときの場合を考えておかなければならないのだった。

毎晩というわけにはいかないだろうが、せめて三日に一度くらいは、おじいちゃんに電話をかけるようにと俊国に言ってあって、俊国もそのことは気にはかけているのだが、残業の多い業種で、電話をかけようと思ったときにはすでに夜の十一時を廻っている場合が多い。

須藤潤介は、必ず夜の十時には床につくのだった。

葉巻の長さがあと四センチくらいになったので、桂二郎はそれを灰皿に置き、今週末に岡山へ行こうと決めた。予定はどうなっているだろう。あしたは二組の客と逢わなければならない。

あさっては……。

「こういうふうに考えるから、何事も先へ先へと延びるんだな」

桂二郎はつぶやき、葉巻の火にグラスの水をかけて、歯を磨き、寝室へ行った。

お手伝いの広瀬富子は、朝の七時半に上原家にやって来る。

富子は桂二郎よりも三つ歳上の五十七歳で、上原家で働くようになってもう二十年がたった。息子が二人、娘が一人いるが、夫とは二十二年前に離婚した。離婚して五年目に、別れた夫は死んだ。

二人の息子はすでに結婚したが、末の娘はまだ独身で、いまは富子と同じマンションに暮らしている。

二十年も上原家で働いてきたので、桂二郎の扱い方は知り抜いていて、ご飯の炊き加減、料理の塩加減、茶のいれ加減……、もうすべてを心得ているのだった。

桂二郎が洗面所で髭を剃っていると、

「背広は先日お作りになった茶色のになさいますか?」

と富子が訊いた。

「うん。ただあれに合うネクタイがないな」

と桂二郎は言った。

「四、五本、合いそうかなと思うのを出しておきましたが……」

「いや、どれも合わんだろう。俺は背広に合わないネクタイをしめてるやつをあまり信用しないことにしてててね。だから、俺もネクタイにはうるさい」

そう言いながら、パジャマ姿のまま台所の横の大きな丸テーブルのところへ行き、新聞を読み、それから秘書の小松聖司に電話をかけた。自分の今週の予定を訊くのは出社してからでもいいのだが、きのうベッドに入っても妙に須藤潤介のことが気にかかって、それは朝になってもつづいていた。

社員の自宅に電話をするのは嫌いだったが、桂二郎は富子にかけさせるよりも自分が直接かけたほうがいいと思った。

たしか小学二年生のはずの娘がでてきて、お父さんはまだ寝てますと言った。

すぐに小松聖司の妻が電話に出た。

まだお休みのところなのに申し訳ないと桂二郎が言って、電話を切りかけようとすると、小松聖司の妻は、ちょうどいま起こそうと思っていたのでと言った。

すぐに、小松のいかにも寝起きらしい声が聞こえた。

「社長、何事ですか。何かありましたか」

「いや、何事もない。寝てるところを起こして申し訳なかった。俺のあしたからの予定を訊きたくてね」

あしたは午前中、毎月定例の各支社や営業所の責任者会があり、夜はS社の社長との会食ということになっている。

あさっては、どうしても社長が動かなくてはならないというほどの予定は入っていない。その次の日は、午後六時からT社の会長の喜寿のお祝いのパーティー出席となっている……。

小松は早口でそう言った。

「そうか、ということは、俺はあさっての朝からその翌日の夕方までは自由に動けるってことだな」

桂二郎は、あさって岡山県の総社市へ行くと伝え、その手配を小松に頼んで電話を切った。

「このメザシ、うまいな」

桂二郎は朝食をとりながら富子に言い、豆腐の味噌汁のお替わりをした。

「横田さんが送って下さったメザシです。カタクチイワシを干した上等だそうです」

と富子は言った。

「ああ、彼が送ってくれるものはどれもうまいな。奥さんの実家の近くに移り住んで、もう何年になるかな」

「高知の四万十川の近くでしたね」

「近くどころか、四万十川のほとりだって手紙に書いてあった。かなり上流へのぼったところにある村だってね」

岡山県の総社市と耳にしただけで、富子は桂二郎の目的がわかったらしく、俊国さんも一緒に行くのかと訊いた。

「いや、あいつは仕事があるだろう。俺ひとりだよ」

「向こうにお泊まりですか？」

「さあ、行ってみないとわからんな」

とりあえず一泊することになってもいいような用意をしておくと富子は言った。

朝食を終えたころに、迎えの車がやって来て、運転手の杉本がチャイムを三回鳴らした。それは杉本ですという合図だった。三回鳴らして、あとは車のなかで待っているのだった。

桂二郎は新しい背広に合うネクタイがなかったので、グレー地にほんの少し青の縦縞が入っている背広を着て、門の前に停まっている車へと歩いた。

車に乗り込もうとすると、氷見家の玄関があき、若い女が出て来た。年格好から考えて、どうやらこの女が、俊国の十年前のラブレターの相手ではなかろうかと思ったとき、女は「おはようございます」と挨拶をした。

桂二郎も朝の挨拶を返し、四月の終わりとは思えない強い光と暑さのなかで、玄関を出るときに着たばかりの背広の上着を脱いだ。

「なんだか夏の始まりみたいなお天気ですね」

と氷見家の娘は言い、開いている上原家の門扉のほうに視線を向けた。

「とってもすばらしいお庭ですね」

「そうですかねェ……。家内が、やたらいろんな木を植えたもんですから、雑然としすぎました」

と桂二郎は言った。それから、引っ越しの挨拶として京都の有名な塩昆布屋の品を貰ったことへの礼を述べ、十年前の不幸に対して何らかのお悔やみの言葉を口にすべきかどうか迷いながら、

「十年前、お向かいさん同士になりましたのに、思いもかけないことで……」

と言って、そのあとの言葉を曖昧に濁した。いまごろになって口にすべきことではなかったような気がしたのだった。

氷見家の娘は、桂二郎の言葉に礼を述べ、

「お化け屋敷みたいな感じのまま、上原さんのこんなすてきな家の前に十年間も放置してしまって……」

と笑顔で言った。

さて幾つくらいであろう……。見た目には二十七、八といったところだが、実際は三十歳を超えているのかもしれない。

言葉遣いにめりはりがあるし、昔風に言うならば、どこか「こまたの切れ上がった」ようなところもある。なかなか魅力のある娘ではないか。

十年前、まだ十五歳の俊国が一目惚れしてしまって、あとさきも考えずラブレターを渡しただけのことはありそうだ……。

桂二郎はそう思いながら、

「お化け屋敷だなんてとんでもありません。十年間、家のなかに明かりが灯ることはありませんでしたが、仕事を終えて帰って来て、氷見さんのおうちのたたずまいを見ると、どういうわけか、ほっとするんですね。こんなすばらしいおうちは珍しいですよ」

と桂二郎は言った。

「死んだ父が凝りに凝ったんです」

桂二郎は娘に名前を訊いた。氷見留美子ですと言って、字も教えてくれた。

「私は上原桂二郎といいます。今後ともよろしくお願いいたします」

朝の出勤時なので、あまり長い立ち話もできないと思い、桂二郎は軽くお辞儀をして車に乗った。氷見留美子は、

「行ってらっしゃいませ。お気をつけて」

と言い、駅への道を歩きだした。

動きだした車の窓をあけ、何か言おうとして、桂二郎はバックミラー越しに自分を見ている運転手の杉本の目に気づき、そのまま窓を閉めた。

「なかなかいいね。あれだけ清潔感のある子は最近ざらにはお目にかかれないな」

と桂二郎は杉本に言った。

来年六十歳の定年を迎える杉本は、女優だったという女の名を口にして、さっきのお嬢さんは若いころのその人に似ていると言った。

桂二郎はそんな女優の名は聞いたことがなかったので、どんな映画に出ていたのかと訊いた。

戦後に上映された何本かの映画の題名をあげ、

「でもいまでは誰もこの女優の名を覚えていないと思います。五、六本の映画に脇役として出ただけで、いつのまにかいなくなりましたから」

と杉本は言った。

「ほう……。そんな女優の名前をよく覚えてるねェ」

「ファンだったんです。一本の映画で彼女が出てくるシーンは、せいぜい五、六分くらいだったでしょうか……。でも一目でファンになってしまいまして、芸名は何なのか、映画会社に問い合わせて訊いたんです」

映画の最初にスタッフとキャストの名前が出るが、セリフが二つか三つ程度の女優の名がどれなのかわからなかったのだという。

「昭和三十年頃でした」

「杉本さんは、昭和十六年生まれだね」

「はい、そうです」

「じゃあ、杉本さんがその女優に一目惚れしたのは十四歳のときってことになる」

「はい。ニキビ面のませたガキでした」

「その女優さんは幾つくらいだったんだ?」

「二十歳でした」

「それも映画会社に問い合わせて知ったのかい?」

そうですと答え、とにかくスクリーンにその女優が映る時間が短いので、ただ彼女の顔を見たい一心で一日中映画館に坐っていたと言って杉本は後頭部をしきりに片方の手で撫でた。

「ほう……。杉本さんにそんな青春の一時期があったとはねェ」

桂二郎は笑いながら、そういえば自分も高校生のとき、古いイタリア映画に出演していた少女に見惚れて、同じ映画を三回観たことがあったなと思った。その少女が出てくる場面も一回きりで、せいぜい三十秒ほどでしかなかった。名前なんかまったくわからなかった……。

「その女優さんとさっきのお嬢さん、そんなに似てるのか?」

と桂二郎は訊いた。

「似てます。顔を見た瞬間、はっとしました」

と杉本は言った。

「四十五年も前に見たきりの女優さんの顔をいまでも克明に覚えてるってのは凄いね。淡い恋心なんてもんじゃないな。よほど惹かれたんだ」

バックミラーに杉本の照れ笑いが映っていた。杉本にはもうじき三人目の孫が生まれるはずだった。

桂二郎は杉本の運転する車には安心して乗っていられる。

車の運転というものには、渋滞した都心を走っているときにも、高速道路を走っているときにも「流れ」があると桂二郎は思っている。その流れが、いったい何によって生じているのかはわからないが、運転は流れに乗っていないとどこか均衡を欠いて、妙な不安感に巻き込まれる。

車の速度が速すぎるとか遅すぎるとかではなく、その流れなるものに自分のペースを守りながらどう乗っているかは、運転者の技術以外の何物かが左右すると桂二郎は思っていて、杉本の運転者としての何物かを信頼できるのだった。

杉本が休みを取っているときは、総務部の若い社員が代わりを務めるのだが、社長をうしろに乗せているからとじつに慎重な運転に徹してくれても、その流れから微妙に外れているところがあって、桂二郎は奇妙な疲れを感じてしまう。

感じるだけでなく、実際疲れてしまって、帰宅すると苛立ちが肉体のあちこちを重くしている。

だから桂二郎は社の規定なんか度外視して、杉本にもう二、三年自分の運転手をつづけてもらいたいのだが、どうやら杉本は定年になるのを待ち望んでいるらしいのだった。芭蕉の「奥の細道」を自分も歩きたいというのが杉本の長年の夢だと知ったのはつい最近だった。それも車や電車を使ってではなく、自分の足で歩きたいのだという。

社に着いて、社長室に入ると、机の上には報告書が山積みにされていた。連絡事項も十二件あった。そのなかに、兄の総一郎が電話で秘書課の社員に託したことづてが含まれていた。

——現在のベトナムに詳しい人を紹介してくれないか、ということです——。

用紙にはそう書かれてあった。

上原工業は弟の桂二郎が跡を継ぐと決めてしまって、兄の総一郎は大学で物理を専攻したが、途中で進路を変え、「プラナリア」という生き物の研究をつづけて、いまは九州の大学の教授として自分の研究室を持っていた。

「プラナリア」という生き物がいかなるものであるのか、桂二郎はよく知らない。淡水産で河川や池や沼の底に住んでいて、大きいもので体長は三・五センチ、幅は四ミリくらいだという。桂二郎はこの「プラナリア」なるものの最大の特徴は、体から切り取ったわずかな一部分からでも完全に元どおりに再生するらしいということだけを兄から聞いて知ってはいた。

この男は正しい日本語を知らないのではないのかと本気で疑わしくなるほどに喋ることが苦手で、人づきあいは悪く、こっちから連絡をしないと、二年でも三年でも音信不通で、何か頼みごとが生じたときだけ、用件のみ記した葉書を送ってくる。社会性というものがこれほど欠落しているのは、一種の異常者ではないのかと思うことが何度もあって、桂二郎は、自分の兄ではあっても、総一郎とはつきあいたくないのだった。

「ベトナムに詳しい人間なんて、俺に頼まなくても、兄貴の周りにいくらでもいるだろう」

桂二郎は、兄からの伝言を記した用紙を丸めてクズ籠に捨てたが、外務省に知り合いがいたことと、大学時代の友人が新聞社に勤めていて、四、五年前にベトナム駐在を終えて帰国した際、同窓会で顔を合わしたことを思いだした。

桂二郎は、手帳を出し、兄の大学の研究室に電話をかけた。呼び出し音が十回ほどつづいて、切ろうと思ったとき、若い男の声が聞こえた。

ちょっとお待ち下さいと言われ、別の連絡事項に目をとおしながら受話器を耳に当てて待ちつづけたが、五分近くたっても足音らしい音以外は聞こえてこなかった。

苛立って電話を切りかけると、さっきの男が出て、

「いま忙しいそうです」

と言った。

弟から電話があったと伝えていただきたい……。怒りをおさえてそう言うと、桂二郎は電話を叩きつけたくなり、

「ひとりで生きてろ、馬鹿が！」

と怒鳴った。

電話に出た男は、おそらく兄の助手か学生かであろう。あのての連中は、社会とはまったく無縁のところで存在しているらしい。自分から頼みごとをしてきておいて、「い

ま忙しい」で済ませるとは何事だ。

そのように伝えろと言った兄も兄だが、五分以上も電話を待たせて、そのままの言葉を反復するだけの若い男もどうかしている……。

「何のための学問だ」

桂二郎は怒りを鎮めるために、わざと声を荒らげ、そう言いながら自分の机を叩いた。

小松聖司が社長室をノックして入って来ると、岡山行きの飛行機を予約したと言った。

「私もご一緒いたしましょうか」

「いや、いい。俺ひとりで行く」

「いちおう、日帰りなさる場合と、向こうで一泊なさる場合とを考えて、二便予約しておきました。キャンセルはいつでもできます。お泊まりになるとしたら、倉敷市内でしょうか」

総社市の須藤潤介の家から倉敷市内までは車で三十分ほどだった。

「倉敷のホテルも予約しておきましょうか」

と小松は訊いた。

桂二郎は一度だけ、高梁川のほとりの須藤家に俊国と一緒に泊まったことがあった。

高梁川は、川幅があって水量も豊かで、水のきれいな川だった。雨のあとでも水はほとんど濁ることがなく、川のあちこちには水鳥が浮かび、小さな木舟に乗った人が投げ網で魚を捕ったりもしている。

ただ水量がいつも豊かだけに、大雨の際には洪水の可能性もあって、川の両岸は高い堤防で守られている。だから堤防からほとりの家々を眺めると、どの家の屋根も自分の足元より低いところにあるように感じられる。

民家の多いほとりから上流へとのぼっていくと、出臍（でべそ）のような低い山が点在し、堤防も少しずつ低くなる。

町の北西部の、もうここから先は総社市の領域なのか隣の高梁市に組み込まれるのか判断できかねる、伯備線と国道一八〇号線と高梁川が重なってさらに北西へと伸びるところから西へ少し行ったところに須藤潤介の家はあるのだった。

山ふところというにはいささか二つの山は可愛らしすぎるし、交通の便も悪くはないのだが、ゆるやかに曲がる高梁川はさらに澄んで、河原には水草が茂って、伯備線の単線レールと小さな踏切が眺められるが、国道もそこで曲がっているために、よほど大型のダンプカーかトレーラーの屋根以外、他の車は視界に入らない。

潤介の家の右隣には、柿の木といちじくの木がたくさん植えられていて、それは潤介の裏側に住む住人のものだという。

左隣には、倉敷市内の水道設備工事の会社に勤める中年の夫婦が住んでいて、親代々の田圃を持っている。その田圃は、三軒の家と高梁川とのあいだにあって、田圃と田圃をつなぐ農道には、四月になると菜の花がいっせいに咲く。

桂二郎が須藤潤介の家に泊まったのは、四年前に俊国が大学を卒業した年の四月であった。

挨拶をしたら、自分だけ岡山空港から東京へ帰るつもりだったのだが、高梁川のほとりで水鳥の親子が浮かんでいるのを菜の花に囲まれて見つめているうちに時を忘れ、どうやっても飛行機の時刻に間に合わなくなってしまい、勧められるまま泊めてもらったのだった。

その須藤潤介の家における安寧（あんねい）な夜を、桂二郎は忘れることができなかった。

伯備線を走る最終列車は、おそらくもう遠くの町へと行ってしまったはずだが、ここちよい旋律を桂二郎の心に残しつづけ、不思議に思って足音を忍ばせて表に出ると、月明かりのなかで水鳥が水面を滑空していた。

何かに驚いたのか、それともただ寝ぼけただけなのか、その水鳥は低く滑空したあと水面にうろたえたように戻り、そして元いた水草の茂みへと静かに帰って行った。

ただそれだけの光景が、いまでも桂二郎のなかで何かしたひょうしに甦（よみがえ）ることは多かった。

その二ヵ月ほど前に妻を亡くして、四十九日法要を終え、桂二郎の心にも幾分かの落ち着きが戻りつつあるころだった。

葬儀の日に、まさかと思っていた須藤潤介の単身での参列に驚き、喪主として他の多くの弔問客の悔やみの言葉などに対処しながら、桂二郎は須藤潤介を俊国にせめて羽田空港まで送らせようと思ったが、潤介はいつのまにか葬儀会場から消えていた。

そのときの礼を直接逢って言いたくて、桂二郎は俊国とともに潤介宅へ出向いたのだった。

高梁川を真夜中に滑空する水鳥が水面に残した小さな波と、いつまでも心のなかに響きつづける伯備線の列車の音のなかで、桂二郎は妻が亡くなる二週間ほど前に微笑みながら言った言葉を思い出したのだった。

「あなたがおっぱいにさわってくれなかったから……」

乳癌（にゅうがん）の小さなしこりを最初にみつけるのは、本人ではなく夫や恋人といった男性である場合が多いという話をどこかで聞いたらしい妻の冗談であった。

冗談であって、咎（とが）める言葉ではないと充分わかっていても、それは桂二郎にはひどくつらいものだった。

あの須藤潤介の家の前に立てば、いまも夜中に水鳥の寝ぼけた滑空が見られるだろうか……。伯備線の最終列車は長く長く心のなかで走りつづけるであろうか……。

月明かりの下の水鳥も、電車の響きも、なにかいま自分が生きている世界ではない場所へと、けなげに向かおうとしていた、と桂二郎は思う。

報告書を読み、そこに記された細かな数字に目を通し終えると、桂二郎はおとといの宴席でも「何のために働いているのか」という話題に終始したある事業家の、まんざら酒の席での戯言（ざれごと）でもなさそうだった言葉を思い浮かべた。

その男は「いい女を自分のものにするために命をすり減らして働いている」と笑いな

に限られるのだという。「いい女」とは性的なことに限られるのだという。馴染みの芸者や仲居に

その男はそれから、性的にいいとは、と具体的に語り始めて、馴染みの芸者や仲居に反論され、彼女たちとの応酬を楽しんでいた。

宴席に限らず、最近、桂二郎とほとんど同年輩の男たちは、なにかのひょうしに、自分はいったい何のためにこんなに働くのだろうということを口にする。

そういうことに思いを至す年齢でもあるのだろうが、仕事の打ち合わせを終えたあとや、ゴルフ場でホールからホールへの道を歩きながら、ある者はひどく深刻そうに、ある者はいかにも己自身を嘲笑するかのように、何のために働いているのかとつぶやいたり、「上原さん、あなたは？」と返答を求めるかのように言う。

桂二郎にはその問いに対してためらいなく言葉にできる理由があった。

それは「自分が生きるため」であり、さらには「社員たちが生きるため」なのだ。それ以外にいかなる理由も思いつかない。

与えられた自分の生が尽きるまで生きなければならないし、上原工業で働いている社員たちもそうであるはずだ。

ひとりの社員には、年老いた両親もいるだろうし、妻や子供たちもいるであろう。そのひとりひとりが、それぞれの事情をかかえながら、上原工業から得る賃金で生活している。

まだ独身の社員もいずれは家庭を築く日が訪れる。たったひとりの社員の背後には、

もうひとり、あるいは二人、あるいは五人、場合によってはもっと多くの人間の生活が存在している。

そのために上原工業は、大小さまざまな鍋やフライパンや、それ以外の調理器具を製造し販売し、利潤をあげなくてはならない。

利潤をあげるために、社長には社長にしかできない仕事がある。社員たちにもそれぞれの責任と義務と仕事がある。それはそれぞれの役割に応じて働くということだ。だから、きのうも働いた。きょうも働く。あしたも働かねばならない……。

桂二郎にしてみれば至極当たり前の理屈でしかなかった。

けれどもその当たり前なことに支障をきたさないためには、「経営」というものに知恵と技術を駆使しなければならない。鍋やフライパンに製品上の差異はほとんどない。同業他社の製品が、上原工業のものよりも優れていたことも劣っていたこともない。

そしてそれらの調理器具は、決して高価なものではなく、さらには、買っては捨て、買っては捨てを繰り返されるものでもないのだった。

だからこそ「経営」というものの厳しい合理化が社の命綱なのだ。

桂二郎はそう考えているので、雇用ということに関しては慎重すぎるほど慎重だったし、下請けの工場を決めるにも、冷徹なほどに技術力や製品管理についての丁寧さを要求した。

しかし上原工業といったん関係が成立すれば、人であれ下請け工場であれ責任を持つ……。これが上原桂二郎の、誰にも口にしたことのない経営者としての己への約束事なのだった。

専務や常務や営業の重責を担う者たちにも、面と向かって口にしたことはない。

兄と、電話に出た若い男への不愉快さが消えないまま、桂二郎は秘書の小松聖司に、

「日帰りは疲れるな。倉敷のホテルを予約しといてくれ」

と言った。

たぶん須藤潤介は、時間が許すなら泊まっていけと勧めてくれることであろう。そして、食事や寝具に気遣ってくれるに違いない。それは八十歳の老人を疲れさせる。

桂二郎はそう思い、腕時計を見た。十時半だった。いまから京都の料亭の女将に無理を言って頼めば、あさっての夕刻に間に合うように、二種類の棒寿司を作ってくれるかもしれなかった。

格式のある料亭の板前に、店で食べるのではない棒寿司を作ってもらうのは失礼といえば失礼と言えるのだが、八坂神社から少し東へ入ったところにある「くわ田」の女将と桂二郎とは気が合うのだった。

「くわ田」の女将である本田鮎子は桂二郎とおない歳で、本田家に嫁いで若女将として初めて座敷に出たとき、日頃、美貌の女将や芸妓たちを見慣れている財界の客数名はそのあまりの美しさにしばらく誰も言葉を発しなかったという噂の持ち主だった。

何かにつけて目配りがきき、聡明で、なにげなく口にする冗談に含蓄(がんちく)があって、桂二

郎は大阪支社に行ったときは必ず支社長や得意先の社長と一緒に「くわ田」へ行くようにしている。

「くわ田」の棒寿司は、料理と料理の合い間の箸休めとして、さりげなく一切れだけ出される。箸休めだからぶ厚く切られてはいない。物足りないくらいに薄く切ってあるのだが、桂二郎はそれを食べるたびに、

「うまいなァ」

と思わず口にしてしまう。

女将の鮎子は、いつもそんな桂二郎を冗談めかしてなじるのだった。たまには板長が腕によりをかけた一品を賞めたらどうか、と。社長が賞めるのは箸休めのためのたった一切れの棒寿司だけだ、と。

桂二郎は、夜の遅い仕事とはいえ、あの元気者の「くわ田」の女将はもう起きているだろうと考え、本田鮎子の自宅に電話をかけた。

「もしもし」という声だけで桂二郎とわかったらしく、鮎子は、

「はいはい、棒寿司ね。こんどはどこへお届けしたらよろしいのん?」

と笑いを含んだ声で言った。

「天下の『くわ田』に棒寿司を特別に作ってもらうなんて申し訳ないんだけど……」

「まあうちの店には、おいしいと賞めてもらえるのは、あれだけですよってに」

と鮎子は言った。

「去年届けてもらった……」

と桂二郎が言いかけただけで、

「岡山の総社市?」

と鮎子は訊いた。

「うん。お願いできるかなァ。できれば、あさっての夕方着くらいがありがたいんだけどね」

いまは時間指定の宅配便があるので、あさっての夕方ならば充分間に合うと鮎子は言った。

「酢でしめてあるというても、もしものことがあったらあかんから、そのへんは工夫させます」

「すまんなァ。鯖(さば)を二本、穴子を二本。いや、三本ずつにしようかなァ。食べるのは俺と、息子のおじいちゃんだけなんだけどね」

鮎子は、桂二郎の家庭のことは知っているのだった。

「そんなら三本ずつなんて多いわ。二本ずつにしときはったら? 食べ残すよりも、ちょっと足らんかなァくらいのほうが」

「そうだなァ。あんなにおいしいものを残すのは勿体ないからな。二本ずつにしといてもらおうか」

と言い、桂二郎は鮎子の夫の近況を訊いた。

「さあ、何をしてはんのか……。何の役にもたてへん道楽者やから」

と鮎子は笑った。

「くわ田」には、取引先の接待以外にも、毎年十二月の半ばに、妻と行くのが恒例だった。年にたった一度しか顔を合わせないのに、妻と鮎子は意気投合し、いつのまにかしょっちゅう長電話しあったり、鮎子が仕事で上京すると二人だけで食事をする仲になっていた。

「くわ田」の三代目の跡取り息子である鮎子の夫は、しっかり者の妻に店をまかせて、自分の趣味の世界に没頭しているそうだとだけ妻は桂二郎に喋ったことがあったが、それがどんな趣味なのかは語ろうとしなかった。

鮎子は自分たち夫婦の悩みなども桂二郎の妻には包み隠さず話していたらしい。だが、気の合う女同士の話の中身がいかなるものであったのか桂二郎は知らない。鮎子の家庭の事情に関して、妻から訊きだそうとは思わなかった。そうすることは礼儀に反するという思いがあったからだった。

「いいなァ。しっかり者の美人の奥さんにすべてをまかせて、自分の道楽に没頭できるなんて……。うらやましいね」

桂二郎の言葉に笑いで応じただけで鮎子は話題を変え、滋賀県にいいゴルフ場があって、そこの理事長に頼めば、前の組とうしろの組との間隔を長くあけてくれて、二人だけのプレーをさせてくれるらしいから、そこでゴルフをしないかと言った。

「一ホールずつマッチプレーで」

「また俺からまきあげる気だな。ハンデをくれるならやってもいいけどね」

「桂ちゃんがなんぼ下手でも男はんやから、ハンデはあげられへん。普通は女の私がハンデをもらうのが常識ってやつよ」

「冗談じゃないよ。そんなことしたら、俺は十八ホール、全部負ける。そりゃあんまり俺が可哀相だよ」

「桂ちゃん、ほんまにゴルフ下手やもんね」

「鮎ちゃんがうますぎるんだよ。あの正確な、ミスをしないゴルフは可愛気がなさすぎる。もっと愛されるゴルフをしなきゃあ」

こんど大阪へ行ったら、夜は京都のホテルに泊まることにして、そのゴルフ場へつれて行ってくれと言い、桂二郎は電話を切った。

鮎子と話し始めたときに小松聖司は社長室から出て自分の机へと戻っていたが、電話を切ったのを見はからって再び社長室へ入って来て、三日後に予定されていたT社の会長の喜寿の祝賀パーティーは中止になったと伝えた。

「脳梗塞でお倒れになったそうでして、パーティーどころでは……」

すぐにお見舞いの品を届けるようにと言い、それならば三日後、鮎子とゴルフに行こうと桂二郎は思った。

翌々日、羽田空港から岡山空港へと行き、桂二郎はタクシーに乗ると行き先を告げたあと、山陽自動車道から岡山自動車道へと入って、総社インターで降りるルートを走ってくれと運転手に頼んだ。

空港から総社市へと行くには、なにも遠廻りをして高速道路を走る必要はない。低い山々を縫う道があって、そこから国道へとつながるルートを使えば、高速道路代も必要ないのであろうが、桂二郎は岡山自動車道を倉敷方面から北へ走るときに見える景色が好きなのだった。それも、トンネルを抜けてすぐに車窓の左側に見える一瞬の風景だけが好きなのだ。

高速道路なので車を止めて景色を楽しむというわけにはいかない。止めるどころか、速度を落とすこともできない。そしてその桂二郎の好きな風景は、時間にすればわずか五秒ほどで終わってしまう。

タクシーが山陽自動車道から岡山自動車道へと入ると、桂二郎は後部座席の左側の窓ガラスを降ろした。

さあまたあの景色があらわれるはずだが、以前に見たものと同じであろうか……。

桂二郎はなんとなく息を詰めるといった思いでトンネルを抜けたとき、少しスピードを落として左側車線をできるだけゆっくりと走ってくれと運転手に頼んだ。

運転手は理由を訊かず、そのとおりにしてくれた。桂二郎の好きな風景があらわれた。

地図で見れば、そこは総社市の東側にあたる一角で、山というよりも樹木の多い隆起といったほうがよさそうな丸くて低い山が二つあり、遠くにも似たような山が点在している。眼下には川が流れている。その川は低い山のほうへと流れながら田圃（たんぼ）を縫っている。民家はまばらで、川のゆるやかな蛇行は日を浴びて光り、その周辺はかすみ、川の濃い群青（ぐんじょう）色は山すそへ行くごとに黒く細くなり、隣の山すそのほうへと光りながら流れている。

川岸の民家の数をかぞえきれないうちに、その風景は別の低い山にさえぎられて終わった。

「変わってないね。この高速道路から見ると、きれいないなかの風景だね」

桂二郎はタクシーの運転手に言った。

「この高速道路は、かなり高い場所を走ってますから」

と運転手は言った。

「高いところから見ると、なんでもきれいに見えます」

その言い方にはどこか怒っているようなところがあった。

「初めて来たときは、この岡山自動車道ってのはまだなくて、田圃から東側を見ると、じつに広々として、低い山々が可愛らしくてね」

と桂二郎は言った。

「高梁川よりも、あの小さな川のほとりのほうがきれいだったよ。泳いでる魚がほとりから見えるんだ。吉備路ってのは美しいところだなアって感心した」

いまあの川のほとりには、煙草の吸い殻、ビニール袋、ジュースの缶が散乱して、散歩してると腹が立ってくると運転手は言った。

「あなたは総社市にお住まいですか？」

と桂二郎が訊くと、自分は隣の賀陽町というところの出身だが、妻の実家が総社市内にあるので、昔は休みの日に子供をつれて、あの川に魚をすくいに来たものだと運転手は言った。

車は総社インターを出て、伯備線の総社駅への道に入った。

南側には田圃がひろがっている。俊国が遊びに行くと、祖父の潤介はきまってその田圃に伴い、手製の大きな凧(たこ)をあげてくれたという。俊国が祖父と凧をあげて遊んだころ、岡山自動車道という高架の高速道路はなかったのだった。

駅への道は車で混んでいた。タクシーの前にもうしろにも土砂を満載したダンプカーが黒い排気ガスを噴き出していたので、桂二郎は窓のガラスを閉めた。

運転手は南側と北側とを交互に指差し、高梁川の上流でも下流でも砂利や砂を採取するところができたので、朝から晩まで高梁川の両岸には土砂を積んだダンプカーがひっきりなしに走って、川べりの古い家などは四六時中揺れているといったありさまなのだと言った。

「でも高梁川はまだきれいですよ。あの川が澄まなくなったら、日本の山河はおしまいですね」

駅の近くには、町のたたずまいとはあまりにもそぐわない大きなパチンコ店が出来ていた。

「こりゃあまたとんでもない大殿堂って感じのパチンコ屋だねェ」

と桂二郎はつぶやいたが、運転手は苦笑しただけで何も言わなかった。

総社駅を過ぎ、高梁川への道を行き、川岸の道へと入ると、運転手の言葉どおりダンプカーの数が増えた。けれども草深い小さな浮き島が点在する高梁川の流れは豊かで澄んでいて、水鳥の親子の水面での行列があった。

土砂や砂利を運ぶダンプカーは、須藤潤介の家の前を通らずに、新しく出来た道のほうを走るらしく、堤防が低くなり、高梁川が枝分かれするところを北へさらに進むと、岡山自動車道の高架も山にさえぎられ見えなくなり、菜の花の咲き乱れる静かな山里があらわれた。

「あそこです。あの真ん中の家の前で止めて下さい」

桂二郎がそう言うと、

「あれ？　須藤先生のおうちに行かれるんですか？」

と運転手が訊いた。歳は四十前といったところなので、あるいは須藤潤介の教え子かもしれないと思い、桂二郎がそのことを訊くと、運転手は、自分の妻が須藤先生の最後の生徒だったのだと答え、車を止めて、須藤家の玄関口へ歩いて行った。

「先生、お客さんですよ」

運転手は玄関の戸を細くあけてそう言い、首をかしげながら、家の裏へと廻った。

仕事で倉敷市へ行くので、ついでにちょっとご挨拶に寄りたいと、桂二郎は一昨夜、潤介に電話でしらせてあった。わざわざ逢いに行くと言えば、潤介に何事かと考えさせてあれこれと気疲れをもたらすかもしれないと思ったのだった。

「留守ですかねエ」

運転手はそう言って、高梁川のほとりのほうへと歩いて行きかけたので、桂二郎はそれを制し、玄関に鍵はかかっていないから遠くへ行ったのではあるまい、自分もさして急ぎはしないのでここで待っていることにすると言い、料金を払った。

この見事な菜の花はどうだ……。これを潤介の掃除の行き届いた、といって別段整然としているわけでもない家の前の小さな庭から眺めるのは、なんと贅沢な時間であろう……。そんな思いがあって、桂二郎は早く運転手に去ってもらいたかった。

桂二郎は、坐りごこちのいい丸い庭石に腰を下ろし、太くて長い葉巻が二本入る木製の葉巻入れを出した。銘柄の異なる葉巻を入れてきたのだが、さてこのうららかなというしかない春のまっさかりの正午には、どっちがふさわしいかと考え、葉巻入れから二本の葉巻を出し、それぞれの香りを嗅いだ。

ボリバーのロイヤルコロナスのほうを選び、微風で揺れるライターの炎で火をつけ、先端に灰が三ミリくらいの長さになるまで待ってから一服目の煙を胸に入れた。

胸には入れないと決めているのだが、着火がうまくいって理想的な燃焼具合だったので、肺で味わってみたくなったのだ。

遠くでダンプカーの走る音が聞こえたが、さして神経にはさわらない。

葉巻は、よく肥えた土の味がした。それが歩いて二十歩ほどのところにある菜の花の群れが放つ香りをいっそう濃いものにした。

高速道路から見える川は、たしか足守川という名だったなと桂二郎は思った。そうか、あの川のほとりには、煙草の吸い殻やジュースの空缶やビニール袋などが散乱しているのか……。高梁川の上流でも下流でも、土や砂利の採取が行われて、可愛らしい山は削られ、美しい川は汚れていくのか……。

地方の小さな町に巨大なパチンコ店の悪趣味な建物が建ち、消費者金融という名の金貸しの看板と自動貸付機の機械が並ぶ……。

「なんだか俺もちょっと疲れたよ」

桂二郎は死んだ妻に話しかけた。

「俺も死ぬときは癌で死にたいな。お前が味わった苦しみとか、死を覚悟したときの心のありさまとかを、俺も通過して、死ぬ瞬間てものを、お前とおんなじように越えて行きたいよ。俺はいったい何歳で死ぬんだろうね」

そんなことを亡き妻に話しかけたのは初めてであった。

しかし、そのときが訪れるまでは、生きて生きて生き抜いて、仕事をしなければならない。たしかに疲れたとは感じるが、仕事に対する闘志はいささかも衰えてはいない。

会社の業績はさして伸びてはいないが、この不景気なご時勢にあっては順調だといっていい。

もし思いもよらない不測の局面が訪れて、会社が危機的状況になったとしても、猛然と闘う心の用意はいつもある。そのようなとき、自分はいつでもなりふりかまわず、会社を建て直すために体力と知力と精神力のすべてを使うことだろう……。

「俺には仕事しかないからな。趣味ってものがない。心を動かされる女もいない。千里の道を遠しとせずうまい物を求めるほど食い道楽でもない。酒も……、酒もウィスキーのダブルを二杯飲むと、それ以上はほしくなくなるようになったよ。去年の五月のゴルフ以来、右の背からその周辺の筋肉なのか神経なのか、もっと他のものなのかわからないけど、ひどく痛くなるようになっちゃった。肋間神経痛ってやつかもしれないなァ……。下手なくせに、もっとボールを飛ばしたくなって、背中をねじりすぎたんだ。練習もしない、準備体操も形だけ……。その罰だよ」

桂二郎は、葉巻を吸い終わるまで潤介が戻ってこなければいいのにと思った。こんなにうまい葉巻を途中で消してしまいたくはない。葉巻は一度消してしまうと味がひどく落ちてしまう。

そしてこれほど葉巻をうまいと感じるのは、いまよほど体調も精神状態も良好なのだろうから……。

一時間近くかかって、もうこれ以上吸うと唇が火傷をするというところまで葉巻が短くなったころ、まるでその頃合をどこかで見はからっていたかのように、須藤潤介が姿をあらわした。

高梁川の上流の、桂二郎が坐っている場所のはるか北側の田圃のなかから、八十歳とは思えない足取りで歩いて来たのだった。

桂二郎は短くなった葉巻を携帯用の灰皿にねじ込み、立ちあがって、遠くの潤介にお辞儀をした。潤介も立ち止まり、まるで生真面目な若い軍人のようにお辞儀を返したが、まだお互いの表情が見える距離ではなかった。

危惧を抱いていた潤介の健康にさして案ずるところがないようだとわかって、桂二郎は笑みを浮かべ、菜の花の群れのほうへと歩いていった。

潤介は山菜を採りに行っていたのだという。

「お元気そうでなによりです」

桂二郎と潤介は同時にまったく同じ言葉を口にして、もう一度深くお辞儀をしあった。

潤介はビニール袋に、採ったばかりの山菜を入れていた。

「到着される時間までに帰るつもりだったのですが、山菜を探してるとき眼鏡を落としまして」

と潤介は言った。

眼鏡をかけないと、ただの草なのか、食べられる山菜なのかの区別がつかず、山の斜面の草木の密生するところに落とした眼鏡をみつけるためには眼鏡をかけないと見えないのだ。

潤介はそう言って笑った。

「いやァ、往生しました。倉敷でのお仕事はもう済みましたか?」

「仕事といいましても、ちょっと人と会って簡単な打ち合わせをするだけです。あしたでもいいのです」

桂二郎が言うと、潤介は玄関の戸をあけながら、さしつかえがなければ今夜はこの家に泊まっていってはいかがと勧めた。

「ご承知のとおりのあばら家ですが」

山菜の天麩羅を作ろうと思って準備をしておいたのだと潤介は言った。

「ないのは肝心の山菜だけだったので採りに行ってきたわけです」

桂二郎は家のなかに入り、三和土で靴を脱ぎながら、八十歳の潤介のひとり住まいの簡素な家の内部を見やった。

襖で仕切られた二つの八畳の間は、初めて桂二郎が訪れたときと何ひとつ変わっていなかった。

引き出しのない文机も、筆記具などを入れてある箱も、置いてある場所はおそらく一センチもずれてはいない。古い畳にはチリひとつ落ちていなくて、敷居や柱も磨き抜かれた光を放っている。変わったといえば、桂二郎が送った電気式のパネルヒーターが壁ぎわに置かれていることだけだった。

た。

「まだこれが必要ですか？」

座敷にあがり、差し出された座蒲団に坐りながら、桂二郎はパネルヒーターを指さした。

「夜は思いのほか気温が下がります。桂二郎さんから頂戴したこの暖房機は、ほんとに重宝してます。お陰でことしの冬も暖かくすごさせていただきました」

潤介は台所で湯を沸かし、茶をいれてくれた。

「以前、とてもお気に召していただいた鯖と穴子の棒寿司が夕方までに届くはずです。京都の料亭の女将に頼んでおきました。あの棒寿司と旬の山菜の天麩羅は、いい取り合わせですね」

「ああ、あれは本当においしかった。またあんなおいしいものが食べられるなんて、命なりけりですな」

命なりけりという言葉は、潤介の口から発せられると、なにやらいかにも眩しい生の讃歌のように感じてしまって、桂二郎は言葉に甘えて今夜はこの家に泊めてもらおうと決め、鞄の中から携帯電話を出した。

それは、小松聖司にほとんど強制的に持たされた代物だったが、いつも電源は切ってある。自分がかけるときだけ電源を入れて、終わると切ってしまう。

それではいったい何のために携帯電話をお渡ししたのかわからない。せめて留守番電話を聴く方法だけは覚えていただきたいと小松は言って、手順を何度も教えてくれたのだが、桂二郎がそのとおりにボタンを押したつもりなのに画面には理解不能の幾つかの表示が出てくるばかりで、肝心の留守番電話を聴けたことは一度もない。

そんな面倒臭いことをするよりも、小松聖司に電話をかけて、何か急な用はあるかと訊くほうが早いのだった。

それに、小松が桂二郎の近くにいないのは仕事を終えたあとか、休日か、それともきょうのような私的な用向きで秘書を必要としない場合に限られているのだった。

「無事にお着きになられましたか」

と携帯電話から小松の声が聞こえた。

「飛行機は揺れませんでしたか？」

「少し揺れたね。まあ、空に浮いて、あれだけのスピードで飛ぶんだから、揺れて当然だろう。俺は、飛行機があんまり静かに飛んでると、かえって気味が悪くなってね。嵐の前の静けさって言葉を思い出す」

桂二郎は須藤家に泊まることになったので倉敷のホテルをキャンセルしてくれと小松に言った。

「じゃあ、富子さんにもそのように連絡しておきます」

と小松は上原家のお手伝いの名を口にして、いまは社長にご報告しなければならない案件はないと言った。

桂二郎は携帯電話を切り、電源も切って、それを鞄のなかに戻し、べつに富子にしらせることもないのにと思った。

息子二人も社会人となり家を出た。妻もいない。自分が一日や二日どこに行こうが、それを知っていなければならない相手は、社の一部の者だけなのだ。

それは気楽でもあるが、多少の孤独を感じないわけでもない。孤独というには大袈裟すぎる。ある種、根無し草的な厭世感がそっと顔をのぞかせるといったところかもしれない……。孤独というなら、自分よりもはるかに孤独な老人がここにいるのだ……。

桂二郎はそう思いながら、潤介が両手で茶碗を持って、自分がいれた茶の味をたしかめるかのように飲んでいる顔を見た。

こめかみあたりの老人性のしみは増えたようだが、顔色は良く、顔そのものにもゆるみは生じていない。背すじにも張りがあって、手の動きにも敏捷さがある。

「ご不自由はありませんか」

と桂二郎は上着を脱ぎながら訊いた。

「寒いあいだは、ここの神経痛が出て、夜中に目が醒めたりしましたが、春になってから痛まなくなりました」

潤介は右の膝をさすりながら言った。旧制高校の生徒だったころ、須藤潤介は剣道の選手で、試合で右膝をひねって痛めたのだった。痛めたことさえ忘れていたのに、五十半ばになって神経痛という持病と化したのだという。

須藤潤介は、一九二〇年、大正九年に岡山県で生まれた。父は論語研究で知られた人物で、生涯を教師としてすごした。潤介は京都の旧制高校を卒業したあと、当時、電気工学に関しては屈指の大学で学び、卒業後は旧財閥系の電気器具メーカーに就職したが、ある人に勧められて海軍省の通信に関わる部署に移り、海軍の技術将校として終戦を南方洋上で迎えた。

帰国後、東京の高校の物理学の教師となったのは、なりゆきではなく潤介の強い意志によってらしい。だが、戦中から戦後にかけてのことは、潤介はあまり喋りたがらなかった。

昭和四十年、四十五歳のときに、当時、岡山県の教育関係の要職にあった人物に請われて、小学校の教師として生まれ故郷に戻ったのだった。

一介の教師にしておくのはあまりにも惜しいということで、さまざまな要職が用意され強く誘われたが、潤介は定年を迎えるまで、地元の小学生を教えるために教壇に立ちつづけたのだった。

桂二郎は、戦後に生まれたので、軍人というものがいかなる精神を内に持つ人々であるのかわからなかった。当然、陸軍と海軍とでは大きな差異があるだろうし、一兵卒でもなく、指揮官でもなく、通信という特殊な部署に従事する技術者としての将校が、どんな戦事に関わったのかもわからない。

だが、何冊かの海軍に関する書物に触れて、須藤潤介の、剣道で鍛えただけとは思えない一種の粋な折り目正しさに納得できるような気がしている。

「煙草はおやめになったんですか？」

以前、この家を訪れたとき、潤介はたしか煙草を吸っていたはずだがと思い、桂二郎はそう訊いてみた。

「ある日突然、煙草がいやになりましてね」

と潤介は言い、これは気がつかずに申し訳なかったといった表情で、奥の八畳の間から灰皿を持って来た。

「いやいや、私も煙草はやめたんです。その代わり、これをやるようになりました」

桂二郎は脱いだ上着の内ポケットから葉巻入れを出した。

「紙巻き煙草をやめて、葉巻にしたんです。夜寝る前に一本喫うだけです。日によっては喫わないときもあります。さっき須藤さんの帰りを待ちながら、そこで菜の花を見ながら喫わせていただきました」

潤介は、桂二郎の葉巻に巻きつけてある銘柄を示すシールに目をやり、

「モンテクリストのコロナサイズですね」

と言った。

「ほう、ご存知ですか。シールを見ただけでわかるなんて……」

桂二郎は驚いてそう言った。

「ハバナ産の葉巻を喫っていた時代があります。海軍時代ですが……。私の上官はイギリスでの生活が長かった人でして、その人が好きだったんです」

たまにその上官のお相伴にあずかって葉巻を喫っているうちに、いつのまにかやみつきになってしまった。戦後、その上官が好きだった、オランダの葉巻会社がハバナ産の葉で作っていたものを横浜の喫煙具店でみつけたが、あまりにも高価だったので買うのをあきらめ、その代わりに神田の古書店で偶然手にした葉巻に関する本を買った。

潤介はそう言って笑った。

「当時は、とてもとても高校の教師ごときに手が出せる代物ではありませんでした。でも、その本のお陰で、葉巻には多少は詳しくなりまして……。モンテクリストという銘柄は、いつごろ出来たんでしょうね。当時、キューバとアメリカの仲は悪くなかったので、キューバが独自で作る銘柄の葉巻は日本には輸入されていなかったような気がします。ダビドフもダンヒルも、ハバナ産の葉を使っていました」

神田の古書店で手に入れた本は、岡山に引っ越すとき、どこかへ行ってしまったと潤介は言った。

「東京で高校の教師をなさっていた須藤さんが、どうして故郷に帰ってからは小学校の教壇に立たれたんですか？　前から一度お訊きしようと思ってたんです」

と桂二郎は言った。

「最初は高校の教師にと頼まれましたし、私もそのつもりでした。でも、考えるところがありまして、無理にお願いして小学校に勤めさせていただいたんです」

そう言っただけで、潤介は「考えるところ」なるものがいかなることであったのかは語ろうとしなかった。

桂二郎は、潤介にもうひとつ訊いてみたいことがあった。それは俊国が十年前に、自分よりも歳上の氷見留美子に手渡したラブレターに書いたという「空飛ぶ蜘蛛（くも）」についてであった。

俊国は、おじいちゃんの家の近くの田圃で遊んでいるとき、たくさんの蜘蛛が目の前で空高く飛んでいったのだと桂二郎に言ったのだった。

そのときは、おとぎ話のようなことを空想しているのであろうと思い、聞き流したのだが、氷見家の人たちが戻って来たことを知ったとき、桂二郎のなかになぜか十年間思い出しもしなかった「空飛ぶ蜘蛛」という言葉が甦ったのだった。

桂二郎は、十五歳のときの俊国のラブレター騒動を潤介に話して聞かせ、

「ほんとに見たんだって言い張りましてね。蜘蛛が空を飛んだんだって……」

と言った。

「ええ、飛びます。飛行蜘蛛です。ヨーロッパではその現象をゴッサマーと言います」

潤介は紙と鉛筆を出すと、〈ｇｏｓｓａｍｅｒ〉と書いた。

「東北地方では『雪迎え』って言われておるそうです。この現象が起こると、いよいよ雪の季節がやって来るという言い伝えから『雪迎え』と名づけられたそうです」

飛ぶといっても鳥のように飛ぶのではなく、自分が吐き出した糸を浮力として飛ぶのだと潤介は言った。

「蜘蛛が空を飛ぶのは自分の棲息範囲を拡大しようとする本能的行為でして、ある気象条件が整うと蜘蛛は、尻を天に向けて、糸を吐き出すんです。一本だけではありません。三本か四本……。長さは四、五十センチから二メートルくらい。その糸が風に乗って、さらには地表と温度差のある暖かい大気の上昇も利用して、浮きあがった糸にしがみつく格好で飛んで行くわけです」

「ほう……」

ふいに桂二郎の脳裏には、本格的な冬の到来の前の、つかのまの暖かさに満ちた田圃でいっせいに天高く飛んでいく無数の小さな蜘蛛たちの姿が浮かんだ。

「それは何という種類の蜘蛛ですか？」

と桂二郎は居ずまいを正したくなる思いで訊いた。

「たいていの蜘蛛は、ほとんどそういう習性があるようです」

「たいていの蜘蛛が、ですか？」

「タランチュラのような大きな毒蜘蛛はどうなのか知りませんが、日本に棲息する蜘蛛ですとたとえばウロコアシナガグモ、クロボシカニグモ、ウズキドクグモ……」

どれも野山や田圃や湿地帯に行って、そのつもりになって捜せば簡単にみつかる蜘蛛なのだと潤介は言った。

「かげろうという言葉がありますが、いまは、あれは太陽の熱によって風景がゆらゆらと揺れるさまに使います。ですが昔は、蜘蛛が空を飛ぶために吐き出した糸が、風に乗ってどこからともなくやって来て、どこへともなく消えていくさまを表現したのだという説があります。糸遊とも遊糸とも表現されてきまして『落花随燕入　遊糸帯蝶驚』なんて六世紀頃の中国の詩にあります。散り落ちる花びらは燕のあとを追って舞い、空飛ぶ遊糸は蝶にからまって驚く……。直訳するとそういう意味でしょうか」

「かげろう……。あれは空を飛ぶ糸のことだったんですか？　『蜻蛉日記』というのがありますが……。藤原道綱の母の作という……」

と桂二郎は訊いた。

「そうです。その『かげろふ』こそ、我が国では『雪迎え』と呼ばれているもので、『源氏物語』のかげろふの巻でつぶやかれるものはじつは〈ｇｏｓｓａｍｅｒ〉に他ならないと断言した学者がいたようです。それに異を唱える人もたくさんいますし……」

「蜘蛛は、自分が吐き出した糸を使って、どのくらいの距離を飛んで行くものなんですか？」

と桂二郎は訊いた。野を越え、山を越え、海を越えて行く小さな蜘蛛たちの大旅行が桂二郎の胸のなかすべてを占めていた。

「風や上昇気流にうまく乗れなくて、一メートルか二メートルで地面や木の枝に落ちてしまうのもいるでしょうし、うまく空に舞いあがった途端に鳥に食べられてしまうのも多いでしょうね。外国の学者の研究では二千キロ飛んだ蜘蛛がいるということですが……」

一本の蜘蛛の糸は、あるかなきかの細さなので、ほんのちょっとした風の作用によって、すぐにからまってもつれてしまうらしい。木の枝、電柱、電線、屋根瓦、鳥……。蜘蛛の飛行の邪魔をする障害物はあまりにも多くて、よほどの僥倖(ぎょうこう)の重なりに恵まれないかぎり、長い距離の飛行は難しいはずだ……。

潤介はそう言った。

「おじいちゃーん、蜘蛛が何十匹も空を飛んで行ったァって、自転車をすっとばして帰って来た俊国が私にそう言ったときの顔を、いまでも思い出せますよ」

笑いながら、潤介は隣の八畳の間へ行った。そして、生物学者ではないが、この「雪迎え」に深い興味を抱き、研究をつづけた人の著作を手に入れたのだが、どうやらその後、多くの蔵書と一緒に寄贈したようだという。

「飛行蜘蛛のことは、多少は知識として知ってはいましたが、そんな何十匹もの蜘蛛が見事にいっせいに空を飛んで行くところなんて見たことがありませんでした。俊国が漕ぐ自転車の荷台に乗って、その現場に戻ったときは、もう蜘蛛たちの姿はありませんでした」

だが、どうして蜘蛛が空を飛べるのかを正しく俊国に説明してやりたくて、やっとみつけたのが、錦三郎(にしき)という人が書いた「飛行蜘蛛」という一冊の本だったのだと潤介は言った。

「この本を使って、私の教え子たちにも空飛ぶ蜘蛛の話をしてやったもんです。感傷とか私情とか幻想とかを排して、自分が観察しえた事実だけを克明に記録してあって、私は信ずるに足る貴重な一書だと思いました」

そしてその本を読んで五、六年あとに、九州の天草に住む学生時代の友人と逢った際、談たまたま飛行蜘蛛の話題に及んだが、その友人は船に乗って海釣りをしているとき、釣り竿に細い糸と一緒に小さな蜘蛛がからまって驚いたという話をしてくれたと潤介はつづけた。

「港から三キロほど南西の沖合いで釣りをしていたそうです。いいお天気で、感じるか感じないか程度の風しかなくて、それなのに魚はまるで釣れなくて、ふてくされて甲板にあお向けになって煙草を吸ってたそうです。そしたら空から、赤くなったり青くなったりする、なんだか妙な細い光が落ちてきて、自分の釣り竿にからまったので、何だろうと思って見てみると、蜘蛛の糸だった。それが蜘蛛の糸だとわかったのは、釣り竿に小さな蜘蛛がいたからです。周りには島なんてなかった。とにかく港から三キロの沖合いだったんだよって言ってました」

「どうして蜘蛛の糸が赤くなったり青くなったりしてたんですか？」

と桂二郎は訊いた。なぜかその「飛行蜘蛛」という書物を読んでみたくなっていた。そして桂二郎には、なぜ自分のなかに、吐き出した糸につかまって空を飛んでいく無数の小さな蜘蛛たちがあらわれたたまいっこうに消えていこうとしないのかわからなくて、多少の薄気味悪さがあった。

「透明の蜘蛛の糸が太陽の光線をあびて、つまり……、プリズム効果ってやつだったんでしょう」

「ああ、なるほど」

その蜘蛛は、天草のどこかの港から三キロ沖合いで落下した。もし釣り船がなければ海に落ちて死んでしまうしかなかったことであろう……。

本能と習性によって蜘蛛は自分の糸を用いて飛ぼうとするが、いったん空に浮き上がれば、風まかせ、運まかせなのだ。

空中で鳥に食べられるかもしれないし、どこかの川や池や沼に落ちて溺れ死ぬかもしれない。空に浮上する条件に恵まれず、自分の生まれた地から少しも離れることのないまま、そこに棲みつかざるを得なくなるのもいるであろう……。

「あの小さな蜘蛛がそんなけなげなことをするとは五十四歳のいまのいままで知りませんでした」

と桂二郎は言った。蜘蛛たちの飛行が、やはりけなげというしかない営みに思えたのだった。

「俳句の季語として『雪迎え』があって、いい句も幾つかあるそうです」

と潤介は言った。

「俊国が十年前にたくさんの蜘蛛が飛ぶのを見たのは、どのあたりなんでしょう」

と桂二郎は訊いた。

「五重塔から南東へ少し行ったあたりです。十年前はいまよりも田圃が多かったですし、高速道路もありませんでしたからねェ」

五重塔とは備中国分寺の境内にあって、総社駅から南東に三、四十分ほど歩いた地点に建っている。

「それに田圃の周りには蜘蛛の数も少なくなりました。農薬のせいかもしれません」

蜘蛛の所業とは知らなかった昔の人々は、空中でからまり合って丸い玉のようにもつれた糸が浮遊しているありさまを不思議に思ったことであろう……。

潤介は笑顔で言い、

「糸がそんな状態になったら、蜘蛛は糸にしがみつけなくて地上に落ちたでしょうから、なんだか奇妙な半透明の、ふわふわした小さな球体だけが、風に乗って飛来して、見る人によっては風雅であったり、逆におぞましいものであったりしたことでしょう。それが飛んで来ると近々雪が降る。だから『雪迎え』とは、東北地方の人々は、じつにすばらしい表現をしたものです」

とつづけた。

宅配便の車がやって来て、「くわ田」の女将が板長に頼んで作ってもらった鯖と穴子の棒寿司が入っている箱が到着した。

桂二郎はすぐに箱から出し、一本ずつ紙に包まれたそれを日の当たらないところに置いた。紙包みを解けば竹皮にくるまれた棒寿司が食べやすい大きさに切られているはずだった。

「二本ずつにしといてよかったですねェ。三本ずつにしてくれって頼んだら、『くわ田』の女将が二本ずつにしといたほうがいいって」

と桂二郎は言った。心のなかでは、まだ小さな蜘蛛たちが細い糸につかまって、はるか彼方へと飛びつづけていた。

「二本ずつでも、もうこの年寄りには多いかもしれませんが、私は残しませんよ」

潤介には珍しい剽軽（ひょうきん）な言い方に桂二郎は笑った。

あしたはどうやら天気が崩れるらしいと潤介に言われ、春の光が満ちているあいだに、もう一度菜の花の群れを見ておこうと思い、桂二郎は玄関の前の小さな庭に出て、再び庭石に腰を下ろした。

頻繁（ひんぱん）ではないにしても、この十数年間にわたる須藤潤介との交友は、俊国という子供の存在なくしては有り得ないもののはずだった。

妻の先夫の父親と自分とがこうやっていかにも山里らしい岡山県のとある場所で団欒（だんらん）するなどとは、考えてみれば奇妙なことと言える。だが、短い電話であっても、時候の挨拶程度の手紙であっても、桂二郎はいつも須藤潤介から何か大切なものを教えられつづけてきたような気がした。

君子の交わりは淡きこと水の如し、という言葉が、潤介との交友を思うたびにいつもついてくる。

自分を君子とは思えないが、潤介はまぎれもなく君子であろう。徳行のそなわった品位の高い人のことを君子というそうだが、自分の周りを見ても、真に君子と呼べる人間はじつに限られている。だが、いつか君子になれるかもしれない人間は何人か思い浮かべることはできる。

S社の二代目の社長……。あれは大物だ。まだ三十五歳で、ときおりいい気になって失言をしたりするが、君子となる素材であろう。

秘書の小松聖司も、そのような素材だといえばいえる。

営業本部の係長の雨田も、優れた人材だ。総務部の土井も、経理部の江川も……。

おっと、肝心な人間を忘れていた。俊国もだ……。

桂二郎はまた葉巻を喫いたくなったが、夜のために我慢することにした。

自分とさち子とのあいだに生まれた浩司はどうだろうか……。いささか人間に軽さがある。まだ二十二歳だから致し方のないところだが、なにかにつけて散漫だ……。

中学生のころから、父親の異なる兄に対してライバル心を抱き、背伸びをすることが多かったが、いまでも表には出さないものの、それと同質の感情を消せないでいるのかもしれない……。

しかし、浩司にもいいところがたくさんある。親分肌だが、自分の周りに集まる者たちに圧迫感を与えない。親分肌の人間にありがちな尊大さや無礼な言葉遣いは、浩司とは無縁のようだ。

相手が慕って寄ってくる。そしていつのまにか仲間内で親分としてまつりあげられてしまう。やはり人を惹きつける何かがあるのであろう。いずれにしてもまだ二十二歳。世の中に出て、あっちで頭を打ち、こっちで頭を打ちしているうちに、人間が練れてくるだろう。

小松聖司は三十六歳。雨田洋一は三十七歳。土井精太郎は三十歳。江川康夫は二十九歳。みんな若いが、人のふるまいというものを知っている。人にはそれぞれ事情があるということをわきまえている。そしていざというときの度胸が良くて、自分の専門分野のこと以外についても勉強熱心で、そこはかとなく愛嬌がある……。

桂二郎は、それぞれの風貌を思い描きながら、菜の花の群れを見つめた。

桂二郎が豆腐と白菜の味噌汁を作り、潤介が山菜の天麩羅を作り、二種類の棒寿司を皿に盛って、それらを小さな卓袱台(ちゃぶだい)に並べたのは、夜の七時だった。

桂二郎のためにきのうのうちに手に入れておいたという備中の地酒を潤介は勧めてくれたが、自分は飲もうとしなかった。

「ここから車で一時間ほどのところで、私の教え子が造り酒屋をやっておりまして。でもこの酒は売り物ではないんです。売り物ではないという言い方は正しくありませんね。特別に契約した料理屋と個人にだけ売っている限定品とかで、甘くもなく辛くもなく、味に癖もなくて、しかしこの酒だけの持ち味があります。私が晩酌を欠かさなかったころは、毎年一升壜を十本届けてくれておりましたが、もう飲めなくなったからと遠慮して、おととしからご好意を辞退しました。でも、きのう、電話をして届けてもらいました」

と潤介は言い、家に一個きりしかないという備前焼の二合徳利にその酒を入れてくれた。

「とうとう酒が飲めなくなりました」

「飲むと苦しくなられるんですか？」

と桂二郎は訊いた。

「ほんの少しでも顔が真っ赤になって、うまいと感じなくなりまして……。おととし、突然に。ああ、これはもう酒はやめろという天の声だと思いまして……。もともとそんなに強いほうではありませんでしたので」

潤介は、寿司屋で使うような大きな湯呑み茶碗に茶を注いで、それをうまそうに飲んだ。その茶は、去年の五月に桂二郎が手に入れて送ったものだった。

静岡に茶園を持ち、そこで摘んだ新茶を自分で手揉みにして、自分の名前を刷ったラベルを缶に貼り、友人知人に進呈することを唯一の道楽としている大手の家電メーカーの社長が、毎年二缶を送ってくれる。

桂二郎は、それを二缶とも潤介に送りつづけてもう十年以上たつのだった。

その家電メーカーの社長は、非情なまでの経営の合理化を実践する男として知られているが、彼が手で採んだ新茶以上にうまい茶を桂二郎は飲んだことがないのだった。

その二缶の茶を、潤介は特別な日にだけ味わうのだという。よほど楽しいことがあった日。亡き妻と息子の命日。自分の誕生日。そして海軍時代に親友だったというひとりの男が戦死した日。それが、潤介が桂二郎に語った特別の日なるものであった。

「いやァ、これはうまい味噌汁ですね」

桂二郎が作った味噌汁をひとくち飲んで、潤介は驚き顔で言った。

「だしを取るとき、いりこが多すぎたかと思いましたが……」

「いやいや、なんとも言えない滋味深い味噌汁です。桂二郎さんにこんな特技があったとは……」

「学生時代、京都で下宿生活をしましたが、私の学生時代というのは、下宿といっても部屋を借りるだけで、食事はつかなかったんです。金がなくなるとインスタントラーメンてのが学生の定番だったんですが、私は味噌汁を大きな鍋に作っておきまして、それをご飯にぶっかけて食べていました。下宿屋のおばさんが作り方を教えてくれたんです。昆布もいりこも鰹節もあったので、勝手に使わせていただきました」

桂二郎はそう言って、徳利のなかの酒を飲んだ。

「うまいですねェ。喉ごしは水のようなのに、口に残る味や香りには剛直感があります。これは名酒だ」

「日本酒にうるさい上原桂二郎という人が絶賛したと伝えておきましょう」

潤介は、穴子の棒寿司から先に食べ、

「棒寿司にすると穴子は柔らかすぎて崩れてしまったり、逆に形を崩さないために固かったりするんですが、この穴子はどうしてこんなに身がふっくらとして、しかも下のご飯にぴったり寄り添ってるんでしょうねェ。棒寿司といっても、職人さんの腕やセンスひとつで、大きな差が出るものですねェ」

と言った。

桂二郎は酒を飲みながら、少食の潤介の分まで食べたが、それでも合計四本の棒寿司をたいらげることはできなかった。

「隣の夫婦はもう晩ご飯を済ましたかなァ」

そうつぶやき、潤介は残った棒寿司を別の皿に丁寧に盛り、それを持って隣家へと向かった。

「ちょうどよかった。まだ食べていませんでした」

と言って戻ってくると、潤介はふいに若くして死んだ自分の息子の名を口にした。

「芳之は、中学生の一時期、曲がりかけたときがありましてね」

と潤介は言い、パネルヒーターのスイッチを入れた。桂二郎は酒が入っているので寒さは感じなかったが、たしかに夜になって昼間の暖かさとは差がありすぎる寒気が、家のなかにも入ってきたようだった。

潤介が「芳之」という名を口にするのは、ひょっとしたら初めてではないのかと思い、

桂二郎は潤介を見つめて、

「曲がりかけると言いますと?」

と訊いた。

「学校の成績が急に落ちて、親としてはあまり好ましいとは思えない友だちとつきあうようになって、なんだか顔つきまですさんできたんです」

そういう年頃であったのだろうが、親の目を盗んで夜ふけに出かけて行き、夜中の二時三時まで帰ってこない日が多くなったのだ、と潤介は言った。

「いつ、どういう叱り方をしようかとタイミングを見はからっていたんですが、私が思春期の息子にいささか気を遣いすぎたんですね。ある日、友だちの窃盗事件に巻き込まれまして」

「窃盗……」

「友だちのひとりに、横浜の中華街で肉饅頭だけを作って売っている中国人の息子がいまして、その子と一緒に、同じ中華街に住む人の懐中時計を盗んだんです」

それは、パテック・フィリップというスイスの時計メーカーが、何かの記念に三十個だけ製造したという金製で蓋付きの精密な懐中時計だった。

「それは見事なものでした。月と日付と曜日だけじゃありません。永久カレンダーというそうですが、その夜のお月さんの形までが示される時計で、蓋には小さなルビーが三個嵌め込まれておりまして、文字盤は真珠色の貝殻でできていました」

あとでわかったことだが、盗んだのはその中国人の子のほうで、息子は理由もわからないまま預かったのだった。

「これをお前、あしたまで持っといてくれって、その友だちは言って、盗んだ懐中時計を芳之に渡すと逃げて行ったのです。時計を盗まれた男が追って来て、事のいきさつを察した芳之は、この時計を持っていたら自分が盗んだと疑われると思い、慌てて時計を遠くに投げ捨てたんです。動転していたんでしょう。懐中時計は郵便ポストに当たって、蓋は外れ、ガラスも文字盤も割れ、なかの歯車なんかもばらばらになって飛び散りました」

追って来た男は、時計を盗んだ少年の顔を見ていたが、芳之を捕まえて、自分の家へと引きずって行った。

お前が盗んだのではないことはわかっている。「これ、預かっといてくれ」っていう声も聞こえた。あの少年の名は何というのか。それを教えたら許してやろう。教えないのなら、お前が盗んで、逃げる途中で時計を投げ捨てて壊したのだと警察に届け出る……。

男はそう言ったという。

「ところが芳之は、その友だちの名を言わなかったんです。知っているけど言えないって……」

と潤介はかすかに溜息混じりに言った。

それならばお前も盗みを共謀したということになるがそれでもいいかと男は言った。自分は友だちと手分けして盗みをはたらいたのではないが、友だちの名は言えない。芳之は言って、あとは黙りつづけた。

すると別の部屋からチャイナ服を着た女がやって来て、いつもこの近所で夜遅くまで遊んでいる子供たちのうちのひとりのようだが、どうして家に帰らないのかと穏やかな口調で訊いた。歳は四十歳くらいに見えた。

チャイナ服の女は、蓋も取れ、ガラスも文字盤も割れ、歯車やゼンマイも外れてばらばらになった懐中時計を指さし、もうここまで壊れてしまったら、どんな名人の時計職人の手にかかっても直ることはあるまい、時計は壊れても替わりのものがあるが、人間はそうはいかないのだと言った。わかりにくい日本語で、ときおり中国語が混じったりした。

女は再び逃げた友だちの名を訊き、なぜ言えないのかと理由を訊いた。あいつはいいやつで、人のものを盗んだりするような人間ではない。そんな友だちの名を明かすわけにはいかないと芳之は答えた。答えながら泣いていた。

女と男は何か中国語で話し合っていたが、やがて男は家から出て行った。芳之はてっきり警察官を呼びに行ったものと思っていたが、男はそれきり帰ってこなかったし、警察官もやってはこなかった。

女はシナモンで作ったという甘い芳しい飲み物を出してくれて、人のものを壊したら弁償しなければならないと言った。

けれどもこの時計はとても高価なもので、到底あなたに弁償能力があろうとは思えない。だから、おとなになって、自分で働いてお金ができたら弁償しなさい。あなたを警察に突き出し、盗みの犯人を捜し出すことは簡単だ。だが自分はそれが正しいやり方だとは思えない。

そう言ってから、女は論語の一節を使って芳之を諭し、大切な青春という時代を自分の手で壊してしまわないようにと言った。そして、紙と万年筆を持って来て、おとなになってお金ができたら弁償するという誓約書を書くようにと言った。

芳之が言われるままに誓約書を書くと、女は大きな月餅饅頭を二つ紙に包んでくれて、さらにその誓約書と一緒に芳之に手渡した。

これはあなたが持っておくものではないのかと芳之は訊いた。すると女は、私が持っていてもただの紙切れにすぎないと言い、壊れた懐中時計も持って行くようにと促した……。

「このことを芳之が私に喋ったのは、あの子が二十歳になったときでした。話してから、壊れた懐中時計と自分が書いた誓約書を私に見せたんです」

潤介は文机の横にいつも置いてある引き出し付きの木箱から、芳之が書いた誓約書と壊れた懐中時計を出した。時計は柔らかい布に包まれていた。

――パテック・フィリップ社製の懐中時計を修理不能なまでに壊してしまったので、

将来、弁償能力が出来たら必ず弁償する。――

そんな意味のことが、いかにも使い慣れない万年筆で書いたといった感じの書体でしたためられ、その日の日付と「須藤芳之」という署名があった。誓約書の相手の名は「鄧明鴻」となっている。

「トウメイコウと読むんでしょうね」

「たぶんそうだと思います。中国語ではどう発音するのか私にはわかりません」

と潤介は言い、妙にいとおしそうに壊れた懐中時計を両手で包み込むようにして持った。

「芳之がこの鄧明鴻という女性と逢ったのは、横浜の中華街の『龍鴻閣』という名の中華料理店の二階だったそうです」

自分は芳之が幼いころからいささか厳格すぎる父親だったようだと潤介は言った。

「ひとりっきりの息子でしたし、私は教職に就く人間でしたので、こまかいことにもよく口出しして、芳之を叱ったもんです。そんな父親に対する憤懣が思春期になって歪んだ形で出たのでしょう。ですが、その一件以来、芳之は変わりました」

無論、そんな事件があったことは自分も妻も知らなかったので、悪い友だちとつきあわなくなり、学校をさぼったりもしなくなったので、思春期特有の反抗心がおさまったのだと単純に安堵しただけだったと潤介は言った。

「芳之が事件のことを私に打ち明けたのは、東京の大学から正月にこの総社の家に帰省したときでした」

いつか必ず弁償しなければならないのだが、懐中時計の値段がわからなかった。鄧明鴻という女に誓約書を書いたとき、いったい幾らくらいなのかと訊いたが、自分にもわからないという答えが返ってきた。

大学生になって、銀座や青山あたりの、外国製の高級な時計を扱う店をのぞいて、あの時計に似たものを捜したがみつからない。

ところが大学の友人に、親が神戸で昔から時計店を営んでいるものがいたので、壊れた時計を渡し、もし機会があれば値段を父親に訊いてみてくれと頼んだ。

その友だちも冬休みに入ると神戸の実家に帰り、父親に壊れた時計を見せて、だいたいどのくらいの値段なのかと訊いてくれて、この岡山の家のほうに電話をかけてきたのだ。

これは一九三四年に製造されたもので、間違いなく三十個しか作られなかった。日本にも三個輸入され、そのうちの一個は友人の祖父が店のショーウィンドウに置いた。現在の日本円に換算すれば、だいたい三百万円くらいであろうという。

「三百万円という値段を聞いてびっくりしました。当の芳之もそうだったでしょうが、この私もです。どうしていままで内緒にしていたのかと叱りながら、自分の息子がまだ人間として分別のつかないころにしでかしたことは、親が責任を担うべきではないのかと考えたんです。でも三百万円なんてまとまった金額はありません。退職金の前借りということも考えました。しかし同時に多少不審なものも感じたんです。いくら正確な価格がわからなかったといっても、その鄧明鴻という女性が芳之にとった態度はあまりにも鷹揚で太っ腹すぎます。三百万円もの高級時計を壊されて、中学生の男の子にいわば出世払いでいいよと寛大に許したようなもんですから……」

桂二郎は話を聞きながら同じことを考えていたので、

「たしかに寛大すぎますね」

と潤介に言った。

「しかし、相手の事情がどうであれ、人のものを壊したら弁償しなければなりません。それが世の中の掟です。私は、いっときも早く誓約書にしたためたことを果たしたほうが芳之のためにもいいと思い、金はお父さんがなんとかしようと言ったんです」

だが芳之は、父親に弁償金の肩代わりを頼みたくて、こんな話を打ち明けたのではないと言った。

大学を卒業して社会に出たら、三百万円を貯めて、自分で弁償するという。給料のなかから毎月三万円を貯金すれば一年で三十六万円。八年とちょっとで三百万円という金が貯まる。そうするつもりだ。

あのとき、警察に突き出されていたらどうなったことであろうと考えるとぞっとする。それ以後の自分の人生はまったく変わったものになっていた気がする。

あの鄧明鴻という女性が誓約書一枚で許してくれたことを、たとえようもなくありがたく思う……。

芳之はそう言ったという。

「大学を出たばかりの人間の安月給から毎月三万円を貯金するなんて、お前が思っている以上に難儀だぞと私は言いましたが、息子の心意気や良しといった思いでした」

だが息子は仕事中での思いもよらない事故で若くして亡くなった。身重の妻を遺しての死だった。

「誓約書と壊れた懐中時計は、私が預かっていました。ですが、ちょうど十年前のいまごろの時期に、その『龍鴻閣』という中華料理店を捜して横浜の中華街へと行ったんです。三百万円を持って……」

けれども「龍鴻閣」はなかった。何人かの中国人に訊いてみたが、そんな店があったかどうかも覚えていなかった。

そう言ってから、須藤潤介は桂二郎を見つめた。

「あの時計の持ち主に弁償しないと、私の人生に画竜点睛を欠くのです。芳之も無念であろうと思います」

しかし、岡山県総社市に住む八十歳の自分には、再び横浜の中華街へ行き、かつてあったはずの「龍鴻閣」やそこの二階にあらわれた「鄧明鴻」という女性のその後を知っている人間を捜すことは不可能だと思う……。

潤介はそう言った。

「もし『鄧明鴻』という女性が健在であっても、日本で暮らしているかどうかはわかりませんしね」

いかにも潤介らしく、それ以上のことは口にしなかったが、桂二郎は潤介が芳之が巻き込まれた遠い昔の出来事をなぜ自分に語って聞かせたのかを理解した。

「私が捜しましょう」

と桂二郎は言った。

「横浜の中華街で商売をしている人たちは、華僑と呼ばれる人たちが多いのです。華僑は横のつながりが強いですから、年配の人のなかには『龍鴻閣』のことを知っている人がいるかもしれませんし、『鄧明鴻』という女性がいまどうしているかを知っている人もいるかもしれません」

桂二郎は、もし「鄧明鴻」がすでに亡くなっていたとしたらどうするかと潤介に訊いた。

「鄧明鴻さんに子供がいたら、その人にお金を渡したいと思います」

「子供さんがいなかったら、どうなさいますか?」

「その場合は、もう致し方がありません。三百万円は、俊国に『なにか困ったときに使うように』と言って渡して下さい」

「俊国のおじいさんはまだまだお元気ですよ。ご自分で俊国にお渡し下さい」

桂二郎は笑いながら言い、時計と誓約書を預かった。

「お忙しい方に厄介なことをお願いしてしまって……」

と潤介は言い、桂二郎に向かって頭を深く下げた。

「芳之があんなに若くして死んでしまったことは勿論残念だとか無念だとかといった言葉を超えたものがありましたが、さち子さんが須藤家から去らざるを得なかったことも、残念至極なことでした。須藤家にとっては、すばらしいお嫁さんでした。事故のあと、自分は一生涯、須藤家の嫁だとさち子さんは言い張ったのですが、まだ若いさち子さんを須藤家の嫁として縛りつけておくことはできません。芳之が死んで二年後に、上原桂二郎という人に求婚されたとき、私は私たちに何の遠慮もいらないから、新しい生活へといっときも早く入っていくようにと勧めたんです。俊国をつれて、この家に相談にきたさち子さんから、上原桂二郎さんの人となりを訊いて、間違いのない人物だという勘のようなものがはたらきました」

そう言って、潤介は風呂を沸かすために立ちあがった。桂二郎は家から出て、高梁川のほとりへ行った。小一時間、川面を見ていたが、水鳥の寝ぼけた滑空はなかった。

第三章

二週間のうちに四回も日帰りの出張をして、やっと五月の連休の最初の日に仕事も一段落した氷見留美子は、事務所の同僚たちの誘いをうまく断って夜の八時すぎに帰宅すると、真っ先に風呂に入った。

きのうの鹿児島出張がとどめの疲れをもたらしたらしく、きょうは朝から食欲がなくて、熱くない湯に長くつかって、汗と一緒に自分のなかに滞っている何物かを無理にでも絞り出したかったのだった。

「どこか静かな温泉の大きな露天風呂につかりたい……」

汗よ出ろ、汗よ出ろと呪文のように胸のうちでつぶやいたあと、留美子は狭い湯舟から脚を出して伸ばしながら言った。

二十代のとき、どんなに疲れても、温泉で体を癒したいなどと思ったこともない。

事務所の慰安旅行で伊豆の温泉に行き、いったいどんなものかとマッサージを頼んだことがあったが、心地良さなど感じず、ただくすぐったがるばかりで、マッサージ師の機嫌を悪くさせたのだが、今夜は温泉どころかマッサージまでも欲している。

「やっぱり三十を超えたってことなのよねェ」

そうつぶやきながら、首を廻したり、自分で腰のあたりをもんだりして、留美子は、心配した母が様子を見に来るまで湯につかっていた。

汗が出てきたのは風呂からあがって、パジャマを着て、テレビの前に坐ったころだった。

「二十代のころよりは体の新陳代謝も反応が鈍くなるのかしら……」

その留美子のひとりごとを聞きつけた母が、

「好きな人、できないの？」

と訊いた。

ああ余計なことをつぶやいて、お見合いの話の糸口を与えてしまったと後悔し、留美子は母に風呂に入るようにと促した。

「お風呂あがりに、母と娘でビールでもどう？」

私は寝る前に入るのが癖になっているのだという母を無理やり風呂につれて行き、留美子は、冷蔵庫からミネラルウォーターのペットボトルを出し、それをグラスに注いだ。

そのとき、佐島家のほうから何かが割れる音がした。

留美子は耳を澄まし、それから流しのところの窓をあけて、佐島家の台所の明かりを見やった。それきり何の音も聞こえなかったが、留美子はいやな予感がして、台所の裏手に出ると、ブロック塀越しに声をかけた。

「佐島さん、どうかなさいましたか？」

留美子は、そう問いかけて返事を待った。佐島家の通いのお手伝いの女性が、夜の七時に帰るのを留美子は知っていたし、佐島老人がたまに夜外出するときは、必ず台所の明かりを消すことも知っていた。

ガラスが割れたような音だったなと思い、留美子はさっきよりも大きな声で、

「佐島さん、何かあったんですか？」

と訊いた。

しかし応答はなく、留美子はいったん台所へ戻りかけたが、通いのお手伝いがいつも佐島家の台所の横から出入りしているのを思い出し、念のためにとブロック塀のところで背伸びをして、その出入口をのぞいた。戸は少しあいていて、佐島家の台所半分と廊下の一部が見えた。

留美子はもう一度、佐島老人を呼んだ。廊下に何かが動く影があった。人間がもがいているような影に見えて、留美子は一瞬母を呼ぼうと考えた。だが、母はいま風呂に入ったばかりなのだ。

意を決して、留美子はパジャマ姿のままブロック塀をよじのぼり、佐島家の敷地内に降り、出入口から、

「どうなさいました？　なんだか大きな音が聞こえたんですけど」

と言った。

すると、「ああ……」という単なる返事とも呻き声ともつかない声が聞こえた。

留美子の体は極く自然に動いて、佐島家の台所を走っていた。

大きなガラスの割れた破片と一緒に、裸の佐島老人が倒れていて、かなりの量の血が廊下に溜まっていた。

留美子は佐島老人に駈け寄り、

「どうしたんですか？　大丈夫ですか？」

と訊いた。

風呂場で滑って、ガラス戸のほうに倒れてしまったと佐島老人は言った。

留美子は風呂場に置いてある何枚かのタオルで佐島老人の下半身を覆い、すぐに救急車を呼ぶから安心するようにと言い、電話はどこかと捜したが、気が動転してしまって何も目に入らず、再びブロック塀を乗り越え、自分の家の居間に走って、そこから電話をかけた。

そして、母に事情を説明し、佐島家へと戻った。

もし佐島老人の体にぶあついガラスが刺さっていてはと考え、とにかく動かないようにと言って、留美子は濡れている老人の頭髪や首や胸をタオルで拭いた。

「申し訳ないですね。こんな醜態を」

と言った佐島老人の声はしっかりしていたので、

「お隣のご家族を呼んできましょうか？」

と留美子は訊いた。

「息子夫婦は、いまいないんですよ」

と佐島老人は言って顔を苦痛でしかめた。廊下に溜まる血の量は増えていた。早く救急車が来てくれないかと耳を澄ましながら、家族がいないとなれば、とりあえず自分が病院につき添わなければならないであろうと考え、こんなパジャマ姿のままでは無様で恥ずかしいということに気づいた。

それに救急車が到着したら、救急隊員には佐島家の玄関から入ってもらわなければならない。

「お玄関はどっちですか？」

留美子が訊くと、佐島老人は廊下の奥を指差した。

留美子は外観から想像するよりも広い佐島家のL字型の廊下を走り、玄関をあけて、裸足のまま外へと出た。

遠くから救急車のサイレンの音が聞こえた。留美子は、服に着替えるのが先か、救急車の到着を待つのが先か迷って、自分の家の玄関へとつながる四つ辻に立ち止まった。

近づいてくる救急車の音のほうを振り返りながら街灯の明かりのなかを歩いて来た青年が、裸足にパジャマ姿の留美子を見て立ち止まり、それから小走りで近づいてくると、

「何かあったんですか？」

と訊いた。

救急車に向かって手を振ってから、留美子はどうやらこの近くに住んでいるらしい青年に手短かに事情を説明し、服に着替えてくるので、救急隊員を佐島家に案内してくれないかと頼み、青年の返事を訊く前に家に向かって走った。

だが、留美子の家の玄関には鍵がかかっていた。チャイムを鳴らしたが、母はまだ風呂場にいるらしい。

留美子はまた佐島家の玄関へと走り戻り、到着した救急隊員のあとから家に入った。

さっきの青年は、玄関のところで立っていた。

傷の様子を見てから、救急隊員は救急車のところへ行き、どこかに連絡をした。

「肩の下から斜めに十二、三センチ切れてます」

救急隊員の声が聞こえた。

自分はこの家の裏に住む者だが、佐島さんの家族はお留守なので、病院につき添ったほうがいいのならば服に着替えてきたいと留美子は救急隊員に言った。

「急いでね」

という隊員の声で、留美子は台所を横切り、裏の出入口から出てブロック塀を乗り越えた。

母は濡れている体にバスタオルを巻き、風呂場のドアから顔だけ出して、いったい何がどうなったのかという表情で留美子を見つめ、

「怪我、ひどいの?」

と訊いたが、留美子はそれには答えず二階の自分の部屋に行き、パジャマを脱いでジーンズを穿いた。そして素肌の上から春物のVネックのセーターを着た。

こんどは自分の家の玄関から出て、佐島家の玄関へと走ると、佐島老人は救急車に運び込まれようとしていた。

「ぼくが戸締まりをしておきます」

さっきの青年はそう言い、自分はこの角を曲がったところの「上原」という家の者なので無用な心配はなさらないようにとつけくわえた。

「上原さんのおうちのかたですか?」

「ええ、あそこの息子です」

「じゃあ、よろしくお願いします。母には事情を説明してありますので」

そう言って、留美子は救急車に乗った。

隊員は、傷は深くないので心配しないようにと佐島老人に言ってから、留美子の名を訊き、足を指差した。慌てて履いた白いスニーカーの紐のところに血がついていた。

「ガラス踏んだんじゃないかな」

と隊員は言った。右の足をスニーカーから出すと、留美子の足の裏が切れていた。

佐島老人が病院の救急処置室で治療を受けているあいだに、留美子も別の部屋で足裏の傷の応急処置をしてもらった。当直の救急医はひとりしかいなかったので、たいしたことのなさそうな留美子の傷は、佐島老人の治療が終わってからということになったのだった。

一時間近くたって佐島老人はベッドにうつ伏せになった格好で出て来て、病室に運ばれると、次に医者は留美子を呼んだ。

「場所が場所だから、やっぱり縫ったほうがいいでしょう」

四十前後に見える医者はそう言って、ベッドにうつ伏せになるよう促した。

「年寄りをひとりで風呂に入れるのは危ないんだよ。年寄りがいる家の風呂には、ちゃんと手すりをつけないと」

医者はなじるように言ったが、すぐに笑みを浮かべ、

「家族も留守、お手伝いの人も今夜から旅行……。あなたが気がつかなかったら大変だったよ」

とのんびりした口調でつづけた。

佐島老人は十八針縫ったという。うつ伏せになっている留美子の足裏を縫いながら、

「もうちょっと上だったり、もう三センチ背骨寄りだったら、危なかったね」

と医者は言った。

「お手伝いのかたも旅行なんですか?」

「そうらしいねェ。息子さん夫婦も旅行。どこに行ったのか知らないってんだから……」

「佐島さんは、きょうはおうちには帰れないんですか?」

「うん、抜糸するまで入院してもらったほうがいいね。歳が歳だから……。家に帰っても誰もいないんだから、そのほうがいいでしょう」

かなりの出血だったが、輸血の必要はなかったと医者は言った。

「心臓もしっかりしてるからね」

留美子の傷を縫い終えると、医者はあとの処置を看護婦にまかせて処置室から出て行った。

留美子は佐島老人が運ばれた病室を教えてもらい、右の足のかかとをかろうじて床につける格好でエレベーターに乗った。

佐島老人の部屋は三階の六人部屋だった。

うつ伏せたまま目を閉じている佐島老人を見て、留美子はジーンズのポケットをさぐった。

病院から家まではサイレンを鳴らして走る救急車でも十五分ほどかかる距離だったので、タクシーに乗って帰るしかなさそうだが、財布を持って出ることなど頭に浮かばなかったのだった。携帯電話も家に置いたままなのだった。

「おお、ありがたや」

なぜか一枚だけポケットに入っていた百円玉をつかんで、留美子は小さく声に出して言った。

佐島老人が目をあけ、一瞬、この人は誰なのかといった表情で留美子を見やってから、

「ご迷惑をかけました」

と少しかすれた声で言った。

「傷についての詳しい状態は、あとであのお医者さんが説明して下さるそうです」

と留美子は言った。

「これはいかん、これはかなり切ったなと思って、自分で救急車を呼ぼうとしたんですが、体が動かなくて。背中を切ったのに、脚が動かないってのは不思議ですね」

どうしてうしろ向きに、風呂場のガラスのドアに倒れたのかもわからないのだと佐島老人は言った。

「滑ったってわけでもないですし、眩暈を起こしたって記憶もない……。それなのに、まうしろに倒れました」

「痛みますか？」

「いや、ぜんぜん痛みはありません。お尻に何か入れられました。痛み止めかもしれませんね」

留美子はベッド脇の小さな椅子に腰を降ろし、ご家族にはどうやって連絡したらいいのかと訊いた。

「ゴルフ三昧のゴールデンウィークだって言って、車で出かけていきましたから……」

「携帯電話をお持ちじゃないんでしょうか」

「さあどうでしょう。たぶん持ってるでしょうが、私は番号は知りません」

「どのあたりのゴルフ場だっておっしゃってましたか？　たとえば箱根だとか伊豆だとか」

それがわかれば、その地域のゴルフ場に手あたりしだいに電話して、息子夫婦を捜せるはずだと留美子は思った。車で行ったのだから、まさか九州や北海道ということはあるまい……。

佐島老人は手首の先だけをかすかに左右に振り、

「こうやってちゃんと治療をしてもらって、病院のベッドにいるんですから大丈夫です。夫婦で、せっかく好きなゴルフを楽しみに行ってるんですからしらせることはありません。帰ってくればわかることです」

と言った。

「氷見さんのお陰で命びろいをしました。ありがとうございました」

留美子は病室を出て看護婦詰め所に行き、公衆電話でタクシーを呼んだ。

家に帰り着いたのは十一時を廻ったころで、留美子は母に、佐島家の不審な物音を耳にしてからのあらましを説明したが、話の途中で足裏の傷が痛みだした。

「足の裏を切ってたなんて自分ではぜんぜん気がつかなかったわ。何の予定もないゴールデンウィークなんて、うら若き乙女にとっては寂しすぎるって世をはかなんでたけど、これじゃあどこにも行けないわねエ。遊びに行く約束を誰ともしてなくてよかった……」

と留美子は言い、テレビの前のソファに横になった。

「うら若き乙女なんて歳じゃないわよ。三十二ってのは、乙女とは言わないの」

「じゃあ何て言うの？」

「昔だったら『嫁かず後家』って陰口を叩かれる歳よ」

「ひどい。『嫁かず後家』だなんて人権侵害もいいところよ」

留美子の言葉に母は笑いながら、

「ちゃんと仕事があって、自分で生きていける力があったら、よほどこれだって思える男があらわれないかぎり、結婚なんかしないほうがいいわよ」

と言った。

「へえ、お母さんにしては珍しいお言葉……」

「つまらない男と結婚して、亭主に耐えて、我慢の人生をおくるなんて、女にとってそれほど馬鹿らしいことはないわよ」

「お母さんが考えるつまらない男ってのは、たとえば？」

と留美子は訊き、ふと佐島家の戸締まりはどうしたらいいのかと考えた。救急車が着く前にあらわれた上原家の息子は、あのあとどうしたのだろう……。

朝、出勤するために家を出たとき、偶然、上原桂二郎と立ち話をしてから一週間たつ。上原家の人間を見たのはあれが初めてだ。もっと年配の人物を想像していたが、五十代半ばの、いささか近寄り難さを漂わせる壮年だった。

中年男のいやな脂っこさとは無縁の、清潔感といっていいものを感じさせたが、どこかに逞しさを自覚している男特有の傲岸さも見え隠れしていたような気がする。といって、上原桂二郎が逞しい体軀だというのではない。あの年代にすれば、中肉中背の、平均的日本人の体つきで、目鼻立ちにもとりたてて異なるところがあるわけでもなかった。

それなのに、一種傲岸とも受けとれる逞しさが発散されていたのはどうしてなのだろう……。

それにしても、あの上原桂二郎と息子とは似ても似つかないという形容がぴったりだ。息子だという青年の顔も正確に思い出せない。とにかく明るい場所ではなかったし、あの騒ぎのまっ最中だったのだから……。だが、青年には、幾分かでも上原桂二郎を彷彿させるところはなかったような気がする……。

留美子は、そう思った。

「私はね、夫や父親っていうものを、経済力とか世間の肩書きとか、見た目の良し悪しとかで評価しませんよ。五百円しか収入がないんなら、その五百円のなかで生活設計して、四百五十円くらいでやりくりして、あとの五十円を何かのときのために残しておくってのが、正しい生活の仕方だと思うのよ」

と母は言って、ときおり台所へ行くと窓から佐島家を見やった。

「私がいうつまらない男ってのはね、五百円しかないのに、千円使える生活を夢想して、そうでない自分を卑下して、七百円使ってしまう男よ」

「女にだってそんな人が多いわ」

と留美子は言い、佐島家の戸締まりを確認しておこうとソファから身を起こした。

「私は、自分を卑下する男が大嫌い。それから女を殴る男」

「お父さんは、お母さんを殴ったことあるの？」

「一度だけね。あれはどっちかっていうと私のほうが悪かった……。でも、殴られた私の顔は何ともなかったのに、殴ったお父さんの掌が腫れたのよ。掌の、親指の下の柔らかいところが内出血して、いつまでも青いあざが消えなかったの」

「それ、いつごろ？」

「お父さんが三十九歳のときの二月二日」

「よく覚えてるわねェ。執念深い……」

「あたりまえですよ。殴られたのは私なんだもん。『怒りゃふくれる、叩きゃ泣く、殺しゃ夜中に化けて出る』ってのが、女ですからね。女の私が言うんだから間違いないわよ」

「次に嫌いなのは？」

と留美子は訊きながら、右の足の裏を床につけないようにして立ちあがった。

「酒癖の悪い男ね。それから、博打にいれあげる男。でも自分の夫や父親にしたくない男のなかで最たるのは、分不相応なことに手を出したがる男ね」

「ねェ、それって私に一生結婚するなって言ってるようなもんじゃないの?」

「そんなこと言ってませんよ。そうじゃない男性があらわれたら、さっさと結婚してもらいたいわよ」

留美子は、佐島家の戸締まりのことが気になるので、一緒について行ってくれと母に頼んだ。

「肩を貸してよ。足の裏の怪我って厄介よねェ。歩けないんだもん」

寝る前に自分が確認しておくから、留美子は行かなくていいと母は言った。そして、今朝「燃えるゴミ」を捨てに行った際、近所の奥さんと立ち話をしたのだとつづけた。

「上原さんの奥さん、四年前に亡くなったんですって」

二人の息子は大学を卒業して、長男はどこかで一人暮らしをし、次男は会社の寮暮らしなので、家には当主の上原桂二郎ひとりが住んでいるそうだと母は言った。

「下の息子さんはことし大学を卒業して就職したばかりなんですって。だから佐島さんの家の近くで逢った人は、きっとご長男のほうなのね」

台所の明かりを消すと、母は留美子がパソコンを使ってプリントした転居をしらせる葉書を持って来て、友人知人の住所と宛名を書き始めた。

「たぶん、そうじゃないかしら。暗かったから、顔ははっきりとは見えなかったんだけど、ことし大学を出たばかりって雰囲気じゃなかったわね。私、あのとき気が動転してたから、上原さんの息子さんの顔、ぜんぜん思い出せない……」

そう言いながら、留美子は、あの廊下に溜まった血はどうしたらいいのだろうと考えた。

誰も拭き取る者はいないのだ。隣の家に住む息子夫婦が旅行から帰るのが先か、お手伝いさんがやって来るのが先か。いずれにしても、それまで佐島老人の血は廊下に溜まったまま乾いていく……。

割れたガラスもそのままであろう。風呂の湯も落とされないままになっている。

他人の家のことだとはいえ、留美子はそのようなものが自分の近くに生々しく残っているとと思うのがいやだったので、それを母に言った。

「私、あの血だけでも拭き取ってくるわ」

「えっ！　そんな、人の血なんてさわっちゃいけませんよ」

「じゃあ、ずうっとほっとくの？」

「だって仕方ないじゃないの」

「私、やっぱり行ってくる」

留美子は母についてきてくれと頼んだが、母はそんな大量の血を見るのはいやだと言うばかりだった。

「じゃあ、これを手にはめなさい」

母は風呂掃除用のゴム手袋を持って来た。

「玄関まではついてってあげる……」

肘までである青いゴム手袋を持って、留美子は母の肩にすがりながら、佐島家の玄関へ行った。玄関には鍵がかかっていた。

上原家の長男がなかから施錠して、台所の出入口を使って出て、家の裏側を通って門扉へと廻ったのであろうと留美子は思った。

物干し場のある佐島家の裏手に廻り、台所の出入口を押した。

絶対に血溜まりを見るのはいやだと言い張っていたのに、母も一緒に佐島家の台所へ入り、L字型の廊下を歩いて風呂場の前までついて来た。

留美子は廊下の明かりのスイッチを捜し、やっとそれをみつけて、明かりをつけた。

血溜まりはなかった。割れたガラスも片づけられて、浴槽の湯も落とされている。

「誰が掃除したのかしら……」

そうつぶやいたが、留美子には上原家の長男以外には考えつかなかった。

母の肩につかまって自分の家の玄関へと戻り、留美子は上原家の門扉を見た。

門灯はまだついていたし、植込みの隙間からは庭の木々の輪郭も、家のなかの明かりも見えた。

留美子は上原家の長男にひとこと礼を言いたかった。

ご近所同士だから、上原家の長男は佐島老人と幼少時から見知った間柄というだけでなく、何らかの浅からぬ親交があったかもしれない。だがそれにしても、大量の血痕をきれいに拭き取り、ぶあついガラス片を掃除するなどという作業は、身内でさえ躊躇（ちゅうちょ）してしまうもののはずだ。

それを、まだ二十代半ばと思える青年が、誰に強制されることもなく自発的に行ったとすれば、よほど心の優しい、厄介な労を惜しまない、昨今稀な青年であるといえる。留美子はそう思ったのだった。けれども、夜中の十二時に近く、人の家のチャイムを押せる時間ではなかった。

留美子は自分の家に入り、母に支えられて階段をのぼると、部屋の椅子に腰かけ、

「私、もう下に降りないわ。あしたは何時になっても起こさないでね」

と母に言った。

「私、あしたの朝、パートの面接に行くの」

母は留美子の部屋から出て行きながら言った。

「えっ？　パート？　どんな仕事なの？」

「駅前のお肉屋さんでコロッケを揚げる仕事。きのう前を通ったらパート募集の貼り紙がしてあったから。朝の十時から一時までと、三時から六時までの計六時間なのよ。あそこのコロッケ、すごくおいしいでしょう？　いままでは、あそこのおかみさんが揚げてたんだけど、病気で当分療養しなきゃあいけなくなったんだって。コロッケはね、あそこのお嫁さんが作ってくれるの。私は揚げるだけ」

「揚げるだけっていっても、そんな簡単じゃないわよ。あのお肉屋さんのコロッケ、行

列ができるくらい人気があるのよ。下手な揚げ方だったら、すぐに馘よ。一日に何個揚げると思ってるの?」

「平均して五百個だって」

「家で十二、三個揚げるのとはわけが違うのよ」

「わかってるわよ。私だって主婦ですからね。コロッケくらい揚げられるわよ」

これまでは姉の世話をしなければならず、何か仕事をしたいと思っても、自由な身ではなかった。いまのままでも生活に困るわけではないが、一日中家にいるなんてもったいない。

母はそう言った。

「面接で落とされるかも」

留美子の言葉に母は微笑み返し、

「きのうもきょうもご主人がお留守だったから正式に決まらなかっただけなの。息子さんもお嫁さんも、もういますぐでも働いてもらいたいって」

と言い、階下へ降りていった。

「コロッケを毎日五百個……」

留美子は苦笑しながらつぶやき、パソコンのスイッチを入れた。

「お客さんが行列をつくって待ってるときに、手順よく、おいしく揚げつづけるって、絶対に重労働のはずよ。三日で音をあげるわ」

そう胸のうちで言い、誰かから電子メールが届いているかどうかをしらべた。三件のメールが入っていた。

留美子は引っ越しをしらせる葉書に自分の電子メールアドレスも一緒にプリントしたが、それを受け取った者たちすべてがパソコンを操作できるとはかぎらない。

ほとんどは留美子の親しい者たちで、なかには何年も逢っていない学生時代の知人もいたが、そのなかにはパソコンなんて一生さわるものかと公言する者もいる。

理由は、操作が難しそうだから機械に弱い自分などには到底使いこなせないはずだというのが大半だった。

パソコンを欲しいのだが高価なので手が出ないという者もいる。

留美子とおない歳なのに、心不在のインターネットの世界などは人間荒廃に拍車をかけるものだと力説する者もいた。

仕事でパソコンはすでに必要不可欠な代物になっている留美子は、家に帰ると電子メールのチェックをするだけで、できるかぎりパソコンのスイッチを入れないようにしていた。

けれどもそれは、目が疲れるのと、ときには事務所で十時間以上もパソコンを操作する日もあって、せめて家では仕事の延長にも通じることはしないでおこうと決めたからだった。

便利なものは使えばいい。使えなければ習えばいい。さわっているうちに慣れてくるものなのだ……。

留美子は、目くじらを立てて、パソコンについての講釈や論議に加わる気はまるでなかった。

――先日はごちそうさまでした。

一件目は弟の亮からだった。

――三十万円が天から降ってきたうえに、姉上さまにごちになり、久しぶりに東京の夜の明るさにひたって楽しかったです。こちらは朝から雨。母上さまによろしく。――

亮は、部品を小分けに購入して、二ヵ月がかりでパソコンを組み立てたのだった。亮にとってはそんなことは朝めし前の作業なのだ。

二件目は、十五分ほど前に送信されてきた事務所の同僚からだった。

――所長が大トラ。

タイトルはそう打たれていた。

――ひーやんが飲みすぎちゃって困りましたぜ。おうちまで送っていま帰宅しました。氷見さん、うまく逃げて正解だったよ。私はあしたはバリの海。いってきまーす。――

留美子よりも歳下だが、檜山（ひやま）税務会計事務所設立時からの職員、丸岡うみ子からだった。

留美子も含めて、檜山税務会計事務所の職員たちは、所長の檜山のことを「ひーやん」と呼んでいる。

檜山は、日頃は晩酌はせず、寝酒としてウィスキーのお湯割りを一杯か二杯飲む程度らしいのだが、ときおり職員と一緒に飲みに行ったりすると、周りの者たちがそっと顔を見合わせるほどの飲み方で泥酔するのだった。

丸岡うみ子は、それを「槍をぐさぐさと突き刺すような」飲み方と表現するのだが、その言い方を、留美子はこれほど適切なものはなかろうと感じるのだった。

といっても、檜山がそんなふうに痛飲するのは年に三、四回で、それも職員たちと飲みに行ったときに限られている。

「食べないで飲むからよ……」

留美子はそうつぶやき、職員たちだけで飲みに行ったはずなのに、どこでどうして檜山が合流したのであろうと考えながら、三件目の電子メールを開いた。

――芦原小巻です。

あっと小さく声をあげて、留美子は「芦原小巻」と打たれた文字を見つめ、電子メールの中身を読んだ。

――お引っ越しのおしらせ、きょう受け取りました。ありがとうございました。パソコンをなんとか少し使えるようになって一ヵ月……。私が初めて送るメールの相手が留美ちゃんになろうとは、ただただ不思議だなァと思い、キーを打つ指が震えています。

私のことを覚えていて下さって、嬉しくて言葉がありません。私はこの十年間、闘病につぐ闘病の日々でしたが、やっと元気になりました。留美ちゃんとのあの約束が、闘病生活の大きな支えになりました。約束、覚えてる？

ああ、これだけキーを打つのに四十分もかかっちゃった。練習して、二、三分で打てるようになってやるう。

またメールします。留美ちゃんもときどきメール下さいね。いまのところ、私にメールを送ってくれるのは、パソコンの使い方を教えてくれた従姉だけです。彼女が新しいパソコンを買ったので、それまで使っていたのを私が貰ったのです。長々とごめんね。

小巻。――

芦原小巻は、留美子の中学生のときの同級生だった。中学校に入学して最初にできた友だちだったが、小巻はたった二ヵ月で北海道の小樽へ引っ越していき、それ以後は年に一度年賀状が届くだけで、それも留美子が大学を卒業するころに途絶えてしまっていた。

芦原小巻からの年賀状が届かなくなっても、留美子のほうからは毎年書き送りつづけたが、五年ほど前に、年賀状を出す相手のリストから外してしまった。

だが転居通知は、どうしようかと迷いながら送ったのだった。

そうか、小巻はこの十年間、病気と闘っていたのか……。どんな病気だったのだろう……。

留美子はそう思いながら、小巻の闘病生活を支えた約束とは何だろうと考えた。自分と芦原小巻とは、中学一年生のとき、どんな約束を交わしたのであろう。

――留美子です。メール、ありがとうございました。

そう打ってから、留美子は指をパソコンのキーから離した。「約束」が思い出せないのだった。

交わし合った約束がいかなるものであったのかを訊いたら、小巻は寂しい思いを抱くことであろうと思った。

留美子は、メールを貰ったお礼を書き、十年間も闘病生活にあったことをしらぬまま、いつのまにか年賀状も出さなくなってしまった自分の横着を詫び、

――またメールします。氷見留美子

と打って送信した。

中学一年生のときの芦原小巻の顔は鮮明に思い出すことができた。クラスの者たちに「エノキダケ」と言われるほどに短く切った髪には天然のウェーブがかかっていて、それが小巻の髪に丸い膨らみを与えていた。

白い小さな顔、細い首や腕や胸、その上に載っている短いけれども膨らみのある髪……。

たしかにあのころの小巻は「エノキダケ」に似ているが、留美子には小粒なマッシュルームに見えたのだった。

何かの授業のときに、教師は授業内容から外れた雑談を始めて、その話の流れは、生徒たちに、おとなになったら何になりたいかという問いに移行した。

そのような問いは小学生のときにさんざん投げかけられて生徒の多くは食傷していたのだが、それぞれは指名されると仕方なく、適当に答えていった。

看護婦、スチュワーデス、役者、モデル……。

小学生のときと変わらない言葉が生徒の口から出たが、芦原小巻は、

「しあわせな妻、しあわせな母になりたいです」

と答えたのだった。

女の子ばかりの教室に笑いが起こった。その大半は、思春期に入りかけている、あるいはすでに入ってしまっている女子中学生特有の嘲笑だった。

教師も笑いながら、

「しあわせな妻、しあわせな母になるには、どうしたらいいと思うか」

と訊いたが、小巻は自分にあびせられている笑いの意味を感じ取ったのか、うなだれて答えようとはしなかった。

あの授業のあと、自分のほうから話しかけて、芦原小巻と友だちになったのだ……。

留美子はそう思った。

家の前で車のエンジンをふかす音がして、それにつづいて上原家のガレージのシャッターがあく音も聞こえた。

留美子は廊下の大窓のカーテンを薄くあけて、上原家の門のところを見た。さっきの青年が、ガレージから車を出し、ボンネットをあけて何かを点検していた。トランクも

あいていて、そこから釣り竿のようなものがはみ出ていた。

留美子は二階から話しかけるのは失礼ではないだろうかと迷ったが、青年が車でどこかへ遊びに行くのであろうと思い、慌てて部屋に戻ってパジャマの上からセーターを着て、廊下のカーテンと大窓をあけた。

「さっきはありがとうございました」

留美子がそう声を出す前に、エンジンのあたりを点検していた青年は、氷見家の二階の窓があく音で顔をこちらに向けていた。

「佐島さん、いかがでしたか?」

青年は訊いた。

「思ったほど傷は深くなかったんですけど十八針も縫って、抜糸するまで入院なさるそうです」

「命に別状はないんですね?」

「ええ。言葉もしっかりしてました」

青年は、父がとても心配して、容態を知りたがっていたが、こんな時間に氷見さんに訊きに行くのははばかられると遠慮したのだと言った。

「あの廊下の血や割れたガラス、掃除して下さったんですね」

と留美子は言い、青年の顔を見ようと目を凝らしたが、ひらいた車のボンネットがちょうど影になっていて、青年の表情は見えなかった。

「このままにしとけないからって、父と二人で掃除したんです」

それから青年は留美子に、佐島老人が入院している病院の名を訊いた。留美子はそれを教えてから、いまからご旅行なのかと訊いた。

「河口湖のほうへ行くんですけど、さっきテレビのニュースで、道が大渋滞だって言ってて……。でも夜中になれば車の数も減るかもしれないから、とりあえず出発しようかと思って。友だちと向こうで待ち合わせてるもんですから」

「河口湖で魚釣りですか？」

「ええ、バス釣りです」

留美子は青年に名を訊いた。青年はボンネットを閉め、さらに車のトランクのほうへ廻ってからも自分の名を教えなかったが、トランクを閉めてから、上原浩司と名乗った。

「私は留美子です。氷見留美子といいます」

青年はタオルで手の汚れを拭きながら、このゴールデンウィークはどこかに遊びに行く予定があるのかと訊いた。

「疲れたから家でごろごろしてようと思って……。寝正月じゃなくて、寝連休ですね」

と留美子は言った。

「ぼくは五日から仕事なんです」

青年はそう言って、ある有名な菓子メーカーの名を口にした。

「そこの新製品のコマーシャルの撮影で山奥の滝壺に行かなきゃいけなくて」

自分は広告代理店に勤めている。コマーシャルフィルムの撮影のすべては別の製作会社がやるのだが、代理店側の人間も現場に立ち合わねばならない。ゴールデンウィークでみんな行きたがらなくて、その役が自分に廻ってきたのだ。青年はそう言った。

いまが盛りの女性アイドルが、新製品のスナック菓子をおいしそうに食べるだけなのに、どうしてそれが山奥の滝壺でなければならないのか、どうもよくわからない……。

上原浩司と名乗る青年のまんざら冗談でもなさそうな、幾分かの腹立ちを感じさせる言葉に、留美子は笑顔を返したが、それは青年には見えなかったようだった。

「山奥って、どこの山奥ですか?」

という留美子の問いは、青年がガレージのシャッターを降ろす音で消された。

留美子が、

「お気をつけて」

と言うと、青年は、

「はい。じゃあ行ってきます」

と答え、門扉をあけて庭から玄関へと急ぎ足で行き、家のなかに消えた。留美子も窓をしめ、自分の部屋に戻った。

佐島老人の血や割れたガラスは、上原家の父と息子とで掃除されたのか……。あの上原桂二郎は、一見冷徹そうに見えたが、みかけよりも優しい人間なのであろう……。

留美子はそう思いながらパソコンのスイッチを切り、いつも寝る前に行うことが癖になっている体操をやりかけたが、足の裏の怪我が痛んだのでやめた。

上原家の前に停まっていた車のドアがしまり、走りだす音が聞こえた。

「お肌のお手入れ、面倒臭いなァ……」

留美子は言ってベッドにあお向けに横たわった。

この一週間、寝不足がつづいていたので、目を閉じたら眠ってしまいそうな気がしたが、どうやら佐島家の出来事による興奮が鎮まっていないのか、神経が冴えてしまっていた。

約束……。中学一年生の自分は、芦原小巻とどんな約束を交わし合ったのだろう……。

小巻はそれを覚えているどころか、十年間にもわたる闘病生活の支えであったという。でも自分はその約束なるものをまるで思いだすことができない……。

結婚を誓い合った三年間で、あの男は何度「自分は約束は必ず守る人間だ」と言ったことであろう。そしてこの自分は疑うことなく男を信じつづけたのだ……。

あの三年間で自分が喪ったもの、あるいは得たものは何だったのか……。自分は結果として騙されただけの、人のいい能天気な女でしかなかったのか……。

そういえば、自分は物心ついて以来、約束をたがえるという行為を数多く行ってきたような気がする。

小学生のとき、誕生日のお祝いにケーキを作ってやるという友だちの言葉を忘れて、べつの友だちと遊びに行ってしまった。あの子は約束どおり母親に手伝ってもらってケーキを焼き、それを箱に入れてリボンを掛け、家に持って来てくれた。母はそんなことは知らずに、留美子はだれそれちゃんと遊びに行ったと答えた。家に帰って来て、テーブルに置かれてある小さなケーキの箱を見たとき、どんなに後悔したことか……。

ひょっとしたらあれが、生まれて初めて自分という人間を自分で責めたときかもしれない。

ケーキを置いて帰って行く友だちのうしろ姿は、なぜか夕日による長い影をともなっていつまでも自分のなかに存在しつづけた……。

あれは小学校の三年生のときだったな。約束を破ったという記憶の最初にあの誕生日のケーキが必ず浮かびあがる……。

二度目は何だったろう。三度目は……。四度目は……。

そんなことを考えているうちに、芦原小巻との約束がいったいいかなるものであったのかさえ思い出せない自分にふいに強い嫌悪を抱いて、留美子は再びパソコンのスイッチを入れた。もう一度、芦原小巻にメールを送ろうと思ったのだった。

どんな約束を交わしたのか失念してしまったと正直に書いて、それを教えてもらおうと決めた。

――氷見留美子です。こんばんは。

そう書いて、本文の書き出しを考えているうちに、留美子の家から帰って行く小学三年生の友だちのうしろ姿がまた浮かんだ。

すると、離婚するはずだった別居中の妻とのあいだに子供ができたことを男に告白された夜の自分の姿が浮かんだのだった。

あれは夜だったはずなのに、浮かび出る自分の姿は夕日を浴びて、その影は長く路上に落ちていた。

留美子は「約束」については触れず、十年間どんな病と闘いつづけたのか、さしつかえなければ教えてくれと書いて、芦原小巻にメールを送信した。

「送受信」の箇所をクリックした瞬間、慌ててパソコンの接続を切ろうとしたが間に合わなかった。

約束について何の反応も示さないメールを送ること自体が、小巻を傷つけるのではないかと考えて、とっさにメールの送信をやめようと思ったのだが、留美子からのメールは送られてしまった。

「約束なんかするからよね……」

と留美子は胸のなかで言った。

約束をしなければ、約束を破って相手を傷つけることもない。相手を傷つけて、それによって自分が傷つくこともない……。

留美子はそう思った。

気持ちが乱れているときは、父の書斎にある奇妙な穴蔵に入り込んで、音を小さくして好きな音楽を聴くのがいい……。

そう気づいて、留美子は父の書斎へ行き、穴蔵の近くに置いたスタンドの明かりを灯した。

弟の亮が、この穴蔵にこもると心が静かになると言ったので、亮が大分に帰ったあと、留美子は夜中に試しにひとりで穴蔵に入ってみたのだが、それはたしかに思いがけなく心地良い場所だったので、それ以来そこは留美子にとって特別な空間になってしまっていた。

一立方メートルほどの穴蔵のなかでは脚を伸ばすことはできない。板壁に背を凭せかけて立て膝になってもぐり込むと、頭は穴蔵のてっぺんにつきそうになる。けれども窮屈な感じはなくて、狭さが息苦しさをもたらしたりもしない。

なんだか隠れんぼ遊びをしているうちに鬼が自分を捜していることも忘れて、うたた寝をしながら何かを漠然と空想しつづけるといった静かで安寧な心持ちになるのだった。

留美子は自分の部屋から父の書斎へと移した小型のCDデッキのスイッチを、穴蔵のなかに置いたままにしてあるリモコンで入れた。パブロ・カザルスの「鳥の歌」が、聞こえるか聞こえないかの音量で流れ始めた。

「私の鳥はピース、ピース、ピースと鳴く……」

留美子は、スペイン・カタロニア地方の民謡だった「鳥の歌」をチェロで演奏したときにカザルスが語ったという言葉をつぶやいた。

そして、私は立ち直ったはずだと思った。

私は自分が愛した男がこれほどまでに卑劣でなさけない人間だったのかと自分に腹を立てただけで傷つきはしなかった。

私は自分の馬鹿さかげんへの腹立ちを長く鎮めることができなかった。でも、もうその腹立ちも薄れつつある。若い私は大きな失敗をした。その失敗に腹を立てて、失敗をしてしまった自分を許すことができなくて、それを仕事で忘れようと努めた。私は私の失敗をもう完全に許してやらなくてはならない。

留美子はそう思った。中学生のときに父が教えてくれたシラーの言葉が浮かんだ。

――未来はためらいつつ近づき、現在は矢のようにはやく飛び去り、過去は永久に静かに立っている。――

その言葉の最後のところを、留美子は変えてつぶやいてみた。

――過去は矢のように飛び去り、静かに消えていく。――

そう変えるほうが、自分の活力にふさわしいと留美子は思った。

「未来はためらいつつ近づき……」

留美子は声に出して言ってみた。すると、なぜか自分に向かってためらいつつ近づきつつあるものが存在しているような気がしてきたのだった。

「何か楽しいことを私もみつけないと……」

と思った。

私にとって楽しいこととは何だろう。

おいしいものを食べること。気持ちのいい音楽を聴くこと。新しい服を買うこと。ひとりで小旅行をすること。……せいぜいその程度であろう。

母は自分の姉と話をしているのがいちばん楽しいと言ったことがある。姉が寝たきりとなり、言葉が不自由になっても、母は姉との会話をやめなかった。母は姉を、自分が知っている人間のなかでは最も「打てば響く」人なのだと評していた。

父は立派な木を見ているのがいちばん楽しかったようだ。観光用に「銘木」と称されている木にはあまり関心を示さなかった。

天然記念物に指定された「銘木」を、父はほとんど自分の目で見に行ったが、父が認める「銘木」はそのなかでも五分の一程度だった。

木をふんだんに使った古い家を見るのも好きだった父は、しばしば不動産屋に間違われて、うさん臭そうな視線を注がれたらしいが、あてもなく電車に乗って農村や山村で下車し、古くて風格のある、あるいは粗末であっても住む人の家というものへの愛着を感じさせる木造住宅をみつけることを楽しみとしていた。

それをみつけたからといって何をどうしようというわけでもない。ただ古い木の家が好きで、その前にたたずんで眺めているだけでいいのだった。

留美子は、自分の勤め先の仲間たちの顔を思い浮かべてみた。

檜山鷹雄は仲間ではなく雇用主だが、歳はまだ三十代なので、なんとなく留美子にとっては仲間のような意識がある。檜山の人柄が為せるところであろうが、その檜山鷹雄はおととしからゴルフに凝り始めた。

月に一度のゴルフが無上の楽しみだと自分でも公言している。

「百球ボール打ったら、一球か二球、すばらしい当たりがあるんだ。飛んでいくボールをうっとりと見つめるほどのすばらしい当たりなんだ。そのたった一球か二球のとんでもないナイスショットが、ああ、生きててよかった、一所懸命働いてきて、ああ、しあわせだなアって思わせてくれるんだよ」

檜山のその言葉で、留美子は事務所の三時のおやつだったクッキーを口から噴き出したことがあった。

「百球打って、たったの一球か二球なんですか?」

と留美子が言うと、

「練習をつづけたら、それが三球か四球になり、十球になり二十球になり……。それを思うと恍惚(こうこつ)となるよ」

檜山は何のてらいもなくそう答えたのだった。

それでその日、仕事が終わってから、檜山に誘われて、彼がいつも行くゴルフの練習場に行った。

檜山は百球打った。そして檜山の言葉どおり、そのうちのたった二球が、ゴルフのことなどまるで知らない留美子の口からも感嘆の声が出たほどのすばらしい当たりだったのだった。

「なっ？　見たか？　いまのだよ。いまの当たりなんだよ」

「ほんとに百球のうち、たったの二球だけでしたねェ。まぐれでも五球くらいあってもよさそうなもんなのに……」

留美子はそのときの檜山の表情を思い出し、穴蔵のなかで身をよじって笑った。

じゃあ留美子、おまえやってみろと言われ、檜山のゴルフクラブを借りて打ってみたが、五回連続して空振りしたあと、やっと当たったボールは真横に飛んで、隣の打席にいた人の頭の近くをかすめ、その人に猛烈な剣幕で怒られてしまい、留美子は檜山とども謝りつづけ、逃げるように練習場から出たのだった。

「なっ？　いかにゴルフが難しいか骨身に沁みてわかっただろう？」

と檜山は言い、あんなへなちょこボールが当たっても死にゃあしないのに、あのおっさん、しつこく怒りやがったなァと笑った。

「あの人から一メートルくらい離れたところをふらふらって飛びましたねェ」

と留美子は言い、自分がいかに運動神経がないかを力説した。

それ以来、檜山は留美子をゴルフの練習に誘わなくなったのだった。

「ボールを真横に飛ばすなんて、やろうと思ってもできないことよね」

留美子は、もう一度「鳥の歌」を聴きながら、穴蔵のなかに届くスタンドの黄色い明かりに身をひたす格好でそうつぶやいてみた。カザルスのチェロによる「鳥の歌」を聴いていると、留美子は自分が見たこともないスペイン・カタロニア地方の大空を悠然と舞う一羽の大きな鷹になったような気分になる。

眼下には何もかもが点になって拡がり、麦畑もブドウ畑も土の道も、綾織りの色とりどりの布のようになっている。

風が音をたてて鷹になった留美子を流そうとするが、上昇気流の微妙な感触を瞬時につかんで、さして翼を駆使することなく、留美子は天空に浮かびつづける……。

幼い子供は、たいてい一度は自分も鳥になって空を飛びたいと夢想した経験があると何かの本に書いてあったが、自分は一度もそんなことに憧れたことはない……。

留美子はそう思った。

カザルスの「鳥の歌」は、これまで何十回聴いたかわからない。だがこのチェロの演奏を聴いて、突如自分が大きな一羽の鷹になったような錯覚にひたったのは、父の書斎の穴蔵で自分だけの時をすごし始めた日だったのだ。

「この穴蔵のなかにいると、私、鷹になれるのよね……」

そうつぶやいた留美子の脳裏に、空を飛んでいく蜘蛛の、なんだかけなげでひたむきな姿があらわれた。十年前の、あの少年から渡された手紙に書かれていた蜘蛛のことは、やはり強い印象として自分のなかにひそんでいたのかと留美子は思った。

留美子は穴蔵から出ると自分の部屋に戻り、パソコンで「空飛ぶ蜘蛛」を検索してみた。存在しないものはみつからないだろうし、「蜘蛛」に関する情報はおそらく何万件も表示されるであろう。それらをひとつひとつ辿っていく気はなかった。けれども「空飛ぶ蜘蛛」に関してのサイトはすぐにみつかったのだった。

パソコンの画面に表示された該当するサイトの件数を見て、留美子はその意外な多さに驚いた。蜘蛛を研究する人やグループは、専門の生物学関係者だけでなく、一般の人々のなかにもこんなにいるのかという驚きだった。

インターネットで蜘蛛についてのホームページを開設する人々は、蜘蛛に興味を持ち、積極的に観察し研究する人たちのなかのほんのひと握りであろうから、この日本だけでも、思いも寄らない数の人々が何らかの形で蜘蛛に深い関心を抱いているということになる。

「へぇ……。世の中には、変わった人が多いのねェ」

留美子はそうつぶやき、「飛行蜘蛛」と説明文のついたサイトをクリックしてみた。

留美子にしてみれば、蜘蛛はただ気持ちの悪い八本脚の虫にしかすぎなかった。気持ちが悪いどころか嫌いなのだ。ときおりトイレのなかや物干し場などで体長三、四ミリくらいの子供の蜘蛛がせわしげに這(は)っているのにでくわすと、我ながらなさけないと思うほどの悲鳴をあげてしまう。

それにしても、蜘蛛がどうやって空を飛ぶのだろう。きっと特殊な種類の稀少な蜘蛛にちがいない……。

留美子はそう思いながら、「飛行蜘蛛」について何らかの情報が載っているらしいホームページを見た。

それは個人の趣味のサイトで、その人の日々の雑感やらエッセーらしいものばかりがあらわれて、いったいどこに「飛行蜘蛛」に関する情報があるのかわからなかった。

しかし、そのサイトの主の、「自分にとって興味のある人たち」というところをクリックすると、「飛行蜘蛛」の研究をつづけてきた「錦三郎」なる人物の紹介があった。

その人物は東北地方に住んでいて、あることから「飛行蜘蛛」に興味を抱き、観察をつづけ、その研究成果を「飛行蜘蛛」という一冊の本にして出版していた。

錦三郎という人の簡単な略歴も載っていて、留美子はその生年月日を見た。どうやら現在八十歳をとうに過ぎているようだった。

他のサイトにも行ってみたが「飛行蜘蛛」についてはほんの一行か二行触れられているだけだった。

「雪迎えかァ……」

再び錦三郎という人を紹介するサイトに戻り、留美子はその一文に目を凝らして、そうつぶやいた。

東北地方では昔から、空を飛ぶ蜘蛛を「雪迎え」と呼んできたという。蜘蛛がいっせいに空に飛び立つ現象が起こると、東北地方に雪の季節が訪れるので「雪迎え」と呼ばれたらしいのだった。

「どんな蜘蛛なのかしら……。羽が生えてないと飛べないわよねェ……」

留美子は手帳に、錦三郎という名と「飛行蜘蛛」という本の題を書き写した。

連休中、留美子は一日中パジャマですごす日もあったほどによく眠った。

足の裏の怪我は日常のなんでもない行動に予測もしていなかった制約を与えて、動こうにも動けなかったので、ベッドに横たわって音楽を聴いたり本を読んだりするしかなかったためでもある。

母は精肉店に面接に行った日、即刻採用となり、そのままエプロンを支給され、コロッケの揚げ方を伝授されて、一日六時間で五百個のコロッケを揚げ始めた。

こんなに働くことが好きだったのかと留美子が感心するほどの張りきりようで、母は朝の九時半にでかけて行き、昼の一時過ぎに帰って来る。そして昼食をすませると家事をこなし、また二時半にでかけ、夕方の六時半ごろに帰宅するという日々が始まったので、留美子は自分以外は誰もいない家で、まどろんだり目醒めたりを繰り返すしかなかったのだった。

その間、母は二度、佐島老人を病院に見舞ったが、息子夫妻は年老いた父親の怪我を知らないまま、どこかでゴルフを楽しんでいるらしかった。

芦原小巻からはその後電子メールは送られてこなかった。

連休だから、どこかへ遊びに行っているのかもしれなかったし、家にいたとしても頻繁にパソコンのスイッチを入れて、メールを確認するということはないのかもしれない。

留美子はそう思いながらも、小巻がどんな病気だったのかを他人には言いたくないのかもしれないとも考えた。

連休が終わっても抜糸はまだだったので、留美子はスニーカーを履いて出勤するしかなかった。

スニーカーを履いていてもおかしくない服装にすると、三十を超えた女が電車に乗って出勤する格好とは言い難く、といって薄手のセーターにジーンズというでたちでは顧客を訪れるわけにはいかない。

あらかじめ檜山に電話で怪我のことをしらせ、スニーカー履きでも奇異ではない服装で出勤して、留美子が訪ねなければならない顧問先には檜山が行ってくれることになり、なんとか抜糸の日を迎えた朝、留美子は病院で処置を終えたあと、病室の佐島老人を見舞った。

看護婦が佐島家のお手伝いの家の留守番電話に伝言を残しておいてくれたので、お手伝いは旅から帰宅した夜に慌てて病院にやって来たらしいが、息子夫婦はまだ帰ってはいなかった。

「氷見さんまでが足の裏を切ったなんて、ぜんぜん知りませんでした」

佐島老人は体の左側を下にして横たわったまま、何度も礼を述べ、迷惑をかけたと詫びつづけた。

「私の怪我なんて、たいしたことないんです。お陰で連休中、よく眠れました」

と留美子は言った。

「きのうの朝から、体の左側を下にしてもいいってお医者さんに言われて、生き返る思いでした。いやア、うつ伏せになりつづけるってのが、あんなにも苦しいとはねエ。息ができなくて眠れないんです」

大きく深呼吸できるようになって、やっと人ごこちがついた気分だと佐島老人は笑顔で言った。

「上原さんにもお世話になりました。あのあくる日、お見舞いに来て下さいましてねエ。いったい何十年、ご近所同士としてあそこで暮らしてきたことかって、上原さんも苦笑いなさってました。私が大学生だったころ、上原さんは生まれたんです。私が初めてお逢いした上原桂二郎さんは、『けいちゃん』ていう赤ちゃんだったんです」

「抜糸はいつになるんですか？」

と留美子は訊いた。

「あさってくらいにしましょうって、お医者さんが言ってました。やっぱり歳をとると、若いときよりも再生能力が低下するんでしょう。傷のくっつきが遅いんですかねエ」

しかし、もういつ家に帰ってもいいのだと佐島老人は言った。

「風呂場のガラス戸の修理のために、きょう業者が来るんです。その人たちが帰ってしまってからにしましょうってお手伝いが言うもんですから……」

深呼吸ができないということが、あれほどつらいものだとは思わなかった……。

佐島老人はまたそうつぶやいて笑顔を浮かべ、留美子に、

「氷見さんは、私の命の恩人です」

と言った。

「そんな、命の恩人だなんて」

そう言い返しはしたが、たしかにあのとき誰もいなかったら、佐島老人がどうなったかはわからないと留美子は思った。致命的な怪我ではないにしても、動けないまま風呂場と廊下との境目に倒れて出血がつづけば、老人は肉体的にも精神的にも烈しく衰弱したであろう……。

「私もあのとき気が動転してしまって、どうしたらいいのかうろたえました。上原さんの息子さんが通りかかってくれて……」

留美子は、あえて自分が言うべきことではないのかもと思いながらも、上原桂二郎と浩司の親子が、風呂場と廊下の掃除をして、戸締まりまでもやってくれたのだと説明した。

佐島老人は驚き顔で、

「上原さん親子が、割れたガラスや私の血の始末をして下さったんですか?」

と訊き返した。

「いやァ、そんなこと、ひとことも上原さんは仰言いませんでした。あのときいたのは、俊国さんじゃなくて、浩司さんのほうですか……。私もやっぱり動転して、頭が変になってたんですねエ。お兄さんの俊国さんのほうだと思い込んでました」

その佐島老人の表情には、大怪我を負ったばかりの不安と動揺のさなかにあったことによる己の錯覚を不思議がっているのではない微妙なとまどいが感じられて、留美子はそれが「老い」のせいではないと励ましたくなり、

「ご兄弟ですもの。似てらっしゃるでしょうから、あの薄暗い廊下では誰でも見間違えますよ。それに佐島さんもあんな状態だったんですから」

と言った。

佐島老人は少し考え込み、

「救急車に運ばれるとき、上原さんの息子さんが、風呂場の棚からたくさんタオルを出してくれて、それで私の傷とか上半身全部を覆ってくれたんです。そのとき私は『俊国さん、私の財布を持って来てくれませんか』って頼んで、財布を置いてある場所を教えたんです」

と言った。

「いや、あの人は、ぜったいにお兄さんのほうですよ。日頃おつきあいがないといっても、子供のときからしょっちゅう見てきた兄弟の顔を見間違えたりはしません。財布がみつからなくて、台所でうろうろしてる俊国さんに、『俊国さん、そこじゃなくて、あっちあっち』って、私は言った覚えがあります。その私の言葉で、救急車の人が、『あ、しっかりしてる。大丈夫だ。すぐに病院に着くから、安心してね』って……」

留美子は、よくある老人の錯覚をむきになって訂正するのは、あまり気のきいたやり

方ではないと思い、

「じゃあ、やっぱり、お兄さんの俊国さんのほうだったんですね。私が聞き間違えたんです」

と言った。

「病院から帰って来てから、これから河口湖に遊びに行くっていう俊国さんと窓越しに話をしたんです。私にはお名前が浩司って聞こえて……。私の聞き間違いですわね」

老人をなだめるようにそう言ったのだが、それがいささか不自然な、無理のありすぎる解釈であることは留美子がいちばんよくわかっていた。

適当にあしらっているかのように受け取られたくなくて、

「広告のお仕事をなさっているって、そのとき仰言いました」

とつけくわえた。

「じゃあ、やっぱり俊国さんです。浩司さんは自動車会社に勤めてましてね。ことし大学を卒業して社会人になったばかりで、いまは研修期間で、工場の寮に九月の末までいるんだそうですから」

佐島老人は、上原家の兄弟に関して自分が知っていることを、あたかも己の脳の状態をみずからが検査してみるかのように、ゆっくりと区切りながら言った。

留美子は佐島老人を疲れさせたくなかったので、あの夜いあわせてくれたのが、上原俊国だったのか浩司だったのかの話題から離れようとした。

といっても留美子と佐島老人に共通の話題があるわけではなかった。

留美子は佐島老人の病室を辞すと、その足で事務所に向かった。

佐島老人は矍鑠（かくしゃく）としていて、頭脳も明晰だが、老人特有の思い込みというものは歳を取れば誰にでも起こるものなのであろうと思いつつも、留美子はあの夜、自分が窓越しに「上原浩司」と交わした言葉に聞き間違いがあったとは考えられなかった。

青年はたしかに「浩司」と名乗ったし、広告代理店に勤めていて、五日から菓子メーカーの新製品であるスナック菓子のコマーシャルフィルムを撮影するために、どこかの山奥の滝壺にまで行かなければならないと留美子に言ったのだ。

たぶん佐島老人は、上原家の長男と次男の仕事を勘違いしているか、あるいはそれを教えた誰かが間違えたのであろう……。

留美子はそう思った。

きょうは、事務所に着くのは午後からでもよかったので、留美子は渋谷から電車を乗り換えると、仕事に関することでときどき資料調べのために利用する都立の図書館へ行った。

錦三郎という人の「飛行蜘蛛」が、その図書館に置いてあって、いまは誰も借り出していないことを事前に調べておいたのだった。

本の借り出しの手続きをして、留美子は「飛行蜘蛛」という古い本を仕事用のブリーフケースに入れ、事務所へ行った。

税務用の書類が机に山積みになっていたが、留美子は「飛行蜘蛛」の中身をすべてコピーする作業にかかった。

本を家に持って帰って読めばそれでいいのだが、留美子は図書館で借りた本を汚したくなくて、いつもコピーしてしまう。

一度、貴重な本にコーヒーをこぼしたことがあって、それ以来、借りた本はできるだけその日のうちに図書館に返却することにしていたし、借りた本を読みながらコーヒーや紅茶などを飲まないようこころがけていた。「飛行蜘蛛」は、一九七二年四月二十日発行と奥付にしるされていた。

目次の一行目は「雪迎え」で、(クモの空中移動)という文字がつけくわえられている。

錦三郎という人の観察記録は昭和二十七年から始まっている。

留美子が本のすべてのページをコピーしていると、きのうバリ島の旅から帰国した丸岡うみ子が昼食をとって帰って来て、

「これ、留美ちゃんへのおみやげ」

と言いながら、自分のロッカーから紙包みを持って来てくれた。

留美子は礼を言って紙包みをあけた。奇妙な曲がり方をした木彫りの手が箱のなかからあらわれた。千手観音の手の、それも手首から先だけを切り取ったかのような木工細工だった。

「これ、なに？」

と留美子は訊いた。

本当は「うみ子」ではなく漢字で「海子」なのだが、「カイコ」とか「アマ」とひやかされたことが多くて、名刺はひらがなを使っている丸岡うみ子は、「カイコ」と呼ばれるのはさほど腹が立たないが「アマ」と呼ばれると相手を「ぶっ殺してやろうか」と思うらしい。

「どうして海子がアマなのよォ。アマは『海女』でしょう？　ちゃんと漢字を読めないやつに名前のことでおちょくられたくないのよ」

ひらがなにするよりも漢字で「海子」のほうが素敵だと留美子が言ったとき、丸岡うみ子はそう答えたのだった。

「義を見てせざるは勇なきなり」

という言葉が座右の銘だという丸岡うみ子は、細い指が気味悪いほどに長い曲線を作っている木彫りの手首を、掌のほうを上にして事務机に置き、

「ほら、こうやると、レターラックになるのよ。小指と人差し指のあいだに挟むと手紙とか葉書が二十通くらいは入るし、薬指と人差し指のあいだにだとメモとか伝言用紙とかが挟めるでしょう？」

と説明した。

「ほんとだ。変わってるよねェ。わア、素敵……。いかにもバリ島の民芸品て感じね」

「気に入ってくれた？」

「うん、ありがとう」

「ああ、よかった」

丸岡うみ子は声をひそめ、これは留美ちゃんだけに特別に探してみつけたおみやげだが、他の者たちには一着五百円程度のTシャツなのだと言った。

「内緒よ。だからみんなが帰ってこないうちに、このレターラック、しまっといてね」

「じゃあ、私もTシャツを貰ったことにしとくわ」

留美子は言って、私もTシャツのほうがよかったのにと思いながら、木彫りの手を箱に入れ、自分のロッカーにしまった。木彫りの手は、留美子には気味の悪い代物以外の何物でもなかったのだ。部屋に置いておくと、なんだか、夜中に手だけが動きだしそうな気がした。

「飛行蜘蛛」の全ページをコピーすると、留美子は自分の机に山積みになっている伝票とか書類とかを処理していった。

夕刻までに五件の顧問先から電話が入ったが、さして面倒な問い合わせではなかったし、何種類かの伝票にも問題はなかった。

機械的に伝票を処理しているとき、留美子の脳裏には、「トシクニ」という名前がちらついた。

十年前の手紙の主もトシクニ。上原家の息子もトシクニ……。

当時十五歳の彼は「須藤俊国」……。須藤……。上原……。同じ「トシクニ」だとは、そう滅多にはない偶然だ……。

名が同じ「トシクニ」なのは偶然であろう。けれども、同じ「トシクニ」だとは、そう滅多にはない偶然だ……。

担当する顧問先の決算期が集中している橋詰朝男だけが忙しそうにパソコンのキーを打ちつづけていて、北海道に出張している所長の檜山はその日は姿を見せないとあって、他の職員は自分の仕事を片づけると、ほとんど定時に帰って行った。

留美子は処理案件のなかでひとつだけ檜山の指示をあおぎたいものがあったので、檜山からの電話を待つあいだ、「飛行蜘蛛」を読み始めた。よほどのことがないかぎり、檜山は必ず夕方の六時に事務所に電話をかけてきて、連絡事項の有無を確認するのだった。

「コーヒーでもいれましょうか?」

留美子は自分より二歳年長の橋詰朝男に声をかけた。橋詰は大学を卒業と同時に結婚したので、三十四歳にして十歳と八歳の男の子、それに四歳の女の子の父であった。

橋詰は目を閉じて指で眼球を揉みながら自分の席から離れ、留美子の席までやって来て、

「コーヒー、いれてくれる? 申し訳ないなァ」

と言った。そして、留美子が読んでいる本をのぞき込んだ。

「飛行蜘蛛……? それ、留美ちゃんの担当のクライアントと何か関係あるの?」

「蜘蛛が空を飛ぶなんてこと、ほんとにあるのかなと思って……。それで図書館で借りてきたんです。仕事とは関係ないんですけど」

留美子の言葉に、

「うん、蜘蛛は飛ぶよ。キリギリスみたいにピョンと飛ぶんじゃなくて、ほんとに空を飛んでいくんだ」

と橋詰は事もなげに応じ返した。

「えっ！　見たことあるんですか？」

「あるよ。子供のときに」

「どこで？」

「家の近くの田圃（たんぼ）で」

橋詰は秋田県と岩手県の県境にある小さな町の造り酒屋の息子で、生まれたときからそこで育ち、東京の大学に入学してからはずっと正月休み以外は郷里に帰ったことはないという話を、どこかの飲み屋で留美子に語ったことがあった。

「私、羽のはえた特殊な蜘蛛がいるのかって思ってたんです。この本を読むまで……。でもそうじゃないんですね。たいていの蜘蛛は、吐き出した自分の糸を利用して飛ぶんですね」

と留美子は言った。

すると橋詰は、留美子の事務机に両手を突き、頭を下げ、爪先立つと尻をあげた。

「こうやってね、風の向きとか、強さとかを計算しながら、お尻から糸を出していくんだ」

橋詰は蜘蛛の真似をして、自分の尻を左右に動かした。

留美子はそんな橋詰の格好がおかしくて、笑いながら、

「橋詰さん、蜘蛛が飛んでいく瞬間をほんとに見たんですか？」

と訊いた。

橋詰は、尻から糸を吐く蜘蛛の真似をしたまま、

「見たよ。どれもこれもせいぜい三メートルか四メートルくらいしか飛べなかったけどね」

と言った。

「えっ！　たったそれだけしか飛べないんですか？」

「うまく風に乗って飛び立っても、あの細い糸がね、もつれ合ったりしてね、それが絡まってちっちゃな団子みたいになっちゃって、すぐに地面に落ちるんだ」

「蜘蛛が？」

「うん。丸まった糸だけ飛んでっちゃうんだ。でもぼくのばあちゃんは、うまく風に乗って遠くへ飛んで行く蜘蛛を見たって言ってたよ」

風まかせ、上昇気流まかせの、千にひとつ、万にひとつの幸運の重なりだけが、小さな蜘蛛を遠くの地へと大旅行させるのだと橋詰は言い、椅子に腰をおろした。

「でも、蜘蛛が自分の糸で空を飛ぼうとするのは一回きりじゃないんだ。失敗したらまたチャレンジする。三回も四回もね。それで駄目だったら、自分が拡げた領域の範囲内で生きていこうとするんじゃないかな」

なまじ上昇気流に乗って飛行が成功したために、鳥に食われて死んでしまう蜘蛛のほうが多いそうだと橋詰は言い、留美子がいれたコーヒーを飲んだ。

「ほんとにそのあと、雪が降るんですか?」

と留美子もコーヒーを飲みながら訊いた。

「うん、ほんとに冬が来るんだよ。不思議だよ。風が強くなって、それが冷たくなって、四、五日あとには初雪が降るんだ。いまはどうなのかなァ……。地球全体の天候異変だからね。でもたぶん、季節が劇的に変わる前には、いつも異変があるだろう? 春の前には春一番が吹くし、梅雨の終わりには雷が鳴るし……。冬が来る前に、なんだか春みたいなあったかい日がつづいたりするだろう? その春みたいなあったかい日に、蜘蛛は空に飛ぼうとするんだろうな。風も強くなくて、でも少し吹いてて、温度差が上昇気流を作りだしてて……」

橋詰は、生まれ育った地に、もう長いこと帰っていないと言った。

「おばあちゃんが死んでから、帰る理由がなくなっちゃって」

「ご両親は?」

「親父が死んだから、お袋はいなかの家を売って、おととし、ぼくたち夫婦と一緒に暮らすようになったんだ。いなかで暮らしたがったんだけど、姉も嫁いで埼玉で暮らしてるし、弟は関西だし……」

父親が四十年ほど前に買った杉の植林山がいい値で売れたので、それを機に母親は東京の長男夫婦のもとで余生をおくる決心をしたのだと橋詰は言った。

「いつ金になるかわからない杉の山なんかを借金してまで買って、お前は馬鹿じゃないのかって、ぼくの親父は兄や姉や親戚の連中にろくでなし扱いされたらしいんだけど、四十年後に、あんなにたくさんのお金を与えてくれるなんてね。お陰でお袋どころか、ぼくたち夫婦もその植林山の恩恵をこうむったよ。でも買ってから、あの山が金に替わるためには四十年という歳月が絶対に必要だったんだよね」

その橋詰の言葉に、留美子は何気なく、

「木って、枝打ちをしてから先が長いですもんね」

と応じた。

橋詰は驚き顔で、

「へぇ、留美ちゃん、木に詳しいんだねェ。枝打ちなんて言葉、普通は知らないもんだよ」

と言った。

弟が大分県の小さな製材所に勤めていて、先月久しぶりに東京に帰って来たとき、一本の杉や檜(ひのき)が木材として価値を持つためにはどれほどの人手と年月が必要かを話してくれたのだと留美子は説明した。

「製材所？　弟さんはアメリカの大学を出たんじゃなかった？　コンピューター関係の学部なんだって所長が言ってた気がするけど」

と橋詰は訊いた。

留美子は、たしかにそうなのだが、突然進路を変更して、いまは「木」というものを学ぶために修業中なのだと言った。

「木が苗木から十五年くらい育って、やっと枝打ちってのをして、それから五十年か六十年後に、やっと木材としての価値を持つようになるんだって聞いて、私、びっくりしたんです。だってそれだったら、ことし植えた苗木は、弟が生きてるあいだには木材として切り出されることはないわけでしょう？　木を植えるって、とんでもないことなんだなアって思っちゃって……」

「うん、そうなんだよ。ぼくの子供のころの友だちには植林業についたやつが五、六人いるけど、親から譲ってもらった山を早々に売り払って、別の仕事についたやつは三人だよ」

と橋詰は言い、

「でも九州あたりはまだ木の育ちが早いからね」

とつづけた。

「東北はねエ、冬が厳しいし、一年を通して日照時間が少ないから、木はなかなか育たないんだ。だけど、その代わりに、いい木材に育つんだ。南国の木は、暖かいところですくすく育つ。別の言い方をすればだねエ、つまり苦労知らずのお坊っちゃま育ち。寒いところの木は、小さいときから風雪に耐えて粘り強く育ってるから、木目が詰まってるんだ。銘木中の銘木ってのは、ほとんど寒い地方で育った木なんだ」

留美子は幾分得意そうに喋っている橋詰の表情を見て、所長の檜山がしょっちゅう橋詰に対して苛立っている理由を考えた。

橋詰は温厚な性格で、税務に関しての知識も豊富で、世事に対しても博識だが、顧問先を直接担当すると、その彼の良さはほとんど生かされることがなかった。

自分にとって親しい間柄の人間の前でだけ雄弁で、初対面の人や、慣れない人間との折衝においては、まったく別の人格と化したかのように無口になり、同時に、檜山に言わせると「頭の回転までが鈍くなる」のだった。

その点を何度も指摘されてきて、橋詰自身も悩んでいるらしいのだが、

「ぼくは人見知りする人間なので。東北訛(なま)りを気にしてるのかも……」

と檜山以外の者たちには言い訳する。

「人見知りってのは、子供がやることだ」

橋詰の自己弁護の言葉を人づてに耳にした檜山は、そう言って怒ったのだが、それ以来、橋詰はそれとなく折に触れて檜山を批判する言葉を口にするようになっていた。

そんな橋詰の言葉は、尾ひれ背びれがついて檜山の耳に届き、ことしに入ってから険

悪な状態がつづいている。

留美子は、橋詰の弱点のようなものは、じつは彼が自分のふるさとの訛りを異常なまでに隠したがるせいではないと思ってきた。

関西人が関西訛りを使うことは自然なことだし、九州出身の人も東北出身の人も、どんなに標準語というものを使いこなせても、何かしたひょうしに身にそなわった訛りが出てしまうのは当然であって、それをことさら気にする相手がいるわけはなく、不快に思う人も滅多にいないと留美子は思っている。

だから留美子は「訛りのせいで、人見知りする」というのは橋詰の本心ではないただの言い訳であろうと勝手に分析していた。

きっとそれが性格なのであろうが、橋詰は何かにつけて「まわりくどい」のだった。

一プラス一は二になりますという簡単な説明を、なぜこの一にもうひとつの一をプラスするのかという説明から始める。そうしないと、二という数字を相手に伝えることができないかのように。

「あの件はどうなりましたか?」

と顧問先に問われると、

「こうなりました」

と答える前に、なぜこうなったかという理由から長々と説明しようとする。

「こうなりました」

と先に答えれば電話は一分か二分で済むし、相手も要点を即座に認識できるのに、と留美子も橋詰の不要な説明をかたわらで耳にしながら苛々してしまう。

自分を自分以外のものに、あるいは自分以上のものに見せようとすることが、この能力のある男を停滞させつづけているのだと留美子は思っているのだった。

檜山からの電話がかかってきて、留美子は伝えなければならない問題点を手短かに伝えた。

「事務所には他に誰かいるのか？」

と檜山はタクシーのなかからだという携帯電話で訊いた。

橋詰さんがいると留美子が答えると、檜山は、橋詰が仕事をしていようとも自分の仕事が終わったら遠慮せずに帰るようにと言って電話を切った。

「所長、いまどこにいるの？」

と橋詰は訊き、コーヒーカップを持ったまま自分の机へと戻っていった。

「タクシーのなかからだって。どのあたりを走ってるのかは仰言らなかったです」

「とにかく顧問先を一件でも増やそうって、やっきになってるからねェ。いまでも職員五人で手一杯なのに、これ以上顧問先が増えたらお手あげだよ。所長もあんまりあこぎなことやってたら同業者の恨みをかうよ」

「あこぎなことって？」

留美子はコーヒーを飲み干し、カップを片づけながら訊き返した。税務事務所を経営し、たとえわずか五人であっても職員に賃金を払わねばならない檜山が、一件でも多くの顧問先を開拓しようとするのは当然ではないかと思ったが、そのことは口にせず机の上を片づけて帰る用意をした。

「よその税理士さんの古くからの客を強引に取っちゃうのも、ほどほどにしないとね」

と橋詰は言った。

「うまくいってるところは、そうは簡単に税理士を替えないよ。だから経営内容の良くない会社とか個人事業主ばっかりが、うちにくらがえして……。所長は、そんなところの経営の建て直しに一所懸命になる。一税理士が、経営の建て直しに口を挟むのは命取りだよ」

「でも税務業務を担当するかぎりは、その会社とか個人事業主の経営方針に介入せざるを得ないんじゃないですか？」

留美子は、余計なことを言ってしまったと後悔し、橋詰の顔を見ないようにしてブリーフケースを持つと、事務所から出て行きかけた。

すると橋詰が、

「留美ちゃんと所長はすごく仲良しだからね」

と言った。その口振りには刺(とげ)があって、無視して帰ってしまうと、その刺の本質を自分が肯定したことになりそうな気がしたので、留美子はドアのノブをつかんだ手を離し、橋詰のほうに向き直った。

「檜山税務会計事務所の職員が、所長の檜山さんと仲が悪かったら、お互いが困るんじゃないんですか？　仲が良くて結構なことだと思うんですけど」

「仲がいいのは結構なことだよ」

橋詰は留美子に背を向けたまま言った。

「でも、所長は男で、留美ちゃんは女なんだから……」

「私が所長と仲良しだといっても、男と女として仲良しなんじゃありません」

ああ、この男はもうそんなに長く檜山税務会計事務所に勤めてはいないだろう。そんな男に何を言っても徒労だ。そう思いながらも、留美子は、背を向けたままの橋詰がなさけないくらい卑屈に見えて、

「そういう言葉って、私に対しても、所長に対しても侮辱ですよ」

と言ってしまった。

「侮辱？　どうして？　仲がいいって言われただけで侮辱だって受け取るなんて過剰反応だよ。過剰に反応するってのは、それだけの理由があるってことなんじゃないのか？」

橋詰は相変わらず背を向けて、留美子の顔を見ないままそう言い返してきた。

「橋詰さんて、男らしくないですね。どうして私を見て喋らないんですか？」

留美子は心臓の動悸が早くなるのを感じながら言った。黙って帰ってしまったらよかったと後悔したが、引っ込みがつかなくなって、これきり橋詰がいつもの外部の者に対

するように無口になってくれたらと願った。

だが橋詰は、その留美子の言葉で振り返り、

「男らしくない？　へえ、ぼくがいつか『女らしくない』って言ったら、セクハラだって怒ったのは誰なんだよ」

と言った。

「私じゃありません。きっと他の人なんでしょう。私は『女らしくない』って言われても、その言葉は女に対するセクハラだなんて怒ったりしません」

「ああ、あれはうみ子ちゃんだったかな」

「私、何度でも言います。橋詰さんは男らしくありません」

「それがどうしたってんだ」

橋詰の顔から血の気が引いた。

ああ、私、弱虫のくせに、どうしてケンカを買ってしまったんだろう……。

留美子は、橋詰との口論がこれ以上のものに発展していくのが怖くて黙り込んだ。そのとき電話が鳴った。

橋詰が受話器を取り、

「所長からだよ」

と言って、留美子に笑いかけてきた。

「まだいるんだったら、きょうは予定はないってことだろう？」

と檜山は訊いた。

「だったら、晩めしご馳走するよ。『とと一』に行かないか?」

橋詰も一緒だと困るなと思い、留美子がどう返事しようかと考えていると、

「橋詰に気づかれないようにして、『ふるよし』の前で待っててくれよ。あと十分くらいで着くから」

と檜山は言った。

「はい、わかりました」

留美子は電話を切り、再び背を向けてしまった橋詰を見ないようにして事務所を出ると、歩いて五分ほどのところにある「ふるよし」という和菓子屋の前へと行った。

十分くらいと檜山は言ったが、五分もたたないうちにタクシーが停まり、後部座席から檜山が顔を出して手招きした。

こういうところを見られたら、やはり二人の仲は疑われるだろうなと思いながら、留美子は事務所のあるビルのほうを見やってタクシーに乗った。

「二人目ができたんだよ、二人目が」

タクシーが大通りに出たとき、檜山がそう言った。

「八週目に入ったところなんだって。八週目ってのは妊娠三ヵ月目ってことだよね」

檜山は携帯電話をリレー競走のバトンのように握りしめて振った。

「えっ! 奥さん、お二人目をご懐妊ですか? おめでとうございます」

留美子はさっきまでの不愉快さが消えていくのを感じながら言った。

「でも、そんなおめでたい日に、私と一緒に晩ご飯なんか食べていいんですか？　おうちに帰って奥さんとお祝いしなきゃあ」

「だって、あいつ、実家にいるんだ。お母さんが風邪ひいて高熱でダウンしてるから、今夜はお父さんと弟たちの夕飯を作りに行って、ついでに病院に行ったらしいんだよ」

檜山の妻の実家は、マンションから電車で二駅のところにあって、最初の子供もその実家の近くの病院で出産したのだった。

「さっき事務所への電話を切ってすぐに、この携帯にかかってきたんだ。だから予定を変更したよ。ちょっと人と逢う約束してたんだけど、訳を話して、あしたに延ばしてもらった。最初の子のときは、欲しいと思ってから三年も出来なかったのに、こんどは百発百中に近いよ。あっというまに出来ちゃったなァ」

そう言ってから、檜山は照れ笑いを浮かべて、女性に対してなんという下品な言い方だろうとつぶやき、自分の口を手でふさいだ。

「いいですよ。きょうは何を言っても下品だなんて感じませんから。妊娠三ヵ月目だったら、もう男の子か女の子かわかるんじゃないんですか？」

「あっ、そうだよね。でも女房のやつ、そのことは何にも言わなかったなァ」

それから檜山は笑みを消し、

「橋詰よりもはるかに優秀なやつがみつかったよ」

と言った。その人は大阪の税務事務所に勤めていて、橋詰とおない歳で、結婚しているが、妻の実家の事情で東京に引っ越さねばならなくなり、新しい勤め先を捜していたのだという。

「奥さんの実家は板橋で映画館をやってるんだ」

「へえ、映画館を？」

「十八歳未満の方お断りを専門に上映する映画館なんだ。お父さんは十年前から寝たきりで、お母さんが実質上の経営者になってたんだけど、そのお母さんが乳癌になっちゃって……。すごく初期の癌で、手術もうまくいったんだけど、もう無理はさせられないから、その映画館を娘によろしく頼むってことになったらしいよ」

橋詰には辞めてもらうと檜山は言った。

「そのこと、橋詰さんは知ってるんですか？」

と留美子は訊いた。

「けさ、出勤前に橋詰の家に電話して、きみは俺の事務所にはもう必要ないって言ったよ。あいつ、一ヵ月ほど前に、小田切さんに就職の世話を頼みに行ってたんだ。小田切さんにあることないことを喋りまくったそうだよ」

小田切は関東方面の税理士の世界の重鎮で、檜山鷹雄にとってはいわば師匠にあたる人物だった。橋詰は、その小田切の推薦で檜山税務会計事務所に就職したのだった。

「あんなに自分の勤め先のことを悪く言うような人間に就職の世話なんてできないって

小田切先生は仰言ってたよ」

と檜山は言い、大きな欠伸をした。

「朝一番の飛行機で千歳へ行って、そこから車で札幌へ。仕事を済ませてまた千歳へ戻って、さっき羽田へ帰って来て……。疲れて、なんだか苛々してたけど、女房からの電話で元気が湧いてきたよ」

「おめでたいおしらせですもんね」

留美子はさっきの橋詰とのことは黙っていた。すると、

「橋詰はいつもと変わったところはなかったかい？」

と檜山は訊いた。留美子は、別段変わったところはなかったと答えた。

「俺の事務所に勤め始めたころは、すぐ戦力になってくれたし、人の悪口は言わないし、労を惜しまないし、ほんとにいい人が来てくれたってありがたく思ってたんだ。でも三年前だったかなア、何かのことで俺がきつく怒ったんだ。それから変わった。なにかにつけて、俺のやり方を陰で批判するようになって、俺のいないところで俺の真似をするようになりやがった」

「所長の真似って、どういうことですか？」

「檜山税務会計事務所を実質的に動かしてるのは、所長の檜山じゃなくて、じつはこの自分なんだっていうふうに人に思ってもらおうって魂胆がはっきりわかるような言動をとるようになったんだよ。俺の叱り方が未熟だったんだな。ちょっと感情的に怒りすぎ

た」

しかしそれは、何度も何度も注意を促してきて、いっこうに改まらないからついに堪忍袋の緒が切れたのであって、自分は橋詰の誇りを傷つけるつもりなど毛頭なかったのだと檜山は言った。

「あいつ、これからどんなところで働こうとも、結局似たようなことで、そこでも必要のない人間になっていくよ」

檜山は、留美子があした出勤前に図書館に寄って返そうと思って事務所から持って出た「飛行蜘蛛」に目をやり、それはどんな本なのかと訊いた。留美子が説明しようとしたとき、タクシーは「とと一」の近くで停まった。

店の前まで行ってもいいが、車が混んでいるのでここから歩いたほうが早いと思うとタクシーの運転手は言った。

「とと一」のカウンターに坐り、留美子は弟の亮が売った李朝時代の木の棚を指差し、これが「とと一」の主人の手に渡ったいきさつを小声で檜山に説明しながら、なにげなくカウンターで食事をしている客たちの顔に目をやった。

どこかで逢ったことがあると思える人物が留美子を見ていたが、その人物は目が合うと視線をそらし、隣に坐る中年の女性との会話に戻った。

たしかに自分はあの人とどこかで逢ったことがある……。

留美子はそう思って、またそっと男に視線を向けた。男もまた留美子を見ていた。

「あっ、上原さんだ」

と留美子はつぶやいた。それと同時に、相手も留美子が誰かを思い出した様子で、かすかに笑みを浮かべ、それとなく会釈をおくってきた。

上原桂二郎が女性と一緒だったので、留美子はどうしようか迷った。知らないふりをしていたほうがいいのではないかと思ったのだった。

だが上原桂二郎の会釈の仕方は、男と一緒に「とと一」に入って来てカウンターについた留美子への遠慮をあらわしていたので、きっと自分と同じ気遣いをしているのであろうと思い、留美子はことさら屈託のない笑顔を浮かべて大きく会釈を返した。

上原桂二郎は立ちあがり、留美子の坐っているところにやって来て、

「氷見さんによく似たかただなァと思ってたんです」

と言った。

「このお店、よくいらっしゃるんですか？」

と留美子は訊いた。

「あのかたにきょう初めてつれて来てもらったんです」

と上原桂二郎は和服姿の女性に目をやって言った。

留美子は、檜山を紹介し、自分はこの人の税務事務所に勤めているのだと言った。そして檜山に上原を紹介した。

上原は檜山に一礼すると自分の席に戻っていった。

「うちのお向かいさんなんです。上原工業の社長さん。『ウエハラ』って調理器具があるでしょう? お鍋とかフライパンとか……。二匹のダックスフントが坐ってるマークの」

「ああ、あの会社の? うちの鍋、『ウエハラ』の鍋だよ。フライパンも」

檜山は言って、名刺を渡しとけばよかったなアとささやいた。

「調理器具のメーカーとしては老舗中の老舗だよね。留美ちゃんとこのお向かいさんなのかア……」

檜山は、まずぬる燗を二本註文し、鰹の皮の山椒焼きを頼んだ。

「おめでたい日だから鯛にしませんか?」

と留美子は言い、鯛の刺身を頼んだ。そして檜山の猪口に酒をつぎ、

「お腹の赤ちゃんが元気に育ちますように」

と乾杯した。

「とと一」の主人が厨房から出てきて、和服の女性に挨拶をし、上原桂二郎に自分の名刺を渡した。

「この女将は口が肥えてましてね。うちの若いのは女将がいらっしゃると、びくびくしてますよ」

と「とと一」の主人は言い、留美子に気づくと、この李朝の棚はあのかたの弟さんから買ったんですよと二人に説明した。

「弟さん、お元気ですか？　東京に来たら、またこの店に来て下さいってお伝え下さいね」

「とと一」の主人の言葉に、

「弟は薄給の身で、そのくせ高価な木の根っ子なんか買い集めてるので、東京に帰って来ても財布はいつもからっぽなんです。自分で、このお店になんかとても無理です。だから、李朝の棚を買ってもらって、とても喜んでました。天からお金が降ってきたって」

そう留美子は言った。

「でもこの李朝の棚をみつけてくるんだから、弟さんは大変な目利きですよ」

その「とと一」の主人の言葉には、この俺も目利きだろうと自慢する響きもあって、女将と呼ばれた五十半ばの女性は、

「かっちゃん、それって自分はもっと目利きやって言うてるようなもんやねえ」

と留美子を見て笑った。

「とと一」の主人を「かっちゃん」と呼ぶ女性は、どうやら京都で料亭かお茶屋を営んでいるらしいと、留美子は趣味も仕立てもいい着物や、目鼻立ちの整った横顔を見て思った。

「とにかく店に入ってくるなり、この棚を見て、ええもんを手に入れはったアって言って、穴があくほど眺めてるんだから」

と主人は言った。そして、上原と女性の前でゴルフの話を始めた。

「こんなに上手なかただなんて、この女将は事前に教えてくれなかったから、ぼくみたいな下手なやつはスタートホールでうろたえましたよ」

と上原桂二郎は言った。

「ほかに道楽がないもんですから、四十代はしゃかりきに練習したんですよ。朝、築地で魚を仕入れて、家に帰ってひと風呂あびて、それからゴルフの練習場へ。店が休みの日はゴルフ場へ。雨が降ろうが槍が降ろうが、ゴルフ、ゴルフ、ゴルフ。私の四十代ってゴルフ一筋だったですよ」

「とと一」の主人は言った。

「五十代になったら、若いおなごはん一筋に路線変更しはってん」

と女性が言った。

「そうなんですよ。お陰でハンデが三だったのに五にまで落ちちゃって。だから還暦を過ぎて料理一筋に戻ったってわけ。女遊びは、肝臓に悪いよ、まったく」

「とと一」の主人は悪びれたふうもなくそう言って笑った。

「なんで女遊びが肝臓に悪いの？」

と女性が真顔で訊いた。

「酒飲まないと元気出ないんだよ。ゴルフにたとえるとハーフでへとへとになっちゃって、バックナインを回り切れない」

「つかのまだけどね。要するに酒で神経を騙すんだね」

会話を耳にしているうちに、留美子は、上原と女将と、「とと一」の主人が、きょうゴルフに行ったのだということがわかってきた。

留美子は、三人の会話が途切れたときをみはからって、あの夜、佐島老人の事故の際に居合わせた青年が、上原家の長男の俊国なのか次男の浩司なのかを上原桂二郎に訊いてみようかと考えたが、場の空気に合わない無粋なことはしないほうがいいと思い直し、檜山に勧められるままに近江牛の炭火焼きを註文した。

「何千人、何万人なんて数の社員を擁する企業だと、ひとりひとりの社員の欠点なんかは、係長とか課長とか部長とかが処理するんだけど、うちみたいなたった五人程度の、いわば個人商店的なところは、かえって人事に関しては面倒だね。どうしても個人的な情が介入してしまうからね」

と檜山は言った。

「たった五人でも派閥ができたりしますもんね」

と留美子は相槌を打った。

「私、学生のとき、引っ越し屋でアルバイトしたことがあるんです。引っ越しの規模にもよるんですけど、基本的には五人で一チームなんです」

「へえ、引っ越し屋さんなんて、力仕事やってたんだねェ」

と檜山は笑った。

「女の子は、衣類、食器、その他の小物を梱包するのが仕事なんです。電気製品とか家具とかの重い物は男の子が担当で」

「なるほど」

「そのたったの五人のチームでも、仲のいい人、悪い人、ズルをすることばっかり考えてる人、自分が中心じゃないとすぐにむくれちゃう人……。いやになるくらいさまざまで、仕事よりもその人間づきあいに疲れちゃって……」

と留美子は学生時代を思い浮かべながら言った。

「だから俺は、うちの事務所のなかで、おかしな派閥だとか、所員同士のつまらないいざこざをチェックして、うまく処理する役を橋詰に託したんだよ。それなのに、肝心の橋詰がそういう問題の元凶になりやがって。俺は俺の事務所の連中の自意識に給料を払ってんじゃねェってんだ」

やがて話はあっちへ飛びこっちへ飛びして、タクシーのなかでの飛行蜘蛛の話題へ戻った。

留美子は「飛行蜘蛛」という本の最初の十ページくらいを読んでいたし、空を飛ぼうとする蜘蛛について、橋詰からも話を聞いていたので、あらましを檜山に語った。

「留美ちゃん、なんで空を飛ぶ蜘蛛なんかに興味を持ったんだ?」

と檜山は訊いた。その声は大きくて、きょうのゴルフの話題に興じていた「とと一」

の主人も着物姿の女性も上原桂二郎も、ちらっと留美子のほうに視線を向けた。

「蜘蛛が空を飛ぶなんて信じられなかったから、どうやって飛ぶのかと思って……」

と留美子は言った。

ぜひ一度、蜘蛛が幾つかの幸運に恵まれて天高く飛翔し、ゆるやかな風と上昇気流に乗って遠くの未知の地へと飛んでいくさまを見送ってみたいものだと思う……。

留美子は檜山にそう言って、錦三郎の「飛行蜘蛛」をカウンターの上に置いた。

「最近、自分の仕事関係以外の本は読まなくなっちゃって……」

本のページをくりながら檜山は言い、ここから先は自分の猪口には自分で酒をつごうではないかと提案した。

「お酌しあってると、飲み過ぎるんだ。自分がいったいどのくらい飲んだのかわからなくなるからな」

「鹿児島出張のとき、桜島製菓の社長さんや経理担当の方たちに焼酎をどんどんお酌されて、私、死にそうになりました」

留美子はその夜の、視界が回転しつづけて、奈落の底に落ちていくかのような苦しい酔い方を思い出し、カウンターの上の自分の猪口を遠ざけながら言った。

「焼酎って、お酌しあって飲むものかい？」

「グラスに注いでお湯割りにして下さるんですけど、私が飲まないと、あの方たちは飲もうとなさらないんです。だから仕方なく飲んで、次に私が焼酎をおつぎして。そうしたら飲むんです」

「まるで大学生のコンパだね。無理してつきあったら、死んじゃうぞ。急性アルコール中毒で」

「鹿児島の焼酎を飲んで死んだやつはいないって……。熊本の焼酎では死ぬけどって……」

檜山は笑い、

「鹿児島で熊本とか宮崎のことをほめたら大変だよ。熊本や宮崎で鹿児島のことをほめても機嫌を悪くさせるけどね」

一度、宮崎で食べた牛肉がうまかったと言ったら大分の人が、豊後牛と比べたら宮崎の肉なんて三流以下だとわかるとケンカ腰で怒られた……。檜山はそう言った。

客が入って来て、「とと一」の主人はその大柄な男に、

「いらっしゃい。わざわざすみませんねェ」

と声をかけ、上原桂二郎の隣の席を勧め、

「こちら、上原桂二郎さんです」

と男に紹介した。

背が高くて骨組の立派な銀髪の男を見て、留美子は、思わず、あらっと声をあげた。学生時代に仲が良かった黄淑齢(こうしゅくれい)の父・黄忠錦(こうちゅうきん)だった。

黄忠錦は上原桂二郎と名刺を交わし、着物姿の女性にも丁寧に挨拶してから椅子に腰

かけたあと、留美子に気づいた。

「あれ？　留美ちゃんじゃないか」

そう言って黄忠錦はカウンターに身を乗り出し、上原と女性越しに笑顔を送ると、

「娘のお友だちなんですよ」

と説明した。

ことし七十歳になる黄忠錦は、本業の貴金属店を長男にまかせて、趣味が嵩じた茶の製造業を台湾で営んでいる。

娘の黄淑齢は日本名を黄淑子と名乗っていたが、それは自分が日本人ではないことを隠すためではなく淑齢という名が日本人にとっては読みにくかったり呼びにくかったりするからだった。

といって、淑齢の日本人の友だちは、「よしこ」とは呼ばず「きいちゃん」と呼んでいた。姓の「黄」に「ちゃん」をつけて、それを愛称としていて、頭の回転が良く、小さなことにこだわらず、いかにも大陸的な鷹揚な性格でありながら、親の躾の賜物であるに違いない細やかな心遣いをする「きいちゃん」にみんなは一目置いていたのだった。

いま「きいちゃん」こと黄淑齢は、両親が勧める同じ国出身の男性とお見合い結婚してサンフランシスコに住んでいる。

父親の黄忠錦は日本に住む華僑の全国連合会の重要なポストにあって、世界各国の華僑だけでなく、その国々の政治家や経済人とのパイプも太いらしい。

「転居のおしらせを私にまで送って下さって、ありがとう」

黄忠錦はよく通る声で留美子に言った。

「氷見さんは、私の家のお向かいさんなんですよ」

と上原桂二郎が言った。

「お向かい……。ほお、それはまた奇遇ですね」

「ちょっと斜め前とかじゃないんです。正真正銘のお向かい。私の家の門と氷見さんのおうちの門とは、寸分の狂いもなく真っ正面に向き合ってまして」

その上原桂二郎の言葉に、

「門の大きさは違いすぎるんですけど」

と留美子は笑いながら応じ返した。

「淑齢は、あさって日本に帰って来ますよ。結婚して初めての里帰りでね。一ヵ月くらい日本にいる予定らしいです」

と黄忠錦は言った。

「えっ？ じゃあ、きいちゃんは赤ちゃんを日本で産むんですか？」

と留美子は訊いた。

「飛行機のなかで産気づいたらどうするんだって言ったんだけど、亭主も一緒だって言うから」

きいちゃんの夫はアメリカで生まれ育った産婦人科医なのだった。

「きいちゃんに赤ちゃんが産まれたら、おじさまのお孫さんは何人になるんですか?」

「八人だよ」

長男に三人、次男に三人、長女に一人、末娘の淑齢に一人、計八人になる。黄忠錦は言い、来月には曾孫(ひまご)も産まれるのだと笑った。

末娘のきいちゃんと長兄とは十五歳の開きがあるのだった。

「おめでたつづきですねェ」

と上原桂二郎は言い、うちの息子二人はとんと浮いた話がなくて、孫どころか、いつ嫁が来るのかさえも見当がつかないと苦笑した。

近江牛の炭火焼きが運ばれてきた。

昼にラーメンを食べたきりだという檜山は、腹が減ったと言いながらも、註文した料理はほとんど食べず、手酌で酒ばかり飲みつづけた。

それは檜山が悪酔いするときの飲み方だったので、留美子は、いくらお祝いの酒だといっても少しは食べなければと箸を握らせた。だが檜山は一定以上の酒が入ると、酔いが醒めるまではどんな食べ物も胃が受けつけなくなるのだった。

「やばいなァ。所長がそういう飲み方を始めたら、奥さん以外は誰も止められないんだから……。私、面倒なんかみませんよ。うっとうしくなったら、そこらへんに放り出して帰っちゃいますからね」

留美子はわざと邪険に言った。実際、そうするつもりだった。

「いいよ。放り出してくれて。俺だってたまには酔いたいよ。酔ったら、タクシー拾って帰るから」

「そんなこと言ってて、学生時代の友だちの家に帰っちゃったことあるじゃないですか」

「ああ、そんなこともあったなァ。学生時代、あいつの家にいりびたってた時期があるんだよ。毎晩毎晩あいつの家で夜が明けるまでチンチロリンをやってたんだ。だから、あいつの家には自然に足が向くんだ。癖になってて、それが酔っぱらったときに出るんだね。ごく自然に、疑いもなく、タクシーの運ちゃんに『水道橋』って言っちゃうんだな」

「ただいまァって言って、その家にあがって、学生時代のお友だちの部屋に入って、勝手に蒲団を敷いて寝ちゃったんですってね」

と留美子はあとでうみ子から聞いた話を思い出しながら言った。

「友だちのお母さんも、息子が帰って来たって思い込んで、お風呂に入らないんだったら湯を落としちゃうわよって言ったそうなんだ。俺、『ああ、いいよ』って言ったんだって。そしたらそれから一時間ほどたってから本物が帰って来て、なんで風呂の湯、落としたんだよって文句言って……」

檜山は呂律を怪しくさせながらそう言って笑った。

「びっくりしたでしょうね。自分の部屋に行ったら檜山鷹雄が寝てたから」

「電気消えてたから、まさか俺がそこで寝てるなんて考えもしなくて……。あいつ、俺の顔を思いっきり踏みやがったんだ。あいつのすごい悲鳴で、お母さんが金属バットを持って走って来たそうなんだ。でも、顔を踏まれたことも、近所の人までが何事かって見に来るような悲鳴にも気がつかず、俺は朝までぐっすり寝てたよ」

檜山のなんだか自慢そうな口振りで、留美子はその友人と母親の驚き顔を想像した。

「私、このお肉を食べたら、鯛茶づけで仕上げをして、さっさと帰りますから」

「いいよ、俺はここの地鶏うどんを食ってから帰るから」

「ほんとに食べなきゃ駄目ですよ。ああ、それから、きょう帰る家は水道橋じゃありませんからね」

その留美子の声が聞こえたらしく、上原桂二郎が黄忠錦の話に相槌を打ちながらこちらに目をやった。

すでに相当酔っている檜山は、何を勘違いしたのか、

「じゃあ、このお勘定、事務所のほうにまわして下さい」

と「とと一」の主人に言って立ちあがり、店から出て行った。

「あら？ 所長、帰るんですか？ 地鶏うどんは召し上がらないんですか？」

留美子は慌てて立ちあがり、檜山を無事にタクシーに乗せ、ちゃんと行き先を告げなければ、またどこへ行ってしまうかしれたものではないと考え、そのことを「とと一」の主人に伝えて、檜山の鞄を持ち、あとを追った。

「あの近江牛の炭火焼き、留美ちゃん、食べといてくれよ。俺、箸をつけなかったから『とと一』のご主人に失礼だからね」

真っすぐ歩けないくせに、檜山は炭火焼きを残したことには気を遣っている。

ああ、これだったら大丈夫だと思ったが、留美子は大通りまでついて行き、タクシーに檜山を乗せた。檜山は運転手に、妻の実家のある町名を告げた。

「まだこれからハシゴするのかと思って心配しちゃいました。奥さんのご実家に行かれるんですね」

「うん、実家の近くにうまいおでん屋があるんだ。そこの大根とシューマイがたまらなくうまいんだぞォ」

「そこでしっかりおでんを食べるんですよ」

その留美子の言葉に、

「うるさいなァ。うちの女房の言い方にそっくりだなァ」

と言い返し、檜山はタクシーのなかから手を振った。

留美子は「とと一」に戻り、さあこれから腰をすえて、二人前の近江牛の炭火焼きを食べてやるぞと両の掌をこすり合わせ、箸を持ってから手酌で猪口に酒をつごうとした。

それを見ていた「とと一」の主人が、

「そんな若い女がひとりカウンターに腰かけて手酌で飲むなんて、寂しいなァ」

と笑いながら、留美子の前に来て徳利を取りあげ、酌をしてくれた。

「檜山さん、酔ってないですよ。三合程度じゃあ、あの人がほんとに酔うはずないからねェ」

「でも、朝食抜きで札幌へ行って、お昼は時間がなくてラーメンを食べただけらしいんです。いくら檜山さんだって、それじゃあ三合でべろんべろんになっちゃいますでしょう？　お陰でこんなにおいしいお肉を二人分食べられるんですから、私、ついてますねェ」

「とと一」で使う近江牛は、滋賀県の畜産家と特別に契約して育てたものなのだった。

電話で呼んだらしく、タクシーが「とと一」の前に停まり、和服の女性が先に帰っていった。

上原桂二郎と「とと一」の主人が女性を表まで見送りに行っているあいだに、黄忠錦は留美子に話しかけてきた。

「この十年、氷見家は大変だったねェ。十年ひと昔っていうけど、黄家もなかなかな大変な十年だったよ」

氷見家のことは娘の黄淑齢が折にふれて父親に語っていたのであろうと思い、

「父はあんなふうな残念な亡くなり方でしたけど、あの家は残ってしまって、結局、私と母とで暮らすことになりました。なんだか小さなお化け屋敷みたいで最初の四、五日は慣れないどころか、どなたか酔狂な買い手が突然あらわれてくれないものかって本気で願ったんですけど、最近になって、父が建てたへんてこりんな家の良さがわかってきて、ああ、この家を残してくれてありがたかったなァって思ってるんです」

「留美ちゃんが、変な家っていうから、淑齢のやつ、日本に帰ったら絶対に留美ちゃんの目黒の家を見に行くんだって言ってたよ」

そして黄忠錦は、この十年のあいだに、自分は二回手術したのだと言った。

「癌でね、もう手遅れだって医者にはっきり宣告されたのが、留美ちゃんのお父さんが亡くなって半年くらいたったころだよ。大腸癌で、肺にも転移しててね。でも十年たって、こうやって元気に生きてる。次男の錦明は離婚するし、長男は交通事故を起こして人を死なせてしまうし……。黄家も大変だった。淑齢には世話になったよ。持つべきものは娘だって思ったね」

留美子は、忠錦の病気のことも、淑齢の二人の兄の身に起こったことも、まるで知らなかった。

「おじさま、癌は完治したんですか?」

と留美子は訊いた。

「いや、ここにあるんだ」

と黄忠錦は自分の肝臓のあたりを指さした。

「三センチくらいの癌のやつが、もう六年間、大きくも小さくもならない。じいっと私と同居してて、私を苦しめないんだ。医者は不思議がってる。少しくらい酒を飲んでも、どうってこともない。なにかのひょうしで機嫌を悪くして暴れだしたら、そのときは私も年貢の納めどきだろうって覚悟してるんだけど、どういうわけか、この癌のやつ、おとなしくしてるんだよ」

黄忠錦は、まるで深刻ぶった表情も見せず、から元気とは到底思えない笑い方で肝臓のあたりをさすった。

上原桂二郎と「とと一」の主人が戻って来て、三人はまた話を始めた。

三人の言葉には、「華僑」とか「台湾」とか「福建省」とか「香港」「ベトナム」といった地名が混ざって留美子の耳に届いた。

近江牛の炭火焼きを二人前たいらげ、鯛茶づけも食べ、デザートに抹茶のプリンを食べようかどうか迷っていると、上原が留美子に言った。

「おうちにお帰りになるんでしたら私の車でお送りしますが」

その申し出はありがたかった。上原さえ迷惑でなければ、帰りの電車のことを気にせずにゆっくり抹茶のプリンを楽しめると留美子は思ったが、上原は帰宅を急いでいるかもしれない。

それで留美子は、デザートを食べる時間はあるだろうかと上原に訊いた。

「このお店の抹茶プリンが大好きなんです」

上原桂二郎は笑い、

「どうぞご遠慮なくゆっくり召しあがって下さい。私は急ぎませんので」

と言った。

「とと一」の主人は、見習いの板前に抹茶プリンを運ぶように言い、さらに、

「あれもお出しして。三人にね」

と言った。

「うちの抹茶プリンもうまいですがね、じつは品書きにない特別なデザートがありましてね。どうか召しあがってみて下さい」

留美子が抹茶プリンを食べていると、黄忠錦と上原桂二郎の前に、その特別のデザートなるものが置かれた。濃い紅茶色のゼリーだった。

「ぼくは糖尿病でね、甘いものは食べないようにしてるんだ。せっかくだけど」

と黄忠錦が言った。

「いや、これノンシュガーなんです。甘いから砂糖とか蜂蜜とかを使ってるみたいだけど、そんなのはいっさい使ってないんですよ。いろんな植物の葉とか根とかを低温で煮つめると、こんなにさっぱりした甘味が出るんですよ。それを寒天でかためましてね。まあいろんなものを使うからノンカロリーってことはありませんが、カロリーなんて微々たるもんです。私も血糖値が高いくせに甘党で、食事のあと、少しは甘いものがほしいもんですから、いろいろ研究しましてね。漢方薬に使う植物の根とか葉とか実とかを組み合わせてみたら、こんなのができちゃった」

「とと一」の主人はそう説明した。

一口食べた上原桂二郎が、

「シナモンの香りがしますね」

と言い、

「糖分はいっさいなしですか?」

そう訊いた。

「糖分はほとんどゼロです。弟の息子が大学の薬学部で助教授をやってるもんで、成分を調べてもらったんですよ。このゼリー一人前でカロリーは十八キロカロリー。糖分は三パーセントでした。カロリー制限をしなきゃいけない人のために売り出そうかって、本気で考えてるんだけど、大量生産ができないんですよ。だから自分で作って、ゴルフ場にペットボトルに入れて持っていくんです。そのときはジュース代わりですから寒天は使いませんがね」

と「とと一」の主人は言った。

「どんな種類の植物を使うんだい?」

と黄忠錦に訊かれたが、「とと一」の主人は門外不出の秘伝だと笑って答えなかった。

留美子の前にも、その紅茶色のゼリーが運ばれてきた。

上品な甘さで、シナモンの香りとともにわずかな苦みがあったが、その苦みがゼリーにただ甘いだけのデザートとは異なる独特の風味を与えている。

「おいしい……。上等の蜂蜜を贅沢(ぜいたく)に使ったって感じですね。糖分がたったの三パーセントだなんて信じられません。これ、製品にして売り出したら絶対評判になると思います」

と留美子は言った。

「製法特許を取っといたらどうです？　ほっといたら、きっとどこかの菓子メーカーとか製薬会社が類似品を作って大量販売に乗り出しますよ」

上原桂二郎も真顔でそう勧めた。

「でもヒントは韓国の家庭料理なんですよ。料理っていうよりも菓子ですね。昔、貧しくて砂糖なんて使えなかったころに、どこかのおうちのお母さんが、子供たちに何か甘いものを食べさせてやろうと思って、あれこれ工夫してみたんですね。だけど十何種類の草や木の根を煎じて出来あがったのは、砂糖や蜂蜜をまったく使ってなくても、やっぱり糖分は高いんです。それはいまでも韓国の伝統的な菓子として残ってるんです。私はそれをヒントにいろいろ考えて、甘みはあるが糖分はゼロに近いものってのを作ってみようと……。そしたら偶然、こんなのが出来ちゃった」

「私に作ってくれよ。特別料金払うよ」

と黄忠錦は言った。

「漢方薬の材料だったら、私がいくらでも持ってくるよ」

「でも、製品にして売りだすなんて無理ですよ。大きめのペットボトル一本分作るのに、何種類もの葉や根っ子がドラム缶一本分くらい必要なんだから」

「じゃあ、このゼリーのお菓子、店で出すときは一人前幾らなんだい？」

と黄忠錦が訊いた。

「とと一」の主人はいたずらっぽい笑顔で人差し指を立てた。

「千円ですか？」

うわァ、高いゼリーと思いながら留美子は訊いた。

「お嬢さん、冗談じゃありませんよ。一万円です。一万円頂戴しても赤字だなァ」

と「とと一」の主人は言った。

「だから店のメニューとしては出せないんです。特別のお客様だけ。それもサービスで」

残った三分の一のゼリーを見つめ、

「こころして頂戴します」

と言い、留美子は居ずまいを正し、スプーンを舐めた。

三人の男たちは笑った。

「とと一」を出ると、店の前に上原桂二郎の車が待っていて、一度見たことのある中年の運転手が後部ドアをあけてくれた。

「あの店でお逢いしたことも奇遇ですが、黄さんのお嬢さんと氷見さんがお友だちだったってことも奇遇ですね」

車が動きだすと、上原桂二郎はそう言った。

「はい。黄のおじさまがお店に入っていらっしゃって、上原さんたちとご挨拶されたときはびっくりしました」

留美子はこれ以上きれいに拭けないし、掃除もできないであろうと思える上原の車の光沢に感心し、車内の清潔さに目をやりながら言った。

「あの店にはよく行かれるんですか？　ぼくは今夜が初めてです。一緒にいた女将が『とと一』のご主人と懇意で、その『とと一』のご主人が黄さんとは昔からのお知り合いでして」

上原の言葉に、所長の檜山があの店を好きで、それで月に一度くらいの割合で利用するのだと答えた。

「私のお給料では、月に一度でもかなりの贅沢なんです。きょうは、所長の奥さまのお腹に二人目のお子さんがおできになったので、そのお祝いにってつれてって下さったんです」

それから留美子は、佐島老人の事故に話題を移した。

「病院から帰って来て、佐島さんのおうちのお掃除に行ったら、きれいに片づけられてて、上原さんと息子さんとで割れたガラスや廊下の血を掃除して下さったんですね」

「氷見さんも、あのとき足を怪我されたそうですね。あとで佐島さんから聞きました」

「私の怪我はたいしたことないんです。でも足の裏でしたから、抜糸するまでスニーカーを履いて会社に行ってました」

「よくあの事故に気づきましたねェ。おかしな物音を聞いても、他人の家に入ってまで調べようとする人は滅多にいません。佐島さんは氷見さんのお陰で命拾いをしましたよ。ご本人もそう仰言ってました」

「私、お節介焼きで図々しいんだなアって、やっと気づきました。母に似たんです」

留美子の言葉に上原桂二郎は笑い、

「いや、きっと氷見さんは勘がいいんです。単なる普通の物音じゃない。きっと何か異常なことが起こったんだっていう一瞬の勘ですよ。そうじゃなきゃあ、若い女性がひとりで他人の家に飛び込んで行ったりはしませんよ」

と言った。

「あのとき、母はお風呂に入ってたんです。だから佐島さんのところに行こうにも行けなくて……。上原さんの息子さんの浩司さんがたまたま通りあわせて下さって……」

その留美子の言葉に、上原桂二郎は表情の少ない一種の威厳ともいえるものを持つ顔をそっと留美子のほうに向け、

「浩司?」

と訊き返した。

「はい。浩司さんです。あとでガレージから車を出して、遊びに行く準備をなさってる浩司さんと、私、窓越しに話をしたんです。そのとき、お互い簡単に自己紹介しましたから」

留美子は、上原桂二郎の一瞬の怪訝(けげん)そうな表情に不審なものを感じた。佐島老人も、

あのときいあわせたのは上原家の次男の浩司ではなく、長男の俊国だと言い張った。いまの上原桂二郎の表情も、それを匂わせるものではないのか……。

留美子はそう思ったのだった。だが上原桂二郎は、

「うちの息子は二人ともあの家には住んでいないんですが、あの日、車を使うために帰って来たんですね。救急車が行ってしまってから、家に駆け込んできて、大変な出血量だって私に言って……。風呂場のガラス戸で背中を深く切ったようだって……」

と言った。浩司ではなく俊国だとは言わなかった。そして、佐島老人が若いころどんなに洗練された秀麗な紳士であったかを語った。

「夏はパナマ帽、冬はソフト帽をかぶってらして、それがとてもよくお似合いになって、映画俳優でもあれだけの美男子はいないって、私の母が言ったくらいです。私も子供心に、佐島さんの服装のセンスが、周りのおとなと比べて並外れて素敵なのがわかって、とても憧れたものです。佐島さんのお嬢さんがお父さまにそっくりでしてねェ、とてもおきれいで、高校生のころ、私の友だち連中は、佐島さんのお嬢さん見たさに、私の家に遊びに来たものです」

大学を卒業したとき、お祝いに背広を仕立ててもらったのだが、自分は佐島家を訪ねて、どこの店でいつも背広を仕立てていらっしゃるのかを教えてもらい、その店で生まれて初めて背広を作ったのだと上原は言った。

留美子は、上原桂二郎の話を聞きながら、ひょっとしたら、あの夜の青年は、次男の浩司ではなく、長男の俊国だったのではないかと考えていた。

佐島老人の病院での言葉や、さっきの上原桂二郎の「浩司？」という言葉と一瞬の表情の動きが、ある種の胸騒ぎに似たものを留美子にもたらしたのだった。

トシクニ……。ウエハラトシクニ。十年前、私に手紙を手渡した十五歳の少年も俊国。だが姓は須藤。

いや、どうも自分の考え過ぎだ。「トシクニ」という名前は、さして珍しいものではないし、十年前のあの少年がじつは上原家の長男であり、本人はそのことを氷見留美子に知られたくなくて、弟の名前を使ったなどとは、いかにも空想的だ。

こんなふうに考えるのは、自分で自分をいささかヒロインに仕立てようとする心があるからだ……。

留美子はそう思い直し、

「上原さんのお召しになってる服もとても素敵です」

と言った。

上原は笑顔で、

「若いお嬢さんにほめていただいて恐縮です」

と言った。

「父の会社を継ぎましてからは、ずっと背広やジャケットやズボンは、その佐島さん御用達のテーラーで仕立てているんです。そこも代替わりをしましたが、跡を継いだ息子さんじゃなくて、先代のときから勤めつづけてる職人さんのほうが商売熱心で、もう七十歳を過ぎてるんですが、若い男性用のファッション雑誌はすべて目を通してますし、イギリスやイタリアへも年に一度は行って勉強を怠らないんです」

「若いお嬢さんだなんて……。私、もう三十二です。若いお嬢さんて言っていただける歳じゃありません」

と留美子は言った。

「三十二歳は、まだまだお若いですよ」

上原桂二郎は、いかにもおかしくてたまらないというふうに笑った。

「私が五十四歳の中年男だからそう申し上げてるんじゃありません。三十代前半が、人間にとっていちばん美しい時期だと私は思ってます。二十代ってのは、ただ若いだけで、世間のことにもさほど通じてはいませんし、仕事も半人前以下です。でも三十代になると、その人間の骨格というものがはっきりしてきます。肉も筋肉も骨格の上につくんです。その人の人間としての肉や筋肉が、三十代に入ってやっと表に出てきます。だから三十代というのは、とても大切な年代だと思いますね」

「四十代はどうなんでしょう」

と留美子は訊いた。

「四十代ですか……」

　上原桂二郎は少し考え込み、

「いろんな意味で、惑う年齢ですね」

　と言った。

「やはり、表向きの若さというものからは急速に離れていきますが、逆にいろんな欲望は増幅されてくる。そのずれのなかで、精神的にも肉体的にも失敗を冒しやすくなります。自分が置かれている立場も、三十代と四十代とでは違いが大きくなりすぎてきますからね」

「じゃあ、五十代は？」

　と留美子は訊いた。訊いてしまってから、自分はいま少し調子に乗っているなと思った。

　だが上原桂二郎は気にしたふうもなく、流れ過ぎていく街の明かりに目をやりながら微笑むと、しばらく考え込んでいた。

　一見、とっつきにくいといってもいい彼の容貌は、笑みが生じると、留美子には波が静かに打ち寄せている砂浜のように見えた。潤沢な何かが顔中に満ちる上原桂二郎の笑顔には強さがあったが、笑みが消えるとひどく孤独そうな翳(かげ)が射した。

「五十代ですか……。私自身、その真っ只中ですからねェ。自分のことはわからないものです」

そう言ってから、上原桂二郎はさっき「とと一」で一緒だった着物姿の女性について語った。

「あの人は京都の『くわ田』っていう料亭の女将でしてね。二十二歳で『くわ田』の跡取り息子と結婚したんです。その翌年から、女将として座敷に出るようになったんですが、並いる芸妓がやきもちを焼くほどの美人だったそうです。鮎子さんという名前なんですが、私が鮎子さんと初めて逢ったのは、彼女が三十七歳のときでした。ちょうどそのころ、ご主人が大阪と東京に支店を出して、それがうまくいかず、借金まみれの状態でした。亭主が作った借金も、鮎子さんが返すのに十年かかりました。その十年というと、彼女が三十七歳から四十七歳のあいだです。自分が『くわ田』の嫁となってから『くわ田』は衰退したと言われたくないって覚悟で、そりゃあ死にもの狂いの十年でした。その十年間の苦労が、五十代になって花開きました。料亭の経営は、いまもなかなか大変でしょうし、世の中の景気不景気がもろに影響する商売ですから。でも、五十代に入ってからの彼女には、若くて美しかったころにはなかった風格が身につきました。それも、どこか近寄りがたい風格ではなくて、人をなごませる風格です」

そして上原桂二郎は、またしばらく考え込み、

「五十代は、その人間がつちかってきたものが表面化してくる年代だと言えるかもしれませんね。たとえば、野ざらしにされていた汚れた木に鉋を当てて削ると、びっくりするような見事な木目と光沢があらわれるといったふうにです。でもそれはいまあらわれ

たばかりの木目と光沢です」

　上原桂二郎はそこで喋るのをやめ、

「うーん、うまく言葉では伝えられませんね」

　と言って苦笑した。

「野ざらしにしてあった太い木を鉋で削ると、木というものの凄さに愕然とするって、弟から何度も聞かされました」

　留美子は、また自分は的外れなことを口にしていると思いながら言った。

「弟さんは木材にかかわるお仕事なんですか？」

「ええ、アメリカに留学してコンピューターの勉強をしたくせに、突然、木材を扱う仕事を選んだんです」

　亮の、木工の仕事をこころざすに至った心境らしきものを、留美子がかいつまんで話すと、上原桂二郎は、

「弟さんはその歳で、よく思いきって決心しましたねェ」

　と言った。

「木ってのは、凄いもんですね。私の尊敬する老人が岡山の倉敷に近い山あいでひとり住まいをなさってるんですが、そのかたが大切にしている文机は、腕のいい指物師が作ったものなんです。引き出しもなにもないただの変哲もない文机です。木はたしか欅だったと思います。それが、どう見ても一枚の長い木を折り曲げて作ったように感じるん

です。実際は、物を載せたりする部分と、脚にあたる部分とは接いであるんですが、長くてぶあつい板を直角に折り曲げたように見える……。腕のいい職人の作ったものには、そういう不思議さがあるんですね」

上原桂二郎は、これは木とは異なる世界の話だがと前置きし、自分の知り合いに針を製造する会社を経営している人物がいるのだと言った。

「針……？」

「ええ、針です。縫い針、注射針、工業用の極めて細い針……。針と名のつくものはすべて彼の工場で製造されます」

針は機械が造りだす。造られた針は次から次へとベルトコンベアに乗って製品チェックをする部署へと運ばれてくる……。

「ですが、針の先端にほんのわずかな傷があってもそれは不良品として捨てられます。針の先なんて、よほど目のいい人でも肉眼でははっきりと見えません。その見えない針の先の、ほんのわずかな傷をみつけられるのは、彼の工場に昔から勤めている五十八歳のおばさんだけなんです。コンピューターを使って針の先を点検しても、微細な傷はみつけられない。その五十八歳のおばさんの肉眼以外では不可能なんです」

ベルトコンベアで運ばれてきた針を、そのおばさんは無造作に片手で束ねて丸め、とんとんと台の上で並べる。誰かと話をしながらでも、片手でつかんで一回で束ねる針の数は二百二十本くらいで、多くても少なくても、その差はせいぜい五、六本にすぎない。

「針の先を上にしましてね、ちらっと見るだけなんです。それだけで、そのおばさんにはどの針が不良品かがわかる。おばさんは、ピンセットでその不良品をつまんで、不良品を入れる箱にぽいっぽいっと捨てていく。彼女が不良品を見逃したことは、この二十五年間で一本もないんです」

その工場を見学させてもらったとき、不良品の針と、そうでない針の先端を顕微鏡で見せてもらったのだと上原桂二郎は言った。

「ほら、ここに傷があるでしょうって教えてもらって、やっとわかる程度です。でもそのおばさんは、顕微鏡なんか必要ない。二百二十本に束ねた針の先をぱっと見ただけで、わかる……」

といって、そのおばさんの視力が格別に優れているわけではない。それどころか、四十五歳ころから老眼鏡が必要になり、いまでは老眼鏡なしでは新聞の字どころか、社員食堂の昼食の皿にあるのがハムなのかソーセージなのかも判別できないのだ。

「どうしてわかるんですかって訊いたんですよ。そしたら、束ねてある針の一本をピンセットではさんで、『ほら、ここに傷があるでしょう？　他のとははっきり違う光があるでしょう？』って教えてくれたんですが、私にはその不良品の針と、そうでない針は、まったく同じものにしか見えないんです。その会社の社長も、見分け方をこれまで何度も教えてもらったけど、ついにわからないままだそうです」

これもまた秀でた職人技としか形容できないと上原桂二郎は言った。

「いまその会社では、ひとりのおばさんの後継者捜しが急務になってます。でも、おばさんと同じことができる人があらわれないんですよ」

日本の職人の技というのは、世界でも類例がないくらいに優れている。いまロボットやコンピューターといったものに大方の目が向いているが、多くの先端技術も、じつは名もない職人たちの神業のような能力が支えているのだ……。

上原桂二郎はそう言った。

「私の会社でも、じつにさまざまな大きさの鍋やフライパンやヤカンなどを造りますが、そのための型を造るとき、腕のいい職人さんなしでは到底仕事ができないんです。目や耳や手や指だけでミクロの単位の仕事をやってのける技術は、自慢じゃないが日本の職人が世界一ですよ」

上原桂二郎が、

「木工の世界も」

と言ったとき、車は留美子の母がパート勤めをしている精肉店の前を曲がって、氷見家と上原家の門へとつづく通りへと入った。

「早く着いたね」

と上原は運転手に言った。

「はい。道がすいてましたので」

と運転手は答え、氷見家の小さな門扉のほうに寄せるようにして車を停めた。

留美子は礼を述べ、上原桂二郎が家のなかに入るのを見送ろうとしたが、上原は留美子が玄関の戸をあけるまで車の傍から離れようとはしなかった。

──風邪をひいたようなので先に寝ます。

居間のテーブルの上に、母からの伝言が置かれてあった。

留美子は二階にあがり、廊下の窓から上原家を見た。いま乗ってきた車はもうなかった。

留美子は、きょうこそはと思い、パソコンのスイッチを入れ、電子メールの送受信のところをクリックした。芦原小巻からの返信メールはなかった。

自分と芦原小巻とが交わした約束とは、案外他愛のないものなのであろうと留美子は思った。

第四章

五月の半ば、上原桂二郎は「くわ田」の女将・本田鮎子と、彼女の友人である「とと一」の主人に紹介された黄忠錦の三人で、千葉の南にあるゴルフ場へ行った。

ゴルフ場は混んでいたが、桂二郎たちの組のスタート時間の三十分ほど前に大粒の雨が降り始め、それはたちまち豪雨となり、何組かのプレーヤーたちはキャンセルして、残念そうにクラブハウスでビールなどを飲みだした。

前日の天気予報でも、場所によっては四十ミリを超える雨量になると予想していたが、雨の降り方次第では桂二郎もゴルフを中止するつもりだった。

だが、黄忠錦はゴルフ用の雨合羽を着て、傘をさし、スタートホール近くにある小屋の前で準備体操を始め、鮎子も雨などまったく気にかける様子もなく、ピンクの蛍光色のレインウエアを着て、桂二郎に、

「きょうもスクラッチで各ホール、マッチプレーよ」

と言った。

小屋の軒下にいても、横なぐりの雨は桂二郎の顔を濡らした。

「やるのかい？　この雨のなかを」

桂二郎は気が向かないまま、ゴルフバッグに入れてある雨合羽を出しながら訊いた。

桂二郎たちの前の組の者たちは、いったんスタートホールのティーグラウンドに立ったが、

「こりゃもう到底無理だよ」

とか、

「きょうは一日中こんな天気らしいからな」

とか言って、プレーをあきらめ、キャディーにその由を伝えてクラブハウスへ戻って行った。

「これもゴルフよ」

と鮎子は笑顔で言い、

「グリーンに水が溜まったら、ツーパットであがったことにしましょう」

そう黄忠錦も言って、ドライバーの素振りを繰り返し、まだ二十歳前後のキャディーに、前の組がキャンセルしたのだから、もうスタートしてもいいのではないかと促した。

「やる気まんまんですねェ」

桂二郎は、中国の福建省で生まれ、その後祖父と両親、それに五人の兄妹たちと香港に移り、二十五歳のときから日本で暮らすようになって在日華僑として財をなした六十

九歳の大柄な男に笑顔で言った。

こうなったらつきあうしかあるまいというあきらめの心境が、桂二郎を微笑ませたのだった。

「雨もまた楽し。そう心に言い聞かせたら、雨のなかのゴルフの魅力にはまりますよ」と黄忠錦は言い、桂二郎の、はっきりと「自分はいやなのだが」と語っている顔を見つめて、

「男でも惚れる笑顔ですね」

そう小声でささやいた。

「私のゴルフはどうにも賞めようのないゴルフですから、こうなったら黄さんに賞めていただいた笑顔を十八ホール持続させてみせましょう」

桂二郎は多少の照れもあって、自分でも珍しいと思うおどけた言い方をすると、準備体操をした。かぶっている帽子のつばから雨が首筋へと伝った。

「じゃあ、お願いします。うしろの二組もキャンセルなさいましたから、どうぞゆっくり廻って下さい」

若いキャディーはそう言って、オナーに決まった桂二郎にティーショットを打つよう促した。

ボールをティーにセットしてアドレスに入ると、帽子のつばからしたたる雨粒と、さらに強くなった雨とで、ほとんど何も見えなかった。それなのに桂二郎の打ったボール

は大粒の雨を切り裂くようにして真っすぐ飛んだ。

「ほう……」

顔全体が雨に濡れることも気にかけず、桂二郎は自分の打ったボールが止まったフェアウェイの一点を見つめて、我知らず声をあげた。

「騙されたなア。どこが下手くそなんですか」

桂二郎と入れ替わってティーグラウンドにやって来た黄忠錦が言った。

「生まれて初めてですね。あんなにボールが飛んだのは。空前絶後ですね」

「空前かどうかは怪しいもんですが、絶後ってことはないですよ。いまの上原さんのフォームを見たかぎりでは」

黄忠錦は言って、一度素振りをし、きょう最初のショットをした。ボールに勢いはあったが、トップして五十ヤードほど飛んだところでラフに落ちて止まった。

鮎子はいつもと同じフォームでいつもと同じリズムで打ち、いつもと同じ距離を飛ばし、傘をさして自分のボールが飛んだ地点へと歩きだした。その歩き方も、いつもと同じだった。

蝶が舞い、野鳥が囀り、暖かい微風が吹く好天の春のゴルフコースでも、この、目もあけていられないほどの風雨のゴルフコースでも、鮎子のゴルフは変わることがない……。

なるほどこれが本田鮎子という人間の強さなのか……。

桂二郎はそう思った。そして自分も傘をさして、アウトコースを廻り始めた。このような雨のなかでなければ、おそらく気づかなかったであろう本田鮎子の強さに接して、桂二郎は、さっき冗談混じりに黄忠錦に言った言葉を実践してみせようと決めた。笑顔を十八ホール持続させようと。

「いま歩きだしたばっかりだってのに、もう靴下が濡れてきましたよ」

三番アイアンを持つと、黄忠錦は言って、二打目を打った。少しスライスしたが、三百七十二ヤードのミドルホールの、グリーンまで残り百四十ヤードくらい手前にボールは落ちたのだから、黄忠錦の三番アイアンでの二打目は百八十ヤードほど飛んだことになる。

「いいショットですねェ。私は三番アイアンなんてバッグに入れてあるだけで使ったことがありません。使ったことがないというよりも、難しくて使えないんです」

桂二郎はそう言って、得意の四番ウッドを持ってアドレスする鮎子を見つめた。

「このぬかるみでウッドはやめたほうがいいなァ」

と黄忠錦は言った。

「いや、彼女は失敗しません。私は彼女が四番ウッドをミスするのを見たことがありません」

桂二郎はそう言ったが、鮎子の振り降ろした四番ウッドは大きな水しぶきをあげ、ボールは二十ヤードほど転がっただけだった。

「珍しいねェ」

と桂二郎は鮎子に声をかけた。

「きょうは、ウッドは二度と使えへん。キャディーさん、私のウッド、バッグにしまい込んで出さんといてね」

そう言って、鮎子はうなだれて歩きだした。ゴルフコースでの鮎子は、いつもうなだれている。それは、歳を取って背の曲がった人が考え事をしながら歩いている姿に似ているので、桂二郎はときおり、

「悩みがあるんだったら相談に乗るよ」

とひやかしたりするのだが、鮎子に言わせると、自分はそういうふうにしないと一定のリズムで歩くことができないのだというのだった。

顔をあげると、つい空を見あげたり、コースのなかの老木に見惚(みと)れたり、今夜はA氏とB氏との会食なので、料理は野菜と肉類を多くしたほうがいいなどと考えてしまって、歩く速度は遅くなり、うしろの組に迷惑をかけてしまうという。

まだ二十代だった鮎子にゴルフのてほどきをしたのは、当時六十五歳の経団連の重鎮だった。

その人は厳格なゴルファーで、たいていのゴルフ場が認めるローカルルールなるものを断固認めなかった。打ちにくい場所にあるボールは、危険防止とプレーの遅延を防ぐために六インチだけ動かしていいことになっているが、その人は、

「もしボールがどうしても打てない場所にあったり、ディボットに入っていたりしたら、アンプレアブル宣言をしてワンペナルティーを加えてボールを動かせばいい。ボールをあるがままの状態でショットしないのなら、それはゴルフではない」

と恐ろしい形相で鮎子に言ったという。

それはグリーン上でも同じだった。

プレーの進行を早くするためと、相手へのサービスも兼ねて、ボールがカップに近くて、あえてパットをしなくても、まあ間違いなくカップインするだろうという場合は「OK」を出すのだが、それもゴルフではないと叱られたらしい。

「たった二十センチのパットを外してしまうのがゴルフというものなのだ」

その人はそう言ったという。

「三十センチをOKしたら、次は四十センチをOKするようになり、そのうち五十センチ、六十センチと、OKの距離が長くなり、ひどいやつらは一メートルの下りのパットを『社長、OKです』なんて言い合ってやがる。そんなのはゴルフじゃないよ。超一流のプロが三十センチのパットを外すのを俺は何度も見てるんだ。鮎ちゃん、パットのOKはなし。ボールを六インチ動かすのもなし。ボールを打ったら、ぐずぐずしてないで、さっさと速足で歩きだす。グリーン上でスパイクシューズを引きずって歩かない。同伴プレーヤーがアドレスに入ったら、決して喋ったり物音をたてない。わかったか」

さらにその人は、こまごまとゴルフのマナーを鮎子に教え、鮎子はそれを忠実に守りつづけてきたのだった。

桂二郎のゴルフ仲間は、そんな鮎子と、鮎子が桂二郎に紹介したいと思う人間だけに限られていたので、ごく自然に桂二郎もそれを真似た。

残り百四十ヤードの桂二郎の二打目も、七番アイアンでピンの五メートルほど向こうに止まった。

鮎子が拍手をし、黄忠錦は笑顔で、

「やっぱり、まんまと騙されましたねェ」

と言った。

「いやいや、まぐれもまぐれ。パーオンなんて、三年に一回くらいです」

桂二郎は言い、グリーンに向かって歩きだし、二打目を打ったところに傘を忘れたことに気づいて慌てて走り戻った。

この強い雨のなかで傘を忘れるなどとはいかなることか……。桂二郎は、自分で自分が照れ臭くて、そう胸の内で言った。

生まれて初めてというういい当たりが二度もつづくなんて、俺ごときのゴルフでは有り得ないことなのだ。これはどうかしている。きっとこの豪雨が俺に集中力を与えるとともに、気負いを消してしまったのであろう……。

そう思い、三打目を九番アイアンでグリーンの奥に乗せた黄忠錦に、自分の思いを口にした。

「だから、次のホールはきっとミスショットの連続ですよ」

するど黄忠錦は笑みを消さないまま、

「そんなことを言ったら、ほんとにそうなりますよ。調子のいいときはがんがん強気にならなきゃあ。アクセルを踏みながらブレーキも踏むようなことはやっちゃあいけません」

と言い、グリーンの上の水の溜まり具合を見た。

すでに水捌け(みずは)のいいグリーンの表面は鏡のように光っていて、水が溜まるのは時間の問題であろうと思われた。

「これやったら、ツーパットでカップインしたことにして次のホールへってわけにはいかへんね」

と鮎子が言ったとき、ゴルフ場の名前を車体に書いたマイクロバスがやって来た。

運転してきた若い男は、雷雲が接近しているし、十一番ホールも十二番ホールも、グリーンはすでに水が溜まっていて、バンカーは沼のような状態なので、ゴルフ場としては、きょうはここでクローズということにさせていただきたいと告げた。

桂二郎は、グリーンに乗った自分のボールがカップまで二メートルのところにあるのを見て、ひどく残念な気がした。このパットを沈めればバーディーなのにと思ったのだった。

「じゃあ、上原さんだけ、バーディーパットを沈めて下さい。それできょうのゴルフはおしまいということにしましょう」

黄忠錦はそう言い、自分のクラブをキャディーに渡すと、ピンフラッグを抜いた。

「下りのスライスですけど、雨でグリーンは重くなってますから、カップの左二個分のところでいいと思います」

キャディーは言って、何本かのクラブを片づけ始めた。

言われたとおりに打つと、ボールはカップに沈んだが、石ころが水に落ちるような音がした。

「カランていい音じゃないなァ。せっかくのナイスバーディーだってのにチャポンて音だった」

黄忠錦は笑いながら拍手をし、マイクロバスへと走った。

「一ホールだけ、完璧なゴルフをして、それで幕を降ろすってのも、粋やねェ」

鮎子も笑い、マイクロバスに乗ると、自分のタオルで桂二郎の首のうしろを拭いた。

「珍しいねェ。この時期に雷なんて」

桂二郎はマイクロバスのなかで雨合羽を脱ぎ、西の空の、ひときわ黒い雲を見やって言った。

「メイストームって言い方があるけど、きょうのは正真正銘の五月の嵐やね」

と鮎子が言った。

「クラブハウスに戻ったら、ゆっくり風呂に入りましょう。まだ十時前だよ。朝風呂に入るのは三年振りですよ」

と黄忠錦は笑った。

「どんなにずぶ濡れになろうとも、きょうは十八ホール廻りたかったなァ」

桂二郎は本心から言った。そんな気持ちになったのは初めてのことだった。まぐれどころではないすばらしいショットを二回もつづけて打ち、いやな距離のパットを沈めてバーディーを取ったからではなかった。黄忠錦という人物の、ゴルフコースにおけるたたずまいにもっと触れていたかったのだった。

ゴルフ場の大きな風呂には、桂二郎と黄忠錦以外は誰もいなかった。

この大雨でほとんどの客はキャンセルしたであろうが、なかには桂二郎たちと同じようにラウンドを試みた者たちもいたに違いないから、もうしばらくすれば風呂場も賑やかになるはずだった。

湯に首までつかった黄忠錦が、

「横浜の中華街には、たしかに『龍鴻閣』っていう広東料理の店がありましたよ」

と言った。

「昭和三十年の五月に開業したんです。経営者は陳世民という男です。でも『龍鴻閣』は昭和四十年に人手に渡って、店の名は『中海園』というのに変わってます。その『中海園』は、いまでも中華街にあります」

「でも経営者が変わったってことは、鄧明鴻という女も中華街からいなくなったんでしょうね」

と桂二郎は言った。

「あのころは、横浜の中華街でも、銀座や赤坂なんかで店を開いた中国人たちも、日本の法律がややこしくて、日本に根をおろしにくくて、つまり、人間の入れ替わりが烈しかったんです。いろんな中国人が、いろんな方法で日本にやって来て、いろんな事情で台湾や香港に帰って行きました。なかには、自分の国に帰らずに、サンフランシスコやロスアンゼルスのチャイナタウンに移った連中も多いんです。それは神戸なんかでも同じです。大陸のほうは中華人民共和国ができて、混乱がつづいてましたからねェ」

けれども、戦前から日本に居住し、戦後もずっと横浜の中華街で商売をつづけて来た長老のひとりがまだ健在なのだと黄忠錦は言った。

「丁喜心という老人です。ことし八十歳になったはずです。横浜の中華街で起こったことで、この人が知らないことはないって言われるほどですが、ことしの二月に風邪をこじらせて、熱海の別荘にひきこもったままなんです。だいぶ元気になったらしいですが、先月、白内障の手術をして、まだ完全に回復してないらしくて」

人を介して「龍鴻閣」のことや「鄧明鴻」という女について訊いてみたところ、最初はまったく記憶にないとのことだったが、何かの折に、

「あのひとでなしの女め」

と洩らしたという。

「何か事情があるんでしょう。丁さんが、鄧明鴻という女を知ってるんだってことは、どうやら間違いなさそうです」

我々の世界も急速に代替わりが進んでいて、昔のことを覚えている人間は極めて少なくなったと黄忠錦は言った。

「私も横浜の中華街のことは詳しいつもりなんですが、鄧明鴻という女のことは、まったく知りません。他の人間にもあたってみたんですが、どうやら丁喜心のじいさまから訊きだすしかありませんな」

「その丁さんは、鄧明鴻について何か教えてくれるでしょうか」

と桂二郎は訊いた。

ゴルフ場の風呂場の大きなガラス窓からは、さらに強くなった雨と、右へドッグレッグしているロングホールが見えていた。そのコースの、ドッグレッグに曲がるところには大きな池が配置され、池には隣のホールから流れてくるクリークが注いでいるらしいのだが、クリークには水が溢れ、さしずめ小規模な洪水がそこで生じているかに見えた。

「丁さんは、話せばわかる人です。まあ、歳をとって頑固にはなりましたが、苦労人で、面倒見のいい人ですから。体調と機嫌のいいときを見はからって、私が訊き出してきますよ」

黄忠錦の言葉に、桂二郎は礼を述べ、広い湯舟から出て体を洗った。

「華僑と華人とは違うって聞いたんですが、どう違うんでしょうか」

と隣で体を洗い始めた黄忠錦に桂二郎は訊いた。

「僑ってのは、『仮住まい』って意味なんですよ」

「ほう……。と言いますと？」

「中国籍を保持したまま、他の国で暮らしてる連中を華僑と呼びます。日本なら日本、アメリカならアメリカの国籍を取った連中は華僑ではなく華人というふうに区別します。だから私は華人ではなく華僑というわけです」

華僑といっても、中国から他の国に移り住んだ者たちすべてをさすのではないと黄忠錦は言った。

「中国大陸の南部、広東や福建を故郷とする者たちでして、だいたい五つの方言を使う地域の人々です」

「五つの方言ですか……」

「広東、福建、潮州、客家（ハッカ）、海南の五つの方言に属する人間たちというふうに分類してます」

だから、広東といっても広東省全域ではなく、広東省の広州を中心とした珠江という河の下流地域を故郷とする者たちであり、福建は福建省南部の、漳州、厦門（アモイ）付近であり、と黄忠錦は説明した。

「たとえば日本の場合、東北地方といっても、福島県と山形県とではかなりの方言の違いがありますでしょう。日本のような小さな国でもそうなんですから、あのでかい中国の広東省や福建省なんかでは、北と南では方言の違いは外国語に等しいものがあります」

「なるほど……」

「そんな人間が外国で暮らさなければならなくなると、どうしても同じ方言を使う者同士のつながりが深くなるんです」

これが中国社会に、他の国とは趣きの異なる「地縁社会」を形成してきた要因だと黄忠錦は言った。

「外国での保護を充分に受けられませんから、ごく自然に自分の身内しか信じなくなります。しかし、自分と血縁のある者なんて数が限られていますから、地縁と血縁とは同じ比重を持つようになっていきます」

二重国籍であることが、各国においてさまざまな支障をもたらすようになった第二次大戦後は、積極的にその国の国籍を取得する方向に転じたので、華僑の数は減り、華人がほとんどを占めるようになった。けれども、それは生きるための知恵であり方法であって、かつて華僑と呼ばれた存在であることに違いはないのだ。

黄忠錦はそう言った。

「外国で安定した生活をしていくためには、まず手に職をつけること、その国で重要とされる資格を得ること。そしてまずなによりも、その国の言葉に熟達すること。この三つは、どんなに時代が変わっても不変です。華僑の場合、手に職をつけるといえば、三つの刃物のどれかを自在に駆使することだったんです」

「三つの刃物といいますと?」

と桂二郎は訊いた。

「包丁。ハサミ。カミソリです。包丁は料理、ハサミは服の仕立て。カミソリは理髪ですね。このどれかを身につければ、なんとか生きてはいけるっていう考え方です」

「なるほど」

桂二郎は、自分はさっきから「なるほど」という言葉ばかり使っているなと思った。

「次の資格というのは、医師、弁護士といった分野です」

「なるほど」

「華僑と称される人たちはもともと子弟の教育というものには熱心だったんです。そういう血が、華僑や華人の外国での成功の大きな要因でしょうね。それと、信頼というものを極めて重要視する点です。外国で外国人と商売をするとき、いささかでも詐欺まがいなことをやれば、二度とその社会に受け入れてもらえなくなります。だから、身を捨ててても信頼を守ろうとする」

「なるほど」

「たったひとりの不埒者(ふらちもの)のお陰で、たくさんの華僑の信頼が水泡(すいほう)に帰すために、華僑のそれぞれの組織内では、そんな不埒者を徹底的に排除しました」

だがそれも時代とともに変わってしまったと黄忠錦は言った。

「いまは金儲けのことしか考えない連中が多くなりました。父や祖父やそのまた祖父たちの苦労は昔話になってしまって。こざかしい才覚で世渡りしようとするドラ息子どもが増えましたよ」

そして華僑社会から排除された不埒者たちは、持ち前の結束力を発揮して不埒者集団を形づくっていったのだと黄忠錦は言った。

「華僑世界を少し研究してみると、これはこれでじつに底深いものです」

桂二郎と黄忠錦が風呂場から出ると同時に、ずぶ濡れになった他の客たちが入って来た。

ゴルフ場がクローズにしてくれてよかったと真底ほっとした表情で言いながら、大慌てでポロシャツとズボンを脱ぐ者もいれば、少し待っていれば雷雲も去って、プレーを再開できたかもしれないのにと、うらめしそうに窓からコースを見つめる者もいた。

風呂場では聞こえないが、どうやら雷は鳴っているようだが、稲光は見えなかった。

桂二郎は腰から下にバスタオルを巻き、広い脱衣場の奥に置いてある籐椅子に坐って、無人のゴルフコースを見つめ、たとえ少々風邪をひこうとも、きょうは十八ホールすべてをプレーしたかったなと思った。

スタートホールのバーディーがまぐれであることは充分に承知していた。ドライバーショットもまぐれ。セカンドショットもまぐれ。バーディーパットに至っては、まぐれどころの話ではない。けれども、ことゴルフに関しては、まぐれが三回つづくなどとは、自分の思慮の及ばない難事だと桂二郎は思うのだった。

ろくに練習をしたこともない。自分からすすんでコースを廻りたいと思ったこともない。道具も、ゴルフを始めたころに買ったときのもので、最近の進歩したゴルフクラブを使おうとも思わない……。

自分がいまのホールで幾つ叩いたのかわからなくなるときが何度もある。九つだったかな？　十だったかな？　と指折りかぞえてもわからないときは、ひょっとしたらさらに一打どこかで余計に叩いているかもしれないと考えて十一と申告することにしている……。

そんな横着なゴルファーではあるが、ことゴルフにおいては、まぐれは三回つづかないと、桂二郎は固く信じている。だが、きょうはなんと三回まぐれがつづいた。それはおそらく「まぐれ」とは言えない。自分は、すばらしいショットを打つべくして打ったのに違いない。

アドレス時のボールの位置も、構えた際の膝や腰や肩の線も、トップの位置も、トップからインパクトへ至る軌道や力の入れ具合も、フィニッシュまでの体重移動も、すばらしいショットを打つ条件をおおむね満たしていたのであろう。

意識してやったことではないから、もう一度やろうとしてもたぶんできっこない。けれども、なにかその瞬間の精神的感触といったものは、まだ体のなかに残っている。

まあ、こうやって、世界中のへぼゴルファーたちは、一喜一憂を繰り返して、ゴルフという世界へはまり込んでいくのであろう……。

桂二郎は、そんなことを考えながら、ゴルフを始めたかぎりは、一生に一度くらいは、しゃかりきになって練習する時期を持つべきではないのかと思った。

自分はあまりに横着すぎる……。それは、ゴルフというものに対して無礼だ……。

そんな気がしてきたのだった。

黄忠錦が、同じように腰から下にバスタオルを巻いて、隣の籐椅子に坐った。

「ゴルフができるなんて、なんとしあわせなことかと私は思うんですよ」

と黄忠錦は、造りのゆったりとした目や鼻や口の周りに汗を噴き出させながら言った。

桂二郎が籐椅子に坐っているあいだに、黄忠錦はサウナ風呂に入っていたらしかった。

「やはり大手術だったんですね。その大きな傷跡には、なんだかはっと息を呑んでしまいます」

と桂二郎は黄忠錦の手術跡を見て、思わずそう言ってしまった。

「最初に癌だと宣告されたときは、自分の余命をだいたい一年と覚悟しまして、遺された者たちに迷惑をかけないように、借金を片づけたり、助平心で手を出した本業以外の商売に幕を降ろしたりする時間に追われつづけました。手術をして三年たって、ひょっとしたら助かるかもと思ったころ再発しまして、そのときは、ああもうこれで終わりだとあきらめの心境で、またまた死の準備にあくせくしました」

その黄忠錦の微笑混じりの言葉で、桂二郎は妻の笑顔を思い浮かべた。

――死の準備にあくせくする。

妻もまたそのような時期があったなと思った。しかしそのような心境は、当事者でなければわからないことだと考え、桂二郎は黙って黄忠錦の次の言葉を待った。

「二度目の手術は、いやがる私に子供たちが強く勧めたんです。十パーセントの可能性があるならば、その十パーセントのために最善を尽くすべきだって。それで、手術入院の三日前に、この世で最後のゴルフってものをやっておこうと思ったんです」

それで、この日本のゴルフ場のなかで、自分が最も好きなゴルフ場に、天気予報と睨めっこしながら予約したのだと黄忠錦は言った。

「天気予報が外れたとしても、せいぜい小雨程度だろうって見当をつけまして、私は自分がゴルフを一緒に廻って楽しい三人を選びました。この世で最後のゴルフのつもりだなんて言わずに……。その日も五月でしたよ」

当日、天気予報は外れたどころではない。季節外れに発生して南方海上を迷走していた台風が突然進路を日本の方へ向け、それが中国の東にあった巨大な雨雲を招き寄せたのだ。

「きょうのこの雨よりもまだ凄かった気がします。ああ、俺はこれまでいいかげんなゴルフばかりしてきたから罰が当たったんだなと思って、来てくれた三人に、きょうはキャンセルしようって言ったんです」

　すると三人は、「これがゴルフだよ」とか「雨のゴルフも、たまにはいいもんだぜ」とか「人間修業だ」とか言って、黄忠錦をコースに引っ張りだしたという。

「難行苦行なんてもんじゃありませんでしたね。雨で四人とも流されるんじゃないかって、本気で思いました。雨合羽を着てても、パンツまでずぶ濡れ。でも、何ホールか廻っているうちに、私は不思議なものを何度も見たんです」

「不思議なものを見たんですか？」

　と桂二郎は訊き返した。

「ええ、不思議なものです。どう表現したらいいんでしょうね。なにか燦然と光り輝いているものに取り囲まれてる私が見えたんです」

最初は自分の頭がおかしくなったのかと思った。そう思って目を凝らすと、その光景は消えた。だが、雨のなかをボールを打ちながら歩いていると、また同じ光景が目前にあらわれた。

「幻覚だ。幻覚があらわれるようになったら、もう俺もおしまいだな。私はそう思ったんですが、その幻覚があらわれるごとに、私は自分が護られていることを感じ始めたんです」

　と黄忠錦は言って、窓ガラスの向こうに視線を投じた。

「燦然と光り輝くもの……。それはどんな形をしてたんですか」

　と桂二郎は訊いた。

「人間のような形です。それもひとつじゃありません。何百人、何千人という数なんです。そのなかに、私が立ってるんです」

ボールを見ずに、その光景に目をやって、どしゃぶりの雨のゴルフコースで歩を止める自分を三人の友人は怪訝そうに、あるいは心配顔で振り返った。

「どうしたんだ？　気分が悪いんなら、もうやめようか？　って友人のひとりが声をかけまして、その言葉で我にかえったといいますか、とにかく不思議なものはそのあと二度とあらわれませんでした。ですが、私はなにか途轍もない歓びで体が震えました。自分はひょっとしたらまだまだ死なないのではないかという確信への歓びではないんです。死ぬかもしれないし死なないかもしれない。それはそれでいいではないか。死のうと生きようと自分は護られている……。そういう歓びです」

だから、ゴルフをしていて雨が降ってくると、またあの不思議な光景があらわれはしないかとゴルフコースのあちこちに視線を配ってしまう。けれども、あれ以後、再び同じものを見たことはないのだ……。

黄忠錦はそう言って、きょうは思いがけず豪雨によるゴルフ場のクローズでお互い昼からたっぷりと時間があるから、横浜の中華街で昼食をとらないかと誘った。

「小さな店ですが、点心やお粥のとびきりうまい店を知ってるんです。四人掛けのテーブルが三つだけの汚い店ですが、そこの親父と私とは幼馴染みでしてね。いまお話ししたゴルフを一緒にプレーした三人のうちのひとりなんです」

桂二郎は同意したが、鮎子の意向も訊いてみなければなるまいと思い、服を着てレストランへ行った。

「カラスの行水みたいに体を温めただけやから、もう二十分も前にここに来てたの」

コーヒーを飲みながら鮎子は言い、横浜の中華街に行くことに同意した。鮎子はこれまで一度も横浜の中華街には行ったことがないのだという。

ゴルフ場から横浜へと向かう車のなかで、鮎子は眠ってばかりいた。

後部座席の真ん中に坐っている桂二郎は、ときおり鮎子の頭が自分の肩に載ってくるので、気持ちよさそうなうたたねをさまたげたくなくて、体を動かさないように努めたが、そのうち、そうしていることに疲れ、運転手の杉本に頼んで車を止めてもらい、助手席に移った。

黄忠錦は、自分の携帯電話であちこちに電話をかけ、中国語で話をつづけていた。

「いかがでしたか、きょうのゴルフは」

と杉本が訊いた。

「たった一ホールだけだったけど、楽しかったよ。俺も少し身を入れて練習してみようかって思ったね」

と桂二郎は言った。

「でも、俺がそんなことを言ってたなんて、誰にも言うなよ」

「はい。喋りません」

「俺がゴルフを少し本気でやってみる気になったなんてことがひろまると、あっちこっちに引っ張り出されて、やれ次の土曜日はどこそこの社長とゴルフに行ってくれだの、次はどこそこの社のコンペに参加してくれだのって、うるさくてしょうがなくなるからな」

「はい。承知いたしました」

運転手の杉本は、桂二郎が仕事絡みでのゴルフを極端に嫌うことを知っているのだった。

「ウエハラ杯にも引っ張り出されますでしょうからね」

と杉本は言った。「ウエハラ杯」は上原工業のゴルフ好きの社員によって毎年春と秋の二回催されるコンペだった。

「ことしの春のウエハラ杯は小松さんが幹事だそうですから」

「小松が幹事？　あいつ、いつゴルフを始めたんだ？」

と桂二郎は訊いた。私は死んでもゴルフはやりませんという言葉を、これまで数回、秘書の小松聖司の口から聞いていたのだった。

「小松さんは、いまや、ゴルフ命って腕に刺青(いれずみ)を彫りかねない状態だそうです。社長がゴルフの練習に身を入れだしたなんて知ったら、跳びあがって喜びますよ」

「小松が、ゴルフ命だなんて、裏切りやがったなァ」

桂二郎は笑い、ゴルフの練習をするのは休日に限らねばなるまいと思った。

あなたがもっとゴルフを好きになってくれたら、私は歳を取っても、あなたと二人でゴルフを楽しめるのに……。

妻がいささか不満そうに言ったのは、亡くなる二年ほど前だったなと桂二郎は思った。死を覚悟したとき、妻にも「不思議なもの」は見えたのであろうか……。

もし見えたとしたら、妻はもう少し命を長らえることができたかもしれない……。

妻には見えなかったのだ……。もし見えなかったとしたら、それはきっと年齢のせいであろう……。桂二郎はそう思った。

人が、自分は充分に生きたと感じられる年齢は、人それぞれであろう。九十歳に近くなっても、まだ生き足りないと思う人間もいるであろうし、五十歳でも己が人生に納得して死に向きあえる人間もいるにちがいない。それは充足感によるものとは限らないような気がする。疲労によっても、人は死を受容できるかもしれない。もうこれ以上働くことには疲れたと感じたり、世の中の幾多の厄介事から解放されたいと思う者もいる。

だが、いずれにしても、四十代の死は、人間が得られる不思議な視力を得ないままの死であるような気がする。

もし妻が、黄忠錦の見たものと似通った何かを見ることなく死んだとしたら、それはただひとえに年齢のせいなのだ……。

桂二郎はそんなことを考えながら、車のフロントガラスをめまぐるしくぬぐいつづけるワイパーを見ていた。

妻の早すぎる死にまつわる記憶のなかには、「悔い」ばかりが一個の生き物のように立ちはだかっている。なぜもっと早く医師に診せなかったのか。病気がわかったあと、なぜもっと妻との時間を持たなかったのか。

そんなふうに考え始めると、なぜ、なぜ、なぜと悔いばかりが心を占めてしまうので、桂二郎はそんなときはあえて仕事のことに意識を移すようにしている。

桂二郎が、来週の会議で各支社長に話すべき内容のほうに思考を変えかけたとき、携帯電話を切った黄忠錦が、後部座席から身を乗り出して、

「みつかりましたよ」

と小声で言った。

いったい何がみつかったのか、黄忠錦の言葉の意味がとっさにわからず、

「えっ？　何がです？」

と桂二郎は訊き返し、上半身をねじって黄忠錦を見やった。

「鄧明鴻ですよ」

と黄忠錦は笑顔で言った。

「なんと、私の幼馴染みが知ってたなんてね」

「えっ？　みつかったんですか？」

「鄧明鴻の娘がね。鄧明鴻はもう亡くなったそうです」

「娘さんはいまどこにいるんです？」

「台湾です。住んでいる場所はわかるそうです」

「鄧明鴻さんの娘さんは、いまお幾つなんですか？」

「五十半ばくらいだろうって私の友人は言ってました」

「五十半ば……」

俊国の父が鄧明鴻と会ったのは、彼が中学二年生のときだから、昭和三十八年ということになる。そのとき須藤芳之の目にはチャイナ服を着た鄧明鴻は四十歳くらいに見えたらしい。だとすれば、もし生きていたとすれば八十歳前後か……。

桂二郎はそう計算した。

その鄧明鴻の娘が五十代半ばだというのは年齢的には妥当なところであろう……。

鄧明鴻が亡くなってしまったのなら、俊国の祖父の希望どおり、その娘に懐中時計の弁償金を渡すしかあるまい……。

桂二郎は、多少ほっとした思いでそう思った。自分が台湾に行くはめになろうとも、須藤潤介の望みは叶えなければならない、と。

「そうですか、台湾にいらっしゃるんですか……。でも、みつかってよかった。私は台湾に行かなければなりませんね」

それはできるだけ早いほうがいいだろう。自分のスケジュールを調整しなければなるまい。

桂二郎はそう思った。

「みつかったの？」

首を横に折るようにして眠っていた本田鮎子が充血した目で桂二郎を見てそう訊いた。

その顔は、桂二郎がかつて目にしたこともないほどにやつれて見えた。

「うん。本人は亡くなったそうなんだけど、娘さんが台湾にいるそうなんだ」

「台湾……。ほな、桂ちゃん、台湾に行かなあかんなァ」

「うん、一度行きたいと思ってたからね。観光をかねて、二、三日行ってこようかな。鮎ちゃん、一緒に行かないか？」

「のんきなことを……。私はいま観光旅行なんかできる余裕はあらへん。『くわ田』の台所は火の車」

商売での窮状を鮎子の口から聞くのは初めてだった。

黄忠錦と運転手の杉本がいるところでは、その「火の車」の内容を訊いてみるわけにはいかず、小さく鮎子に頷いてみせると、桂二郎は自分の携帯電話で秘書の小松に電話をかけた。

だが、小松の声が聞こえたとき、桂二郎は自分が間違いなく台湾に行くことになるとはまだ決まってはいないのだと気づき、きょうは予定を変更して、横浜の中華街で昼食をとるとだけ言った。

「はい。さっき杉本さんから連絡をいただきました。昼食を終えたあとは、どうなさいますか？」

と小松は訊いた。夜は「とと一」を予約してあるのだった。

「中華街に着くのは一時半くらいらしいから、六時に『とと一』ってのは変更だな。全員の腹具合と相談してからだ」

桂二郎は、俊国の父が中学生のときに遭遇した事件のことは小松には話していなかったが、ある事情で鄧明鴻という女性を捜していることだけは教えてあった。

「例の中国人の女、みつかったよ」

と桂二郎は小松に言った。

「えっ！　みつかりましたか。どこにいらっしゃったんです？」

「娘さんが台湾にいるらしい」

「台湾ですかァ……」

小松の口調には、どこか嬉しそうな響きがあった。

「なんだか嬉しそうだな。台湾に何かいい思い出でもあるのか？」

桂二郎は自分でもこんなことは珍しいなと思いながら、小松に冗談を言った。秘書に限らず社員に冗談を言うことは滅多にないからだった。

「思い出だなんて……。私は台湾には行ったことはありません」

と小松は言った。

「でも、いやに嬉しそうだったよ」

「ひょっとしたら私も台湾にお伴させていただけるかな、と一瞬考えたものですから」

そして小松は、桂二郎の五月のスケジュールを伝え、

「二十一日から四日間は予定が入っております。行き帰りの飛行機だけでもおさえておきましょうか」

と言った。

「俺が台湾に行くなんて、まだ決まったわけじゃないよ」

桂二郎は苦笑して携帯電話を切り、後部座席に目をやると、こんどは黄忠錦が眠っていた。

「こんなに呆気なくみつかるなんてね」

と鮎子は言い、横浜の中華街には行ったことはないが、ある店のショーロンポウは大好物でよく送ってもらうのだと身を乗り出してささやいた。

「どうして、そんな秘密を明かすみたいな喋り方なんだ？ ショーロンポウって、こう書くやつかい？」

桂二郎は自分の左の掌に右の人差し指で「小籠包」と書きながら訊いた。

「志津乃ちゃんが送ってくれるねん。志津乃ちゃんの嫁ぎ先、中華街から車で十分ほどのとこやねん」

鮎子がいっそう声をひそめたので、桂二郎はあきれ顔で振り返り、

「俺と志津乃とのこと、まだ疑ってやがる。もういい加減、嫌疑を晴らしてもらいたいね」

と笑いながら言った。

志津乃は祇園の芸妓で、桂二郎は彼女が舞妓のころから知っている。芸妓になって八年後に結婚して、その世界から身をひいたのだった。いわゆる「旦那」と称される男の妻が死に、その三年後に正式に妻となったのだった。そんな例は決して多くはなかったので、桂二郎は志津乃の結婚の際に、桐の簞笥(たんす)を祝いとして贈った。

「桂ちゃんのことを胸に秘めて、私はお嫁に行くって、志津乃ちゃんは言うたんやから」

おい、白状しろというふうに鮎子は桂二郎の肩を叩いた。

「あいつ、そんな芝居がかった思わせぶりなこと言いやがって……。あいつのいたずらだよ。ひどいやつだなァ」

五年前の、妻の病気がわかる二、三日前に、神戸に出張した桂二郎は、新幹線の車中で新大阪駅から乗ってきた志津乃とでくわしたのだった。

座敷姿しか見たことはなかったので、パンツスーツを着た長い髪の女性が誰なのか気づくのに多少の時間がかかった。ちょうど隣の席があいていたので、そこに坐るよう勧めて、桂二郎は当時二十二歳だった祇園の芸妓と東京までの時間を一緒にすごした。それを、京都から乗ってきた和菓子屋の主人が目撃し、人づてに「くわ田」の女将の耳に届いたのだった。

浮いた話などまったくない堅物として通っていた上原桂二郎と志津乃の組み合わせは、

祇園では好奇の的となり、尾ひれ背びれがついて、まことしやかに噂となっていたらしかった。

偶然、新幹線の車内ででくわしただけだということは鮎子も納得したはずだったのに、またなぜあのときのことをむし返すのかと桂二郎は思ったが、どうやらそれは鮎子の、いわば遠廻しな枕のようなものであった。

「男として、ちょっと楽しいこともあってええんとちゃうのん？」

と鮎子は声を忍ばせて言った。

「志津乃はなァ、もうれっきとした奥様なんだぞ。なにを馬鹿なこと言ってるんだよ。鮎ちゃんらしくないねエ」

「あの志津乃ちゃんが本気で惚れたほどの上原桂二郎を、どこの馬の骨かわからん女の餌食にされる前に、私がしかるべき相手をみつくろったほうがよさそうな気がして……」

「俺は二夫にまみえずだって何度も言っただろう」

「男のそんな言葉、誰が信じますかいな」

と鮎子は笑いながら言った。

「私がちゃんと見張ってるのに、しょうもない女とややこしいことになったりしたら、死んださち子さんに顔向けがでけませんやろ？」

「そんな心配はご無用だね。万一、好きな女でもできたら、ちゃんと『くわ田』の女将には相談するよ。だけど、そんなこと万が一にもないね」

「なんでそんなこと、断言できるの？　桂ちゃんは独身で、まだ五十四歳で、女から見たら相当魅力的な殿方どすえ」

「『くわ田』の女将にそう評価されて誠に光栄の至りだけどね、俺は面倒臭がり屋で、無愛想で、こんなに怖い顔してるから、悪い虫のつきようがない」

どこまで本気なのかわからない鮎子にそう言い、たしかに自分は志津乃という若い芸妓に魅かれたときがあったなと桂二郎は思った。

「四十近く歳の離れた旦那との結婚に迷ってた志津乃に、結婚しろって、どんと背中を突いたのは俺なんだぞ」

桂二郎は鮎子にそう言ったが、当時、迷っている志津乃に決断を促す者たちは多かったのだった。

志津乃が結婚についての相談をもちかけたのは、なにもこの上原桂二郎にだけではないとわかっていたが、その志津乃がある種のシグナルを投げかけていることは桂二郎も感じ取っていて、一歩踏み出すと抜き差しならない状態へと進みだしかねない自分を制御するために、あえて積極的に志津乃に結婚を勧めたというのが本心であった。相手との年齢がいささか離れすぎているという点を除けば、志津乃の結婚生活を危ぶむ材料はなかったのだった。

旦那なる男の妻が死に、子供たちもそれぞれ独立している。男は銀座の老舗の貴金属店の社長で、いい意味での「ぼんぼん気質」で、決して吝嗇(りんしょく)な人間ではない。子供たちも、諸手をあげて賛成しているわけではないが、とりたてて反対もしていない……。

「俺が志津乃だったら、こんな結構な玉の輿(こし)を逃したりはしないね」

桂二郎は自分が志津乃に言った言葉を覚えている。

「人生、損か得かってものさしを使うことは卑怯でもなんでもないよ。基本的知恵さ。その人と結婚することが、自分にとって損か得か……」

その桂二郎の言葉で、志津乃は結婚したらしい。

だが男の子供たちが結婚に関してたったひとつ条件を提示していたことを、志津乃は桂二郎には話さなかった。それは、子供を産まない、というものであった。そのたったひとつの条件を桂二郎が知ったのは、志津乃が結婚して二年たったころで、それは鮎子が教えてくれたのだった。

もしその唯一の条件を知っていたら、志津乃に結婚を勧めたであろうかと考えたことはあったが、桂二郎はいつしか志津乃という女のことを忘れてしまっていた。

「……そうかァ、志津乃は横浜の中華街の近くに住んでるのかァ。元麻布に豪華なマンションを買って、そこでご亭主と仲良く暮らしてるってばかり思ってたよ」

その桂二郎の言葉に、

「去年の春からずっと別居してるねん」

と鮎子は言った。

「また若い愛人ができはって……。こんどは銀座のクラブのホステス。二十二歳」

「元気だねェ。志津乃のご亭主、もう七十近いんだろう。あやかりたいね」

桂二郎は苦笑しながら鮎子を見やった。すると鮎子は、自分は横浜の中華街に着いたら、黄忠錦の友人の店には行かず、志津乃のマンションを訪ねたいと思うが、それでもいいかと訊いた。

「いいよ。この車を使ったらいい。杉本さん、鮎子さんをお送りしてさしあげてくれ」

と桂二郎は杉本に言った。

横浜の中華街の近くにまで来ると、黄忠錦は目を醒まし、

「えーと、どのあたりで車を止めてもらおうかなア。雨が降ってなきゃあ、どこで止めてもらってもいいんだけど」

と言い赤や黄や緑に彩られた善隣門の前で、ここから歩くのがいちばん早いかもしれないとつぶやいた。

「この道が長安道って名前でして、ここを少し行くと地久門っていう門があります。地久門から真っすぐ南東に延びてる道が関帝廟通り。中華街のなかの道には、いろんな名前がつけられてますが、なに、たかが五百メートル四方の街なんです。それでも神戸の南京町よりはるかに規模は大きいんです」

「へえ、たしかにここだけいかにも中国っていう雰囲気やねェ」

鮎子はそう言って、自分はこの車をお借りして知人のマンションを訪ねたいので、こ

こで失礼すると黄忠錦に言った。

「あとで携帯電話にかけるから、電源を入れといてね」

いつも桂二郎の携帯電話の電源が切られていることを知っている鮎子がそう言った。

桂二郎が上着の内ポケットから携帯電話を出し、電源を入れると、鮎子は杉本の運転する車で長安道を進み、地久門の前で左に曲がった。

「昼食は軽くお粥なんかいかがです。呂水元の作るお粥はうまいですよ」

「お粥ですか。いいですねエ。朝、しっかり食べてきましたので、あんまり腹はすいてないんです。お粥とザーサイだけってのがありがたいですね」

ひとつの傘のなかに黄忠錦と入って、桂二郎は善隣門をくぐりながら言った。

チャイナ服を売る小さな店と雑居ビルのあいだに人がひとりやっと通れるほどの路地があり、その奥には中華街の住人の住居が並んでいて、女性の下着が物干し場に吊るされたまま濡れていた。

「この路地は私の二人の友だちの遊び場だったそうです」

と黄忠錦は言った。

「この路地の途中に中華料理の食材屋の倉庫がありましてね。その倉庫の裏口からこっそり入って、向こう側の路地に出ると、関帝廟の裏側に出るんです。呂水元と梁兆容ってのが、当時の中華街の、いわゆる二大悪ガキだったんです。食材屋は梁兆容のおじいちゃんが経営してました。この路地は、自分たちの少年時代そのものだって言ってました」

そして黄忠錦は、日本で生まれ育った梁兆容は自分とは親戚関係であり、その梁兆容の妹は呂水元の妻なのだと説明した。

中国雑貨を売る店の隣に中国茶を飲ませる小さな店があり、その隣に呂水元の営む中国粥と点心の店「水仙」があった。店の入口には「本日のランチ六百円」と書かれた黒板が立てかけてあり、「牛モツ粥、小籠包、ザーサイ」とチョークで書いてある。

黄忠錦の言葉どおり、四人掛けのテーブルが三つあるだけの狭い店内には、昼時の忙しい時間が終わって、長い髪をポニーテールにした目つきの鋭い男ひとりが三種類の点心を食べながらビールを飲んでいるだけだった。

壁には「喜」と大きく書かれた赤い紙が貼ってあるだけで、調理場とを仕切るカウンターには「横浜中華的華僑伝」「中華街読本」「中華街ガイドマップ」の三冊の本が置いてあった。

質素を通り越して、はやらないつぶれかけの店のようなたたずまいなので、桂二郎は黄忠錦の親友だという呂水元なる人物の人相風態を想像することができなくなった。

小柄で痩せた女性が調理場の奥から顔を出し、黄忠錦を見ると中国語で何か言った。

「隣の自分の店で食後のお茶を飲んでるそうです」

と黄忠錦は言い、女に中国語で語りかけた。女は緩慢な足どりで外へ出て行き、しばらくして痩身の老人が「水仙」に入ってきた。

老人は、桂二郎に笑顔で握手を求め、

「初めまして。ようこそいらっしゃいました。私が呂水元です」

と挨拶して名刺を差し出した。桂二郎も挨拶を返し、自分の名刺を渡すと、

「黄さんを通じて面倒な人捜しなんかをお願いしてしまいまして。お忙しいのに申し訳ありませんでした」

と言った。

「私はぜんぜん捜してはいません。さっき黄さんから電話でその話を聞いて、鄧明鴻って女なら、よく知ってるよって……。こんなのは人捜しとは言わないでしょう」

と呂は言い、

「昼食はまだでしょう?」

と訊いた。

「表の黒板に書いてあるランチをくれよ。牛モツ粥よりも薬膳粥がいいな。小籠包は二個でいいよ」

黄忠錦はそう言って、ポニーテールの男に目をやり、呂に何かささやいた。

「小思の弟だ。人買いみたいな顔してるけど、茶の輸入が本職なんだよ」

呂はそう言って、ポニーテールの男の肩を叩き、調理場に入っていった。

「去年、腸閉塞にかかりましてね。腸の一部が壊死してて大手術をしたんです。手術前よりも十六キロも体重が減って、いま四十八キロになっちゃった」

と黄忠錦は言った。

「呂さんがですか？」

と桂二郎は訊き、無表情な女が運んで来てくれたジャスミン茶を飲んだ。

「ええ、あいつ死にかけたんです。腹が痛くてたまらないのに病院にも行かずに、箱根にゴルフに行きやがって……。ゴルフ場でついに動けなくなって救急車で運ばれたんです。医者が、家族を呼べっていうくらいひどい状態でしてね」

手術前の呂は、背は低いが、とにかくよく飛ばすゴルファーだったのだと黄忠錦は言った。

「あの歳でドライバーショットがコンスタントに二百五十ヤードなんて、驚異的でしょう？　だけど病気が治って、久しぶりにゴルフをしたら、百七十ヤードしか飛ばなくなって、それでゴルフから足を洗いやがったんです。もうじき七十になろうっていうじいさんが百七十ヤード飛んだら上等だろうって言ってるんです。身長は百六十センチしかないんですから」

ポニーテールの男がビールを飲み干して、黄忠錦に中国語で何か言った。黄忠錦が応じ返すと、男は立ちあがって近づいて来て、黄忠錦につめ寄りながら烈しい口調でさらに何か言った。

不穏なものを感じて、桂二郎は二人に割って入る格好で立ち上がった。

男は笑いながら黄忠錦に手を振り、店から出て行った。

「どうなさったんです。あの青年は何を怒ったんです？」

と桂二郎は黄忠錦に訊いた。

「いえ。なんにも怒ってませんよ」

「でも、いまにもつかみかかりそうな剣幕でしたが」

「黄さんの息子と先週会った。さすがに黄さんの息子だ。俺の茶のルートにも顔がひろくて、困ったことがあったら相談に乗るよって言ってくれて嬉しかった……。彼はそう言ってたんです。広東語で」

「はあ、そうですか……。なんだか私にはケンカ腰でつめ寄って、大声で難癖をつけてるように見えました」

「ああいう話し方は、私たちのあいだでは普通ですね。他国の人から見ると、ケンカ腰でつめ寄ってるように感じるかもしれませんが、さっきの青年の場合は親愛の情を示そうとしたんです。ケンカでつめ寄るときは、もっともっと烈しいですよ」

と黄忠錦は笑った。

「あれが親愛の情ですか……」

「そうです。中華民族の特徴かもしれません。何事につけて、相手につめ寄る。商談でも、政治的な交渉でも、恋愛沙汰でも……。夫婦ゲンカの烈しさは、中華民族が世界一かもしれません。交わし合ってる言葉はさほどでもないんですが、その身ぶり手ぶりがね」

店のドアがあき、若い女が入って来て、桂二郎と目が合った。女はなぜかいっこうに目をそらさなかったし、桂二郎も女から視線を外すことができなかった。

相手がまるで視線をぶつけてくるように見つめているので、それに吸い寄せられでもしたように自分も目をそらせないのか、あるいはその逆なのか、桂二郎にはよくわからなかった。

あるいは桂二郎は、その三十歳になるかならないかの若い女をどこかで見たことがあって、それでなぜかはっとした思いで見つめつづけたのかもしれなかった。

いずれにしても、桂二郎と女が目と目を合わせていたのは、時間にすれば五秒ほどにすぎなかったが、桂二郎にはひどく長く感じられた。女は桂二郎の横を通りすぎ、調理場に向かって声をかけた。さっきの笑みのない女が出てきて、かすかに微笑むと調理場にいる呂水元に何か言った。女は宝塚歌劇の男役のように背が高く、髪を短く切っていて、重そうなショルダーバッグをさげていた。目は深い二重で大きくて長く、化粧気を感じさせないのに、顔全体に知的な華やかさがあった。

呂水元は、調理場から顔を出すと、

「鄧明鴻さんのお孫さんだよ」

と事もなげに言い、女に、もう昼食は済んだのかと訊いた。

女は笑顔で頷き、

「あのお茶を飲みたい」

と日本語で言い、いったい何が入っているのかと思うほどに重そうなショルダーバッグを椅子に置いた。

「ああ、あの茶か。じゃあここに持ってこさせるよ。お茶の出前だ」

呂は笑顔で言って、粥を運んで来た女に、隣から例の茶を持って来てくれと言った。

「謝翠英さんだ。鄧明鴻さんのお孫さんでね、さっき忠錦から電話をもらったあと、きみのおばあさんに逢いたがってる人がいるから、こっちへ来ないかってしらせたんだよ」

呂はそう言って、翠英を黄と桂二郎に紹介した。

桂二郎は名刺を翠英に渡し、突然、あなたのおばあさまを捜している人間があらわれて驚かれたことであろう。お忙しいのにわざわざご足労下さって申し訳ないと言った。

祖母の明鴻は亡くなってしまったし、母はいま病気で台北の病院に入院中だ。自分はまだ学生の身で、山下公園の近くに住んでいるので、呂おじさんから電話をもらって、わけがわからないままやって来たのだと、中国人特有の癖がほとんどない流暢(りゅうちょう)な日本語で言った。

「学生さんなんですか？」

と桂二郎は訊いた。とてもそんなふうには見えなかったのだった。

翠英は、日本の古典文学を勉強しているのだと答えた。

「台北大学を卒業してすぐに日本に留学したんだよ。私がね、日本での身元保証人なんだ」

と呂は言い、話は粥を食べてからにしてはどうかと勧めた。

桂二郎はクコの実の入った、かすかに生姜(しょうが)の香りのする、薬膳と名づけられてはいてもコクのある味の粥を口に運んだ。

粘り気の多い粥だったが、胡麻油の香りが強いわりには淡泊で、そのくせ鶏ガラスープが豊富に使われているのか、味に深味があった。

「うまいですねェ」

桂二郎は本心から言った。呂水元は当たり前だといった表情で小さく頷いた。

隣の茶の店から、小さな急須と、猪口(ちょこ)に似た茶碗が運ばれてきた。急須のなかにはすでに茶の葉が入っているらしい。

「湯は、うちのを使おう。これは上等の葉だよ。翠英はこの茶のうまさをよく知ってる」

呂はそう言って、調理場から電気ポットと台湾製のミネラルウォーターの壜を持って来た。

「日本の水は軟らかいんです。水の軟らかさという点では、日本は世界で一番かもしれません。茶は硬い水がいいんです。だから、イギリスで飲む紅茶はうまいでしょう?ヨーロッパも硬水ですから。中央アジアの水はもっと硬い。ほとんどアルカリ溶液に近いんです。中国も硬い。台湾も南のほうに行くと、ヨーロッパとたいして変わりがない硬さです。だから、台湾のミネラルウォーターでいれた茶が一番うまいのです。日本人が外国に行って腹をこわすのは、まず第一に水のせいです。日本人は軟水で育ちましたから、硬水が合わないんです」

桂三郎は呂水元の説明を訊きながら、こんなにも簡単に鄧明鴻の行方がわかってしまったことに多少の薄気味悪さを感じた。

五百メートル四方の横浜中華街に、いったい何軒の中華料理店や中華食材店、それに中華雑貨店がひしめいているのかわからない。

まして、ここにいったい何人の中国人が住んでいるのかも見当もつかない。

そしてそれらの人々は、日本の開国以来、絶えず入れ替わってきたはずだった。日本に骨を埋めた人々、日本に見切りをつけて故郷に帰った人々、あるいは他の国に移住した人々……。

それらは、日本に初めて華僑なる人間がやって来たという幕末期から日清戦争や日中戦争を経て、戦後五十数年を経た今日まで、夥しい変遷を繰り返してきたはずだった。

華僑のつながりがいかに密接であろうとも、昭和三十年代に中華街にあった「龍鴻閣」は、どうやらわずかな期間に店を閉め、鄧明鴻という女性もこの中華街の中心人物たちからはうとまれていたようなので、「そんな女もかつてはいたなア」といった形で忘れられてしまい、丁という長老以外は覚えていない可能性が高かったのだ。それなのに、黄忠錦の親友が偶然にも鄧明鴻一家をよく知っていて、いま鄧明鴻の孫の翠英が、自分の横のテーブルに坐っている……。

自分の妻の先夫がまだ中学生のころ、この翠英という若い女の祖母と、思いがけない事件を介して中華街の一角の建物の二階で遭遇し、一通の約束事を紙にしたためた。鄧明鴻がいかなる意図によって、見も知らない少年にあのような約束事を書かせたのか、もういまとなってはわからない。

その少年も若くして死んだとなれば、あの約束も反古となって自然消滅してしまうのが世の常というものであろう。

だが、少年の父は約束を忘れてはいなかった。約束を果たさなければ、自分の人生に画竜点睛を欠く……。須藤潤介という老人は心からそう思っていたのだ……。

そしていま、自分は横浜の中華街の数ある中華料理店のなかでもとりわけ小さくて、店構えにも店内の装飾にも無頓着な、一見さびれた大衆食堂のような中国粥専門の店で、鄧明鴻の孫だという美しい女と逢っている……。

桂二郎はそう思いながら、粥を食べつづけたが、自分で自分がいまいましくなるほどに身構えてしまって、滅多にないほどに緊張しているのを感じた。

翠英の造りの大きな目鼻立ちと拮抗するかのような静かで品のいいたたずまいに魅きつけられつづける自分にうろたえていたのだった。

「女性にお歳を訊くのは失礼なんですが、翠英さんはお幾つですか?」

と桂二郎は訊いた。

「二十八です」

と翠英は言い、ポットのなかの沸騰した湯を小さな鉄錆色の急須に注いだ。

「日本の古典文学といっても幅がありますし、数も多いですが、主にどんなものを研究なさってるんですか?」

「源氏物語を研究しましたが、いまは実朝と西行に興味があります」

「ほう……」

自分は源氏物語は読んだことがないし、実朝の歌でそらんじられるものはひとつもない。西行の歌は二首知っている。

――心なき身にもあはれは知られけり鴫立沢(しぎたつさわ)の秋の夕ぐれ

――願はくは花の下にて春死なむそのきさらぎの望月(もちづき)のころ

桂二郎は、小籠包を食べながらその二首を胸のうちでそらんじた。

どちらも高校生のとき、受験勉強のために無理矢理暗記したのだった。

「私は日本人のくせに、源氏物語を読んだことがありません」

と桂二郎は言った。そして、呂水元の作った小籠包のあまりのうまさに、

「こんなうまい小籠包にありつけるなんて。肉や脂の臭みというものがまったくありませんね」

と言った。

「じゃあ、もう三つほど蒸しましょうか」

という呂の言葉を丁重にしりぞけ、

「どうも日本の男どもってのは、ある年齢を経ると、源氏よりも平家のほうへ行くようですね」

と桂二郎は翠英に言った。

「そうですわね。平家物語、徒然草、西行、奥の細道、山頭火……」

翠英はそう言って微笑み、猪口型の茶碗に注ぐ前に、小さな筒状の容器に茶を注いだ。

「最初のお茶は、まずこうやって香りを楽しむんです」

翠英は茶の香りを嗅ぎ、その陶製の容器を桂二郎に手渡した。

「これは飲まないで、香りを楽しむだけなんですか？」

「いいえ、飲めます。でも最初の茶は、苦みとか渋味が強いんです。味を楽しむのは二番茶、三番茶のほうがいいんです」

中国の茶は上等になればなるほど空腹時には飲まないほうがいいのだと黄忠錦が言った。

「胃や腸の脂をきれいさっぱり洗い流しますから、すきっ腹だと胃腸にきつすぎるんですよ」

笑顔のないウェイトレスが、テーブルの上にあるものを片づけ、表に立てかけてある黒板を店内にしまっていると、さっきのポニーテールの男が若い女と一緒に入って来て、翠英に親し気に何か言った。

つれの女は、ふてくされた表情で入口に近いテーブルに坐り、ハンドバッグから携帯電話を出すと、誰かと中国語で喋りながら、しょっちゅう翠英に視線を注いだ。化粧はほとんどしていなかったが、夜の仕事についている女特有の服装の趣味で剝げかけたマニキュアがいやにみすぼらしかった。

男はさらに翠英に何か言おうとしたが、呂水元に追い払われて、女と一緒に出て行った。

「あんなロバのしっぽみたいな頭の男が増えたねェ。台湾や広州にもいっぱいいるよ」

呂は言って、入口の鍵を締めた。

「日本にも多いですよ。とくに中年の男にね。喫茶店か何かの店をやってて、休日はハーレー・ダヴィッドソンに乗る。古いレコード盤を大切にしてて、ワシントン条約に違反するようなものばっかりで身を包んでます。何とかっていうトカゲの革で作ったブーツとか……」

と言って黄忠錦は笑い、自分も食後の茶を楽しみたいが上原さんもいかがかと訊いた。

「頂戴しましょう」

呂が隣の茶の店に行くと、黄忠錦は翠英に、あらためて鄧明鴻と桂二郎の知り合いとのいきさつを日本語で説明した。桂二郎はその黄忠錦の説明をさらに詳しく補足した。

翠英は話を聞き終えると、母はいま入院しているので、今夜にでも電子メールを送っておこうと言った。

「兄のパソコンですけど、兄が見たら、すぐに病院の母に話しに行くと思います」

そして、さしつかえなければ上原さんのパソコンのメールアドレスを教えていただけないかと言った。

「パソコンですか……。私の机の上にあることはあるんですが、一度しか開いたことがないんです。まあ、つまり、私はパソコンの使い方を知らないんです」

だが、桂二郎は小松に電話をかけ、自分のパソコンのメールアドレスを訊いた。

「えっ？　社長のパソコンのメールアドレスですか？」

小松の大きな声に、桂二郎は周りに誰かいるのかと訊いた。

「はい、います。秘書室ですから。田畑さんに遠藤さんに……」

「大きな声を出すなよ。俺はパソコンにはいっさいさわらんと宣言したんだから」

「いや、もうみんなに聞こえてしまいました。申し訳ありません。えーと、社長のメールアドレスは小文字のアルファベットでｕｅｈａｒａ、それからアットマーク……」

「アットマークって何だ？」

「小文字のａを丸で囲ったような記号です。そのあとｄａｃｈｓｈｕｎｄ-ｕｅｈａｒａで次にドットです」

「ドットって何だよ。もっと誰にでもわかる言い方はないのか」

「だって……、ドットっていう言い方なんです。つまりピリオド、丸の黒いやつです」

電話でのやりとりを聞いていた翠英が、笑いながら、

「お電話、代わりましょうか？」

と訊いた。

桂二郎は翠英に代わってもらおうかと一瞬考えたが、常日頃、中年の幹部社員に、パソコンを使えないやつはもうこれからの企業ではほとんど用無しだと言っている手前、若い中国娘に助け舟を出してもらうわけにもいかず、小松に何度もメールアドレスを繰り返してもらい、なんとかそれを手帳に書き写した。

社内の通達事項は、すべて各社員のパソコンに送信されるし、各支店や営業所からの報告事項も桂二郎のパソコンに送られてくるが、それを開いてくれるのはいつも小松聖司なのだった。

桂二郎は、朝、出社すると、

「おい、あれ」

と机の上のパソコンを顎(あご)でさし示すだけで、自分ではスイッチも入れない。送られてくる電子メールは仕事に関することばかりで、個人的なものは一件もないので、小松に内容を見られようが、秘書室の若い女性社員に見られようが、いっこうに差し障りはないのだった。

「鄧明鴻さんに関する事柄がメールで送信されてくるんですか？」

と小松は訊いた。

「まあ、そういうことだな」

「社長、これを機にですね、せめてメールの送受信の仕方だけでも覚えられたらいかがですか。その気になれば簡単ですよ」

「その気にならないんだよ。大事な用事は手紙が基本だ。単なる伝達事項なら、俺はなにもパソコンを使わなくても、各部署の責任者から直接説明されたらいいんだからな」

自分は新しいものに対しては柔軟な人間だと桂二郎は思っているが、ことパソコンに関してだけは頑な拒否感がある。

訳知り顔の評論家やマスコミが、インターネットの世界で生じている問題をことさらに取りあげて、やれ「バーチャル世界の落とし穴」だとか、子供の引き籠り現象の元凶だと論じている内容を鵜呑みにしているわけではなかった。

桂二郎は、パソコンを社に導入し、全社員がそれを使うことには何の抵抗もないどころか、じつに結構なことだと考えたので、全社に配置したのだった。パソコンの専門家に来てもらって、幹部も含めて全社員の研修も行った。

だが、自分も小松聖司に助けられて、名古屋支店長からの電子メールによる報告を読んだとき、そこにある種の緊張感のなさを感じたのだった。ファックスや手紙で送られてくる文章と、電子メールの文章とでは、どこかが異なっている。

初めて社長に電子メールを送信するのだから、名古屋支店長もかなり緊張し、文章には常以上の神経を使ったはずだ。それなのに、どこか慣れ慣れしいものがあった。

なるほどこれが、送り手の意図とは関係なく電子メールによって作りだされる独特の世界なのかと、そのとき桂二郎は思ったのだった。

電話で直接話すのでもなければ、ペンを持って便箋と対峙するのでもない……。話し言葉でもなければ、書き言葉でもない、その中間に位置する言葉遣い、あるいは向き合い方を、このパソコンなるものは人間に自然にさせてしまうものらしい……。

桂二郎はそう思い、途端にパソコンに対して拒否感を抱いてしまった。

情報の伝達は早ければ早いほうがいいし、伝えようとする内容の骨子は簡明であるに越したことはない。だがそこに不要な慣れ慣れしさを介入させる何物かがパソコン通信というものにつきまとうならば、自分は無縁でいたい……。そう思ったのだった。

「どうして俺の会社がdachshund-ueharaなんだ。ダックスフントはうちの商標だろう。ueharakogyoになぜしなかったんだ」

機嫌の悪そうな桂二郎の言葉に、

「ドメインに上原工業に似たのはたくさんあるんです。日本には上原工業なんとかって社名が二百以上あったもんですから、上原っていう名前以外に何をドメインにしようかってことになりまして、トレードマークの二匹のダックスフントを思いつきまして」

と小松は説明した。

「ドメイン？　ドメインって何だ」

「ドメインと申しますのは、アットマークから右側の部分です」

「だったらそう言ったらいいだろう。日本語で言えよ、日本語で。モデムだのブラウザだのインストールだの……。だいたいその用語がわからないんだよ」

桂二郎の言葉で、翠英が笑った。

電話を切り、桂二郎は紙に控えた電子メールアドレスを翠英に渡し、

「たぶん、これで間違いないと思うんですが」

と言った。

上着の内ポケットに携帯電話をしまいかけると電話が鳴った。本田鮎子からだった。

「ひさしぶりやから、志津乃ちゃんと晩ご飯を一緒に食べようってことになってん。『とと一』のご主人には、いま私から電話しといたから」

「そう、いいよ。俺もうまい薬膳粥と小籠包とで満腹だよ。とても六時から『とと一』で料理を食べられるって状態じゃないね」

桂二郎はそう言いながら黄忠錦を見た。黄忠錦は、いま蒸しあがったばかりの二籠目の小籠包を口に入れながら、片手を横に振った。今夜の「とと一」での食事は中止しようという意味らしかった。

志津乃はいま晩ご飯のための買い物に行った。桂ちゃんによろしくとのことだった。

鮎子はそう言って電話を切った。

「『とと一』が中止になったんですから、ここでうまい点心をもっと食べましょう」

桂二郎はそう言って、メニューを見つめ、「フカヒレギョーザ」と「エビシューマイ」、それに「湯葉巻」を頼んだ。

「ネットって、つまりはいろんな人たちがいろんなことを自分以外の人に見せる瓦版なんです」

と翠英が言った。

「ねエねエ、見て、見て。私、こんなこと考えてるのよとか、ぼくはこんな趣味に生きてます。興味があったら見て下さいって、思い思いの瓦版を作って、大通りや裏通りや暗い路地に貼り出してる……。江戸時代の瓦版と違って、いろんな写真や色を自在に使って、作りあげるのもすごく速い……。たったそれだけのことだって思うんです」

「なるほど、電子瓦版ですか」

そういえば自分が子供のころの少年雑誌には、「昆虫収集の好きな人、文通してください」とか「女優のB・K子さんの大ファンです。一緒にファンクラブを作ろうと思う方、お便り下さい」とかの投稿欄があったなと桂二郎は思った。

なかには子供を装って、下卑た魂胆で文通相手をあさっていた者もいたであろう……。インターネットは、つまるところ、それの手のこんだ機械だともいえるであろう……。

翠英の「瓦版」という表現にひどく納得して、桂二郎は翠英に微笑みかけた。翠英の、たじろぐような視線とぶつかって、桂二郎は、この娘は店に入って来たときも、この目で俺を見つめたなと思った。

その瞬間、一種獰猛(どうもう)といってもいい感情が、桂二郎の全身を打った。雷に打たれた……。そんな打たれ方であった。

いったい何が雷のように自分を襲ったのか……。

謝翠英という若い女は、とりたてて人目を魅くはなやいだ美貌に満ち溢れているわけでもない。切れ長の意思的な目も、日本人と比べると太い鼻梁の線も、尖ったところのない唇の形も、ありふれた造作といえばいえる。それなのに、なにかしら秀でたものが、艶やかな顔にたちこめている。

といって、いかにも知性がこれみよがしにあらわれているわけでもない。顔だけでなく、肩や胸の線も、体全体の形も、ひとつひとつは平凡なのに、そして若い女性としての弾みも、二十代後半の女としては平均的なものであるのに、桂二郎の目は翠英という女の全身に引きつけられるのだった。

「翠英さんは恋人はいるのかい?」

と黄忠錦が訊いた。

桂二郎が知りたかったことを黄忠錦が訊いてくれたといった感じがして、桂二郎はさも自分はそんなことに興味はないというふうに小籠包を食べた。

「いません。素敵な男性がいたら紹介して下さい」

と翠英は言った。

「台湾で恋人が待っているんじゃないだろうね」

その黄忠錦の、いやみのないひやかしに、

「そんな人がいたら、もうとっくに台湾に帰ってます」

と笑い、翠英は茶の香りを嗅いだ。

「日本の古文はとても難しいです。わからない言葉ばっかり。原文で源氏物語を読んだら、二行で頭をかかえそうになりました。私が英語圏やラテン語圏の人間だったら、もっと理解しやすいのかもしれないって思います。同じ漢字がほとんど通用する言語同士なのに、ひらがなやカタカナが一字入るだけで、文章の意味が幾通りにも読み取れて、途方に暮れてしまうんです」

そして翠英は桂二郎に微笑を向け、

「でも、パソコンのことだったら、たいていのことはわかりますよ」

と言った。その言い方は、なんだか年長の者が子供をからかうようなところがあったが、それが翠英という女の持ち味なのか、不躾なものをまったく感じさせなかった。

「たいていのことがですか……。それはすごいな。私の秘書もパソコンを使うことには慣れていますが、仮にこの一台のパソコンに千の使い道があるとしたら、自分はせいぜい十か十五くらいしか使い切っていないって言ってます」

その桂二郎の言葉に、

「私は五百くらいは使いこなせるかも」

と言った。

桂二郎は、そろそろ本題に入らねばなるまいと思い、須藤芳之と鄧明鴻とのあいだで交わされた誓約書について語ろうとした。すると翠英は、

「上原さんのパソコンを買いに行きましょう」

と言った。

「えっ？」

桂二郎は即座に応じ返すことができず、翠英の顔を見つめた。冗談なのか、からかっているのか、判断に苦しみ、

「私のパソコンは社にありますから」

と言った。

「でもそれはお仕事のためでしょう？　それにご自分ではお使いになれないし」

「秘書がやってくれますから、困ってはいませんが……」

「自分個人のパソコンをご自宅に置いたらいかがですか？　そしたら、ああインターネットの世界とはこういうものかって、よくわかりますし、お友だちと電子メールのやりとりをするのも楽しいですよ」

「私には電子メールのやりとりをするような友だちはいませんよ。せいぜい二人の息子くらいですかね。私の周りでパソコンを使えるのは、会社の人間以外では、二人の息子だけですから」

翠英が、その桂二郎の断固とした口調で見せた表情は、楽しみにしていたピクニックか何かを親の事情であきらめるしかなくなった幼女のそれに似ていたので、桂二郎はなんだか申し訳ない気分になると同時に、翠英という女の持つ意外な多面性に興味を抱い

た。

分別をわきまえた知的な外見の裏に、天衣無縫なおおらかさがあって、そのおおらかさにはちょっとやそっとでは手に負えない稚気が豊かに含まれていそうな気もした。

「私が自分用のパソコンを家に置いて、それで何をしましょうか」

と桂二郎は微笑みながら訊いた。

「私がお勧めする幾つかのホームページを教えてあげます」

「電子メールは？　誰からも送られてこないなんて、寂しいですね。せめてひとりくらい、しょっちゅう電子メールをくれる友だちが欲しいですが、だいたい私にはそもそも友だちというものがいないんです」

「じゃあ、私がメール友だちになってあげます。日本ではメルトモっていうんですよ」

「行きましょう」

桂二郎は香りのいい上等のウーロン茶を飲み干して立ちあがった。

「行くって、どこへですか？」

と翠英が訊いた。

「パソコンを買いに行くんですよ。私が自分の家で使うパソコンを」

「えっ？　いますぐにですか？」

「気が変わるといけませんのでね。私の気だけじゃなくて、翠英さんの気も……」

黄忠錦が二人のやりとりをおかしそうに見ていた。

「パソコンって、使い慣れたら簡単ですけど、慣れるまでが大変ですわよ。トラブルばっかり起こして、癇癪を起こして、叩き壊してしまうかもしれません」

そう言いながらも、翠英も椅子から立ちあがった。

「癇癪を起こしてパソコンを叩き壊すって、誰がです？ 私がですか？」

と桂二郎は訊きながら、携帯電話で運転手の杉本を呼んだ。

「だって、上原さんって、パソコンを叩き壊してしまいそうな気がするんですもの……」

「気は長いほうじゃありませんが、見た目ほど癇癪持ちじゃないつもりです。それに、パソコンを買いに行こうってそそのかしたのは翠英さんですよ」

桂二郎は電話に出て来た杉本にいまどこにいるのかと訊いた。鮎子を送ったあと中華街に戻り、中華街大通りのラーメン専門店で昼食をとっていると杉本は言った。

「もう食べ終わりますが……」

「じゃあ、十分ほどたったら、さっき車から降りたところへ行くよ」

桂二郎は電話を切り、

「パソコンを買ったら、またここに戻って来ます」

と黄忠錦に言った。

黄は、予定が変わったので、日頃ご無沙汰している友人に逢おうと思うと言った。

「そこの華僑会館ってところにいるんです。鄧明鴻に弁償する時計代のことは、翠英さんと直接相談して下さい。もうここから先は、私や呂の出る幕じゃありませんしね」

桂二郎は、ゴルフを終えたあと自分の車で「とと一」へ行き、その後は黄忠錦を自宅まで送る算段をしていたのだった。招待した側としては、黄忠錦を「水仙」という中華粥専門店に置き去りにしていくわけにはいかなかった。

「じゃあ、私たちが帰って来て、黄さんがここにいらっしゃらなかったら、その華僑会館にお迎えに行きます」

「いや、どうぞお気遣いなく。このあたりは私にとっても古巣ですからね。友だちがたくさんいます。もう何年も逢ってない人もいますから、この機会に挨拶をして、私は電車で帰りますよ」

「華僑会館はどのあたりですか?」

「関帝廟の裏あたりです。関帝廟通りの東側の道を左へ行ってすぐのところです」

桂二郎と翠英は表に出た。雨はいっこうにやむ気配はなく、そのせいか中華街全体が静かで、人通りもほとんどなかった。

「普通の電器屋さんで買いますか? それとも電気器具の量販店にしますか?」

と翠英は傘をさしながら訊いた。

「どっちでも、ここからいちばん近いところで買いましょう。量販店のほうが安いだろうけど、故障したときは電器店のほうが親切でしょう」

新横浜駅の近くに、量販店ではないが、さまざまな機種のパソコンを専門に扱っている店があると翠英は言った。

通りを歩きだすと、傘をさして自転車に乗った少年が水溜まりのなかを走ってきて、小さな中華料理店の前で止まり、その二階に向かって大きな声で呼びかけた。歳は十歳くらいで丸い眼鏡をかけ、短く刈った頭髪が雨で濡れている。

何度も語尾を長くひくようにして中国語で二階の誰かを呼びつづけている傍を通りすぎながら、

「彼は、つまり日本語でいうと『何々ちゃん、あーそびましょ』って、この家の二階にいる友だちに声をかけてるんですか？」

と桂二郎は翠英に訊いた。

翠英は微笑んで、

「まあ、そうですね。男の子の名前を呼んでいます。つまり日本式にいうと、何々ちゃーんて感じですね」

と言った。

携帯電話で話しながら、傘もささず歩いて来た女は、相手と烈しく口論しているようだったが、

「いまの人は、べつにケンカしてるわけじゃないんでしょう？」

と桂二郎は訊いた。

「さあ、ケンカかどうか……。『私のせいじゃないって、何度言ったらわかるのか。あ

んたのしつこさにはうんざりする』って怒ってます」

「じゃあ、やっぱりケンカに近いですね。つまり口論だ」

この二人は日本人であろうと思ったが、路地からにぎやかに喋りながら出て来た十八、九歳の女の言葉も中国語だった。

「彼女たちは広東語ですか？」

と桂二郎は訊いた。

「ええ、そうです。ここはほとんど広東語の人たちばかりです」

と翠英は言った。

「どんな会話だったんですか？」

よく聞いてはいなかったが、あしたもこんな雨だったら予定は中止だというようなことを言っていたようだと翠英は説明し、

「中華街、おもしろいですか？」

と訊いた。

「おもしろいですね。さすがに中華街だなと思って……。たった五百メートル四方のなかなのに、ここは日本じゃなく中国社会なんだな……。そういう思いをあらたにしたもんですから」

「この横浜の中華街のなかにも、台湾派と中華人民共和国派とがいて、外からではわからないいさかいがあるんですよ」

と翠英は言った。

「だから、学校も二つあるんです。中華民国派の人たちの子供たちが通う学校と、中華人民共和国派の人たちの子供たちが通う学校と」

華僑の世界についてほとんど何も知らない桂二郎には、いささか意外な話だった。

「ほう、この店は中国共産党支持、この店は台湾派って、何かちゃんとわかる目印でもあるんですか。私には華僑と共産主義とは、どうにも接点がないように思えますが」

店構えに違いがあるわけでもないし、出す料理が異なるわけでもないので外からはまったくわからないし、まして日本人には区別はつかないと翠英は言った。

「しょっちゅう角突き合わせてるわけでもありませんから。どっちの体制を支持しようとも、そんなことはあまりたいしたことじゃないんです。私はそう思ってますし、他の中国人も私の考え方とそんなに差はありません」

「たいしたことじゃないんですか?」

桂二郎は自分の傘から伝う雨のしずくが翠英の肩を濡らしているのに気づいて、少し離れた。

「ジョーカーは、たくさん持ってるほうが得ですもの。アメリカの華僑にだって、共和党支持者もいれば民主党支持者もいますし、いまでも中国共産党の毛沢東の肖像写真を家に飾ってる人もいます。イデオロギーよりも、生きるための損得の問題です」

なるほど、ジョーカーか。生きるための損得の問題か……。

「わかりやすい説明ですね」

桂二郎は、車を探しながら、さらに翠英と離れた。決して粗末な服を着ているわけではなかったが、桂二郎はそうやって翠英の容姿をあらためて観察しながら、あんな服を着たらもっと美しくなるかも、とか、こんな服ならさらに知的な雰囲気が強調されるかも、とか想像したのだった。

若い女のファッションなどに興味を抱いたこともないし、妻が生きていたときも、そんなふうに想像してみた記憶はなかった。

「ああ、あの車です」

桂二郎が言うと同時に、運転手の杉本も桂二郎をみつけ、車をゆっくりと走らせて来た。

「昼飯、いそがせて申し訳なかったな」

と桂二郎は言い、車から出て雨に濡れながらドアをあけてくれた杉本に翠英を紹介した。

「捜してた人のお孫さんなんだよ」

後部座席に坐った翠英に、杉本は挨拶をし、

「社長が横浜の中華街を、きれいな若い方と並んで歩いて来るなんて……」

と言って微笑み、

「これからどちらへ？」

と訊いた。

「パソコンを買いに行くんだ。新横浜駅の近くだそうだ」

それじゃあ、とにかく新横浜駅へと向かいますと言い、杉本は車を右折させた。

「杉本さんは、芭蕉の研究では『野に遺賢あり』と評されてるんですよ」

と桂二郎は翠英に言った。

「芭蕉の研究をなさってるんですか?」

「いや、とんでもない。『野に遺賢あり』だなんて……。社長は大袈裟におっしゃってるんです」

杉本は自分の首のうしろを軽く叩きながら言った。

「西行にはご興味はおありですか?」

と翠英は訊いた。

「芭蕉は間違いなく西行の影響をかなり強く受けてますから、西行の歌もまあうわっつらだけは勉強しました」

と杉本は言った。

「西行ゆかりの地に行かれたことはおありですか?」

と翠英は身を乗りだして訊いた。

「奈良の吉野にだけは行きました。もうずいぶん昔ですが」

自分は西行が歩いた道を歩きたいのだが、担当の教授が、ひとつの論文を書き終えるとすぐに次の論文提出を課すので、どうしても時間がとれないのだと翠英は言った。

「ことしの夏休みには台湾に帰らなければいけませんし……」

「夏休みは台湾で親孝行ですか？」

桂二郎の問いに、翠英は少し間をあけてから、

「たぶん、そのころ、母とお別れだろうって、お医者さんが……」

そうか、鄧明鴻の娘は、死期が予測できる病気で入院しているのか……。それならば自分の台湾行きは早めなくてはなるまい……。桂二郎はそう考えた。

新横浜駅に近づいたころから道が混み始め、あれが目当ての電気店だと翠英が大きな看板を指差したが、車はいっこうに進まなかった。

看板は見えてはいたが、その店までは歩けば二、三十分かかりそうだった。大きなテナントビルの一階と二階に店があるという。

「私、少し嘘をついたんです」

と翠英が言った。

「嘘……？　どんな嘘です？」

「私、パソコンにとても詳しいって言いましたけど、あれは嘘なんです」

桂二郎は少し首をかしげて後部座席に背を凭せかけ、翠英を見つめた。雷に打たれたような感情は、依然として消えてはいなかった。

「私、やっと最近、失敗しないで電子メールを送ったり受けたりできるようになったん

です。パソコンの機能が千だとしたら、私は五百くらい使いこなせるなんて言いましたけど、あれは嘘なんです。嘘どころか、大嘘です」

その翠英の言葉に、桂二郎は笑いがこみあがってきて、おさえることができなかった。

「大嘘ですか……。どうしてそんな大嘘をついたんです?」

「どうしてだかわからないんですけど、上原さんに自分用のパソコンを持たせたくなって……」

「じゃあ、ぼくがパソコンを操作してて、何かミスをしても、助けてくれるほどの能力はいまのところないわけですか?」

「はい。強制終了するのが得意なんです」

桂二郎は笑い、

「買うと決めたんだから買いましょう。翠英さんからしか電子メールが届かないパソコンを買って、きょうも来ない、あしたも来ないって腕組みをしてましょう」

桂二郎の笑いながらの言葉に、

「ああ、よかった」

と両の掌を胸の前で組むようにして言い、翠英は、杉本に、芭蕉の句で何がいちばん好きかと訊いた。

「むざんやな甲(かぶと)の下のきりぎりす」

杉本は即座にそう応じ返した。

翠英は、その句を何度も口に出してつぶやき、

「むざんやなって上の句の『やな』って言葉の使い方が、日本の文学の深みなんですね」

と言った。

「上原さんは？」

こんどは翠英は桂二郎に訊いた。

「芭蕉の句のなかでですか？」

五十四歳にもなった日本人の男が、芭蕉の句のどれかひとつくらいは好きなものがなければ沽券（こけん）にかかわるという思いはあったが、

「ぼくは、短歌や俳句といったものには無知なんです。無知だから、これが好き、あれが好きなんてものはありませんね」

と正直に言った。

「じゃあ、日本の小説では？」

「それも、とりたてて好きなものはありません」

「日本の絵では？」

「ないです」

「焼物は？」

「それもない」

なんだかだんだん自分の言葉遣いがぶっきらぼうになっていくのを感じたが、それは翠英の質問に腹を立てたのではなく、自分が文学や絵画などの芸術に、これまでさして興味を持たなかったことへの恥ずかしさからだった。

だが、翠英はどうやら勘違いしたようで、

「すみません。つまらないことをお訊きして」

と謝った。

「いえ、つまらなくはありません。自分の無教養が恥ずかしいだけです」

「でも、ご自分のお仕事では、とても大きな力量を発揮なさってるんでしょう？　男は仕事ですわ」

「とんでもない。ぼくは、祖父が創業し、父が発展させた会社を、なんとかつぶさない程度に維持してきただけです。大きな力量なんて持ちあわせていません。上原工業といっても、所詮は鍋屋です」

桂二郎はそう言いながら、翠英の日本語が、昨今の日本人よりもはるかに美しいものであることに気づいた。

敬語も丁寧語も、中国人が最も苦手とする「てにをは」も、完璧に近いのだった。

そのことを言うと、翠英は、

「祖母の日本語はすばらしいものだったそうです」

と言った。けれども、さっきまでの翠英の天真爛漫さには少し翳り（かげ）が出ていた。

量販店ではないものの、パソコン用品が商品の七割近くを占める電気店には、多種多様なパソコンが揃っていた。

「カスタムコーナー」には、オーナーが自分で作ったパソコンまでが十数台並んでいる。

翠英は、売り場を探し歩き、これが先月自分で買ったのと同じ機種だと、一台のパソコンを指差した。

「じゃあ、それにしましょう」

そう言うなり、桂二郎は店員に、これをくれと指差し、財布からクレジットカードを出した。

「必要な附属部品も、翠英さんが買ったのと同じものにしましょう」

「プリンターがあれば、とても便利です」

「じゃあ、プリンターも」

「もっと小さなモバイル用のパソコンもありますよ」

「モバイルって?」

「持ち運びができて、旅先からでもアクセスできるんです。ほら、こんなに小さいのもあります」

「小さい機械ってのは、とくに電気製品の場合は、容量の大きいものよりも何かにつけて感受性が強くなってますから、パソコンに限らずトラブルが多いんじゃないかな」

そう言って、桂二郎は店員に、やはりこれにすると指差した。その言い方も表情も、我ながら無愛想で、怒っているようにも受け取れるなと感じるものだった。

朝の、あの豪雨のゴルフ場での笑顔を取り戻そうとしたが、笑い方まで忘れてしまったようで、それがいっそう自分をいわゆる「怖い顔」にさせているのだと桂二郎は思った。

大きな段ボール箱を二つかかえて店から出ると、杉本が駆け寄って来て、

「こんなに大きなものなんですか」

と驚き顔で言い、段ボール箱を持った。

「箱がでかいんだよ」

その言い方も、やはり怒っているようで、あるいは自分でも理由はわからないが、本当に怒っているのかもしれないと桂二郎は思った。もしそうならば、機嫌が悪くなった理由はひとつしか考えられない。俳句も短歌も、絵画も焼物も、五十四歳にもなった分別のある男が、せめてひとつくらい気に入ったものがないという事実に関してだ……。

桂二郎はそう思い、

「どこか、ちゃんとした本屋に寄ってくれ」

と杉本に言った。

「それから、家に帰ろう。翠英さん、パソコンの設定はできますよね」

「できると思います。あのお、私、上原さんのお宅にうかがってもよろしいのでしょうか」

と翠英は訊いた。

「ああ、これは失礼しました。翠英さんのご都合も訊かずに……。もしご迷惑でなければ、いまからぼくの家に行って、このパソコンを使えるようにして下さいませんか」

桂二郎は、やっと意識せずに笑みを浮かべることができた。桂二郎は、自分の携帯電話で自宅に連絡し、お手伝いの富子がいるかどうかをたしかめてみた。家に到着したころに富子が夕飯のための買い物に出掛けていたら少々まずいなという思いがよぎったのだった。

自分は今夜は外食をする予定だったので、富子が買い物に出ることはまずないはずだが、他の用事ができるという場合もある。

誰もいない家に、自分と翠英と二人きりになってしまうのはいささか困る……。

具体的に何がどう困るのかわからないが、とにかく困る……。

桂二郎はそう考えたのだった。

しかし、富子は電話に出てきて、

「あら、いまからお帰りになりますか？　じゃあすぐに夕飯の買い物に行きます。何が召しあがりたいですか？」

と訊いた。

「お客さまと一緒なんだよ。おいしいケーキを買っておいてくれ」

「ケーキですか？　ケーキだけでよろしいんですか？」

パソコンに慣れない者が初期設定に取り組むと意外に手間取って時間がかかるということを小松から耳にしていたので、

「夜、何を召しあがりたいですか？」

と桂二郎は翠英に訊いた。

「無事に設定を終えたら、私、失礼しますので、どうかお気遣いなく」

と翠英は言って、自分の腕時計を見た。

「何時くらいに家に着くかな」

桂二郎は自分も腕時計を見ながら杉本に訊いた。

「かなり道が混みだしましたから、下手をすると五時を廻るかもしれません」

パソコンの初期設定も大事だが、自分はもっと大事な用事をまだ済ませてはいないのだと桂二郎は思った。

翠英が生まれる前に、横浜の中華街で起こった小さな事件と、それにまつわる約束事について、詳しく説明しなければならない。俊国の父が翠英の祖母に書いた誓約書と、壊れた時計も見せなければならない……。

「寿司はお好きですか？」

と桂二郎は翠英に訊いた。

「生のお魚は、私、ぜんぜん駄目なんです」

「じゃあ、鰻料理は？」

駅の近くに三代つづく鰻料理屋があるのだった。

「鰻は好きです。台湾にも鰻料理がありますよ。日本の鰻料理のように甘味はつけないんです。いろんな香辛料を使って蒸すんです。鰻も日本のよりも大きいし……」

翠英は、そう言って、電気器具店でもらったパソコンの初期設定の仕方を書いたパンフレットに見入った。

「じゃあ、私の家の近くの鰻料理店を予約しておきましょう」

桂二郎はもう一度自宅に電話をかけ、富子にその旨を伝えた。そして、きょうの黄忠錦とのゴルフがいかに印象深いものであったかを翠英に話して聞かせた。

「たった一ホールだけだったってのも、私にはいい思い出です。それに、この雨……。ゴルフ場はもっと強い雨が降ってましたよ」

翠英は、ゴルフには何の興味もないようで、こんな雨でもプレーするのか、とか、止まってるボールなら自分でも打てそうな気がする、とか言って、目は説明書から離さなかった。

「ぼくは無教養な人間です。いちおう大学は出ましたが、たいして勉学に励んだって記憶もない。いずれは親の跡を継いで鍋屋になるんだって考えてましたから、経済関係の、それもマーケティングに関する事柄ばかり研究してました。まあ、研究と言えるほどの研究じゃありませんが……。だから、無教養と同時に、無学でもある。たまに仕事以外の書物を読むときは、ほとんど歴史に関するものですね」

「どんな時代の歴史書に興味がおありですか？」

と翠英に訊かれ、

「とりたてて興味があって読むわけではないんです。他に読みたいものがないので、たまにぶらっと本屋に立ち寄って、歴史に関する本のコーナーの前に行って、いちばん左端の上から二番目の棚のいちばん左にある本を買うんです」

翠英はかすかに笑い、

「どんな本でもいいんですか？　その本屋さんの歴史書コーナーのいちばん左端の、上から二番目の棚に並べてある本の、それもいちばん左の本だけだなんて、なんだかおもしろい選び方ですね」

と言った。

「二年前、その場所にあった本は、中国の清の時代の宦官（かんがん）について詳しく研究してある本でした。それを一年ほどかかって読み終えてから、また同じ本屋で、同じ方法で本を買ったら、それは『質屋』の歴史に関するぶあつい書物でした。おかげで、質屋については詳しくなりました。世界にはいろんな質屋があるんですね。紀元前に、すでに質屋というものがあって、人々はそこで自分の大切なものを質草にして、当座の生活の工面をしてた……」

去年の暮れに買った本は、アドルフ・ヒトラーの伝記だが、おもしろくなかったので途中で放り出してしまった……。

話しているうちに、桂二郎は、無教養、無学という多少誇張した己への評価は、誇張でも謙遜でもなく、まぎれもない真実であるような気がした。

いや、無教養とか無学という言いあらわしかたは正しくないかもしれない……。

自分には、つまり何かが足りないのだ……。

その何かは、ひとつやふたつではない……。

妻に先立たれてひとり身であるとか、仕事以外のことでは頭も体も使いたくないとか、芸術全般に対して知識がないとか、何の趣味もないとか、そんなものとはいささか質の異なったところにおける欠落が自分という人間を常に冷たく潤いのない存在にしている……。

そう思ったのだった。

無教養な者を軍人にさせてはいけないとされていた時代が江戸時代の前にあったという話を何かの本で読んだことがあるが、この自分などはまさに軍人にさせてはならない最たる人間だということになる。

といって、いまさら俳句や短歌をたしなむ気もないし、焼物教室に通って土をこねてみようとも思わない。

自分に足りないものとは、そんなことを少しかじってみたところで身についたりはしない……。

「滋味」……。桂二郎は、言葉にすればたぶんそれであろうと思った。

「人間としての滋味」……。自分にはそれが足りない。足りないどころか、ないに等しい……。

自己嫌悪というほどではないが、車窓から見える車の渋滞が烈しい雨のなかで、暗い風景全体をどこか苛立たせているさまを見ながら、桂二郎は次第に自分を嫌いになっていくのを感じた。

そんなことを感じたのも初めてだったので、あるいはこの謝翠英という二十八歳の女の持つ何物かが、意味もなく自分の何かをあおりたててくるのかとも考えた。

「あの本屋は、ちゃんとした本が揃ってそうな本屋のように見えますが……」

と杉本が言った。

ビルの一階が本屋になっていて、週刊誌やコミックやアイドルのヌード写真集ばかりを並べている本屋にはない落ち着いた雰囲気があった。

「ちょっと待ってくれ」

桂二郎は言って、雨のなかを傘をさして小走りでその本屋に入った。

コミックのコーナーもあるにはあったが、最近では珍しい専門書を中心に営んでいる本屋のようで、大学時代にある教授が教材に使った日本の経済史が、まず最初に桂二郎の目に入った。

桂二郎は上中下三巻の、現代語訳付きの「源氏物語」を買った。それを袋に入れてもらってから、さらに日本の古典を並べてあるコーナーへ足を向け、「謡曲集」と「新古今和歌集」も手に持ち、レジへ行った。

どんな本を買ったのか、桂二郎は喋らなかったし、翠英も訊こうとはしなかった。

目黒区の自宅に着くころにやっと雨は小降りになり、車が門の前に止まると同時に雨はあがってしまい、薄日がさした。

居間の隣には滅多に使わない応接間があったが、桂二郎は昔からその部屋があまり好きではない。いつも人がいない部屋特有の寂しさがあって、父が集めた油絵が三点壁に掛かっているし、イタリア製の高価なソファセットもゆったりしていて、窓からは門と玄関をつなぐ道と、その周りの樹木がよく見えるのだが、その応接間にいると、桂二郎は妙に気持ちが乱れてくる。

父が集めた三点の絵は、昭和初期に三十代で死んだ日本人画家が描いたものらしいが、画家の名を桂二郎は知らない。知らないのではなく覚えていないのだった。

細微な筆づかいの絵で、三点とも嵐がやってくる前の農村の風景で、画家のひりつくような神経が伝わってくる。父にとってはそこのところが気に入っていたらしいが、桂二郎には不幸の予兆が壁の三方に掛かっているようで、気分が滅入ってしまう。だから、たまに来客があると、さっさと帰ってもらいたい相手だけを応接間に通すことにしているのだった。

「パソコンを設置してもらうんだ。俊国が使ってた部屋に、パソコン専用の電話線を引いただろう。あれはまだ生きてるはずなんだ。あの電話の回線を使うよ」

桂二郎は富子に言い、俊国の部屋は片づいているかと訊いた。

俊国が置いていった書籍やCDがたくさんあるが、部屋の隅に並べてあるので、ちらかっているというふうには見えないと富子は言った。

「いまコーヒーをいれてます。応接間にお通ししましょうか」

桂二郎が応接間を好まないことを知っている富子が小声で訊いた。

「居間のほうにしよう」

桂二郎も小声で言って、大きな段ボール箱をかかえている杉本にも居間に行くよう促した。

いつも桂二郎が葉巻を喫む椅子に、翠英に腰かけるよう勧め、息子の部屋に、使っていない電話線があるのだと言った。

「ケーキでも召しあがってから、初期設定にかかりましょう。すぐにコーヒーがはいります」

いったん椅子に腰を下ろし、ガラス戸越しに見えている台所に目をやりながら、

「奥さまはおでかけですか？」

と翠英が訊いた。

「妻は四年前に亡くなりました」

と桂二郎は言い、そうだ、趣味といえるものが自分にもひとつだけあるではないかと思い、ヒュミドールを翠英の前に置いた。

しかし、蓋をあけかけて、桂二郎は葉巻をたしなむことが趣味というものの範疇に入るのかどうかいぶかしくなり、

「夜、さあこれから寝ようかってときに、葉巻を一本だけ喫うんです。まあそれがぼくの唯一の趣味というか、道楽というか……」

と言い、ヒュミドールの箱をあけた。

「わァ、これ全部葉巻ですか？」

翠英は、大きな木箱のなかに整然と並んでいる幾種類もの葉巻に見入った。

「いろんな形があるんですね」

「ええ、葉巻の葉にも、ハバナ産、ドミニカ産、ホンジュラス産……。他にもたくさんあります」

桂二郎は、最も長く太い葉巻を取り出し、

「これはモンテクリストのAという葉巻です。このあいだ何を考えるでもなくぼんやりゆっくり喫ったら、火をつけてから喫い終わるまで二時間二十分かかりました」

と言って微笑んだ。

「これはダビドフのアニベルサリオ。モンテクリストAよりもほんの少し短いですが、やはり最高級の葉巻です。こっちはコイーバのエスプレンディドス。この短いのはコイーバのロブストス。それからこれはラ・エミネンシア・ピラミデ。これはボリバーのベリコソス。えーと、それからこの短いのがジノのムートンカデNo.7……。こっちはコイ

ーバのシグロII。ダビドフのNo.2とNo.3は、女性でも楽しめます。一本いかがですか？」

桂二郎はダビドフのNo.2を取り出し、翠英の顔のところに突き出した。

「それとも本格的に葉巻らしい葉巻をお試しになりますか。このオヨ・デ・モントレーのチャーチルなんかは、かなりどーんときますよ」

桂二郎は本気で翠英に葉巻を勧めたわけではなかった。多少のからかいと、自分の照れ隠しもあった。翠英を見た瞬間に、突然雷に打たれたような感情はまだ桂二郎のなかにあって、それを誰にも悟られたくなかったからであった。

「私、煙草は生まれてから一度も喫ったことがないんです」

そう言いながら、翠英はヒュミドールの箱に入っている丸い小さな器具をつまみ、これは何かと訊いた。

「パンチカッターです」

こうやって、なかのものを回転して出すと、大、中、小と三種類の穴のサイズの吸い口をあける道具があらわれるのだ……。

桂二郎はそう説明し、使い方を教えた。

「へえ、なんだか楽しそう……」

翠英はパンチカッターを掌に載せ、このなかでいちばん高い葉巻はどれなのかと訊いた。

「ダビドフのアニベルサリオとモンテクリストAでしょう」

「じゃあ、私、こっちにします」

翠英は長さ二十二センチ、直径一・九センチのダビドフ・アニベルサリオを指差した。

ほお、本気で葉巻を喫ってみる気だな……。

桂二郎は楽しくなって、火のつけ方を翠英に教え、ダビドフのアニベルサリオを指に挟ませた。

「わァ、こうやって指に挟んで持っただけで、おとなの女になった気分がしてきます」

翠英は上手にパンチカッターを使えなかったので、桂二郎が吸い口に丸い穴をあけてやり、葉巻用の長いマッチをすって、

「マッチは二本使っても三本使ってもかまいませんから、先端にまんべんなく火をつけて……」

と教えた。

「この葉巻、私の顔よりも長いんじゃないんでしょうか」

翠英は笑いながら、無器用な手つきで葉巻に火をつけた。上手にまんべんなくというわけにはいかなかったが、マッチを五本使って、なんとか火がかたよらない形で着火できた。

「ゆっくり喫うんです。煙は肺に吸い込まずに舌の上や口のなかでころがします。灰は、あえて自分で落とさないように。葉巻の先にできる灰はラジエーターの役割を果たして

くれて、燃焼しすぎたり、簡単に消えたりしないようにしてくれるんです」

よほどの用事ができたとき以外は、葉巻は消してはいけない。最後まで喫い切らないと味が悪くなる。

桂二郎はそう言いながら、両目を天井に向けて太い葉巻をくわえ、立ちのぼる煙を見ている翠英の前に、葉巻用の灰皿を置いた。

なんだか、幼児が長い飴を舐めているようで、桂二郎はそんな翠英がおかしくて笑った。

杉本は段ボール箱をあけ、なかのパソコンや附属品を出して並べ、富子はコーヒーとケーキを運んできた。

「そんなにすぱすぱ喫うんじゃないんです。一回ゆっくりと喫ったら、火が消えない程度にまた喫う」

桂二郎は見本をお見せしましょうと言ってコイーバのロブストスに火をつけ、喫い方を見せた。

「いかがです? 葉巻の味は」

と桂二郎は訊いた。

「もっと辛くて苦いものかと思ってました。土っていうよりも、よく肥えた大地の味がしますね」

「ほお、大地の味ですか……。たしかにそんな味や香りがするときもありますね。でも、だんだん味が変わってきます。甘くない蜂蜜の味になったり、少しそれに酸味が加わったり……」

先端の灰が三センチくらいの長さになったとき、桂二郎は翠英の葉巻をいったん灰皿に置くように勧めた。

「そろそろ灰が自然に落ちるころです。落ちたら、消えないようにまた二、三度喫って、灰皿に置いておけばいいんです」

「おいしいですね。物憂い成熟した女って気分……。おいしい」

翠英の言い方に、お世辞はないようだった。

生まれてから一度も紙巻き煙草も喫ったことのない二十八歳の女が、いま初めて葉巻に火をつけて、ぎごちないながらも、味や香りをたしかめるようにうまそうに喫っている……。

桂二郎は嬉しくなって、そんな翠英に見惚れた。

杉本もおかしそうに翠英を見やりながら、富子が運んでくれたコーヒーを飲んでいた。

「なんだか頭がほんわかしてきました」

と翠英は言い、ダビドフのアニベルサリオを灰皿に置いた。三センチほどの長さの灰が自然に落ちた。

「煙を肺に入れなくても、ニコチンが口のなかの粘膜や舌から吸収されますからね。とにかく、生まれて初めてなんですから」

と桂二郎は笑い、富子に駅の近くの鰻料理店の予約を確認するよう頼んだ。

「パソコンの初期設定をしに来たのに、私、上等の葉巻に恍惚となってますね」

翠英はそう言って、葉巻が消えないように二度ほど喫い、それからケーキを食べた。かなり大きなオレンジケーキだったが、翠英はそれを一分ほどで食べてしまった。その食べっぷりに、杉本と富子がそっと顔を見合わせた。下品なものはまったく感じさせず、翠英の食べっぷりは見事でもあり爽快でもあった。

翠英は、葉巻を持って立ちあがり、パソコンを設定する場所を教えてくれと言い、桂二郎に、

「この葉巻、ずっと喫っててもいいでしょうか」

と訊いた。

「どうぞご遠慮なく。ぼくが灰皿を持っててあげますから、葉巻を楽しみながら、パソコンの初期設定をやって下さい」

桂二郎は言って、灰皿を持つと、自分の寝室の隣にある俊国の部屋に案内した。杉本もパソコンと附属品を持ってついて来て、それを俊国が高校生のころから使っていた机の上に置くと、居間に戻って行った。

翠英は、何本かのコードをパソコンに差し込み、それをコンセントと電話回線につなぎ、葉巻をゆっくり味わってから、

「さあ、失敗しないようにしなきゃあ」

とつぶやき、桂二郎が手に持ったままの灰皿に葉巻を置いた。桂二郎がくわえているコイーバのロブストスの灰が、うまく偶然に灰皿に落ちた。

途中、「あれっ?」とか「これはどういう意味かしら」とか言うたびに、翠英は説明書を読み、そのたびに葉巻をふかし、パソコンに向かうときは桂二郎が立ったまま持っている灰皿にそれを置いた。

「プロバイダーと契約しなきゃいけないんです。上原さんのクレジットカードの番号かをここに打ち込んで下さい」

その翠英の言葉で、桂二郎はやっと灰皿を机の上に置き、財布からクレジットカードを出した。

翠英は、自分でキーボードを操作して、必要事項を打ち込んでみろと桂二郎に言い、椅子から立ち上がると席を替わった。

「えっ！　ぼくが、自分で?」

桂二郎は葉巻を灰皿に置き、パソコンの前に坐りながらそう訊いた。

「ぼくにキーボードを操作しろなんて、どだい無理な話ですね。タイプライターもさわったことはない。息子が小さかったころ、ゲーム機を買ってやったけど、それもさわったことはない。ワープロも使い方を知らない……。無理ですよ」

しかし、無理だ、できないでは何も始まらないな……。

そう思いながらも、桂二郎はパソコンの画面に表示されている姓名や住所、それにクレジットカードのナンバーを打ち込む欄を見つめて、助けを求めるようにコイーバのロブストスを喫った。

「ワープロもやったことないんですか？」

「ええ。もっぱら万年筆ばかりですね」

「じゃあ、私が打ち込みます。あとで練習しましょうね」

その言い方は、授業についていけない生徒に居残り授業を受けるよう命じる教師のようで、桂二郎はパソコンを買ってしまったことを後悔する思いだった。

翠英は途中で二度、自分の携帯電話で誰かに初期設定のやり方を訊いた。広東語でのやり取りだった。電話の相手はパソコンには極めて詳しいらしく、翠英は広東語のなかにときおり日本語を交えて、

「ああ、ここね。ここをクリック」

とつぶやき、

「あれ？　やり方が違う……」

と首をかしげ、そのたびに友人の教えるとおりにカーソルを動かした。

インターネットへの接続も、電子メールの送受信もできる状態になったときには、翠英の喫っているダビドフのアニベルサリオは半分の長さに減っていた。

「できました。これが上原桂二郎さんの電子メールアドレスです。私のはパソコンのアドレス帳に打ち込みましたから、それをこうやってクリックして……」

桂二郎は自分の電子メールアドレスを見つめ、

「ぼくはｋｅｕｅｈａｒａですか……」

と言った。

「翠英さんは、どうしてｓａｂａｓａｂａなんですか？　性格がさばさばしてらっしゃるのかな？」

「魚の鯖です」

「鯖……」

「はい。だからサバサバってつけたんです」

生の魚はすべて食べられないが、日本に来て初めて鯖寿司なるものを食べて、それだけは格別に気に入ったのだという。

「酢でしめてあって、薄い昆布が巻いてあって、とってもおいしかったからｓａｂａｓａｂａにしたんです」

「鯖寿司が好物だとは……」

桂二郎は翠英が登録してくれたｓａｂａｓａｂａ＠………という小文字のアルファベットを見つめて笑った。

かつての俊国の部屋は六畳の広さで、俊国がいたころは本棚やベッドなどの他に、ノート型とデスクトップ型のパソコンが二台あり、ＣＤラックもあり、実際には三畳くらいのゆとりしかなかったのだが、いまは空き部屋で六畳そのままのスペースを保っている。その部屋に、桂二郎と翠英の喫う葉巻の煙がたちこめて、チョコレートに似た香りが満ちていた。

「さあ、いまから私に電子メールを送って下さい」

と翠英は言い、字を打ち込むにはかな入力とローマ字入力があるが、自分はローマ字入力の方法しか知らないので、それを教えることにすると、なんだか力のない言い方で桂二郎を見た。

「どうしました？　葉巻に酔ったのかな？　気分が悪いんなら、もう喫うのはやめたほうがいい。窓をあけましょう」

「いいえ、ぽわーんとして、いい気分なんです。この匂い、私、とっても好きです」

翠英は、これが初めてとは思えない熟練者のような手つきで太い葉巻を口に持っていき、軽く頰をすぼめて煙を喫い、ゆっくりとそれを口から吐き出した。

「『う』は『u』です。『え』は『e』。『は』は『ha』。『ら』は『ra』。ueharaと打って漢字に変換するんです」

「最初の電子メールですね。ちゃんと翠英さんのパソコンに送れるかな」

「送れるはずです。送れなかったら、私がどこかで失敗したってことになります」

「上原です。きょうはパソコンの初期設定をして下さりありがとうございました。鯖寿司がお好きとのこと。こんどおいしい鯖寿司をご馳走します。そう打ちたいんですがね」

しかし、たったそれだけの文章を打ち込むのに、桂二郎は翠英に横についていてもらって、一字一字教えられながらキーを打ったにもかかわらず、一時間近くかかった。

「そして、その送信のところをクリックするんです」

翠英の葉巻は残り四センチほどになっていた。

言われたとおりにすると「送信完了」という表示があらわれた。

桂二郎は、目の奥が痛く、肩や背にも烈しいコリを感じながら、パソコンの画面を見つめた。

「これは疲れるなァ」

桂二郎はそうつぶやき、首を二、三回廻し、自分で自分の肩を揉んだ。桂二郎のコイーバ・ロブストスは半分のところで自然に消えてしまっていた。

「あっ、濃いココアの味になりました」

と翠英は言った。

「初めて葉巻を喫った人とは思えないですねェ。たしかに葉巻はそのくらいの短さになってから、ぐうっとうまくなるんです」

そう言って、桂二郎は窓をあけた。

「ちゃ、ちゅ、ちょ、ってどう打つんです？　ティ、は？」

桂二郎の問いに、翠英は説明書の、ローマ字入力のやり方を書いたページをひらき、

「これを見ながら、練習したらいいんです。日記をつけるとか、お仕事のためのメモ替

わりに文字を打ってみるとか……。そのうちだんだん速く打てるようになります。ブラインドタッチの練習用ソフトも売ってます。あれって、やってるとおもしろいですよ」

「ブラインドタッチって何です」

「キーボードを見ないで、十本の指全部を使って打つんです」

「そりゃあ、ちょっとぼくには無理だな。よほど気合を入れて練習しないとねェ。いまは右の人差し指一本で精一杯ですよ。さっきから右の人差し指がつりそうになってる……」

桂二郎は自分の指を揉みながら笑った。

「ぼくがいま送信した電子メール、もう翠英さんのパソコンに届いてますかね」

「たぶん」

そう言って、最後の一服を味わうと、翠英は葉巻をやっと灰皿に捨てた。

「頭も唇も指先も痺(しび)れてきました」

微笑んではいたが、翠英の顔色は良くなかった。

「そりゃあそうでしょう。二十センチもあるダビドフのアニベルサリオを残り三センチまで喫いきったんですから。少し横になったほうがいいですね。居間のソファで水でも飲んで横になってください」

桂二郎は、翠英と一緒に居間に戻り、富子に水を持ってこさせた。杉本の姿はなかった。門の前で車を掃除しているという。

富子に少し席を外すよう小声でいい、桂二郎は翠英の顔色が元に戻るのを待って、俊国の父と、翠英の祖母とのいきさつを改めて詳しく語り始めた。

語り終えると、桂二郎は誓約書と壊れた時計を持って来て、それを翠英に見せた。

「気分は良くなりましたか？　まだ気持ちが悪いようだったら、窓をあけて、何度か深呼吸をなさったらいかがです？」

「まだちょっとふわふわしてます」

胃もむかむかしていると翠英は言い、鰻料理は食べられそうにないと、申し訳なさそうにつぶやいた。

「葉巻なんか勧めたぼくが悪いんです。鰻料理はやめましょう。予約をキャンセルします」

「私が自分で喫ったんです。きっとまた喫いたくなるような気がします。いまはもう葉巻を見るのもいやですけど……」

「喫いたくなったころに、このダビドフのアニベルサリオを一箱プレゼントしましょう」

「一箱に何本入ってるんですか？」

「この葉巻の場合は十本ですね」

翠英はそれから三十分ほどしてから、杉本が運転する車で帰って行った。

鰻重を出前してもらい、それを富子と一緒に食べながら、桂二郎は翠英が、須藤芳之と鄧明鴻との数十年前における出来事に関しても、須藤潤介が三百万円という弁償金をなんとしても支払いたいという思いについても、いっさい自分の感想を述べなかったことを好ましく感じていた。

ただ事実の説明だけに耳を傾けて、それに対しての自分の考えや疑問をさしはさまず、台湾に住む母に伝える……。判断は母が下すであろう……。自分は上原桂二郎から聞いた話を正確に母に伝えるだけだ……。

言葉にはしなかったが、謝翠英はそう考えていたのであろうと桂二郎は思った。

ケーキの食べっぷりも好ましかった。初めての葉巻の喫い方も素敵だった。そしてなによりもあの清潔感と、とりたてて秀でた器量ではないのに楚々とした色香をたたえているところがいい。

恋人はいないと言ったが、そこのところは怪しいものだ。あれだけの女を男どもが放っておくはずはあるまい……。

そんなことを考えながら鰻重を食べていると、杉本から電話がかかってきて、いま謝翠英さんの住むマンションの前で彼女を降ろしたと報告した。

「マンションに着くころには、すっかり元気になってらっしゃいました」

と杉本は言った。

「女性専用のワンルームマンションで、家賃はほんとは十万円なのだが、八万円にしてくれたのだって仰言ってました。社長にくれぐれもよろしくお伝え下さいとのことです」

そう言って、杉本は電話を切った。

いつも夕食のあとは、コーヒーを飲み、居間のソファで夕刊に目を通すのだが、桂二郎は買ったばかりのパソコンの前に行きたくて仕方がなかった。

パソコンのスイッチを入れ、翠英が教えてくれた手順どおりに操作して、電子メールの受信を試みてみたい。きっと翠英はマンションの自分の部屋に入るなり、上原桂二郎が送った電子メールの受信をたしかめ、すぐに返事をくれるにちがいない……。

けれども、なんだか心ここにあらずといった様子を富子に気づかれたくなくて、

「あの鰻料理屋の親父さん、元気なのかねェ」

と話しかけた。

「お店はもう息子さんがとりしきってますけど、お元気だそうですよ」

と富子は台所から顔を出して言った。

「あそこの跡取りは養子さんだったよね」

「はい。子供さんはお嬢さんばかり三人で、たしか次女のお婿さんが跡をお継ぎになったんだって聞きました」

「あの頑固親父の娘婿は大変だね。俺は同情するよ。鰻なんてつかみどころのないものを扱ってるくせに、あそこの親父はどうにも曲がりようのない鉄の棒みたいな男だから

な」

「上のお嬢さんは離婚なさったんですって」

と富子が前掛けで濡れた手を拭きながら言った。

鰻料理店の長女は、どこかの大学の工学部の教授と結婚し、末娘は高校の教師をしていていまも独身のままなのだと富子は言った。

「詳しいねェ」

桂二郎はそう笑顔で応じ返し、

「笑顔、笑顔」

と胸のなかで自分に言い聞かせた。

この無愛想な怖い顔をなんとかしなければならぬ。顔はその人間のすべてをあらわすというではないか。自分は強欲でもないし、意地悪だとも思わないし、怖い人間だとも思わない。

たしかに無愛想といえば無愛想だが、別段世をすねているわけでもなく、生活に幾つかの不満があるわけでもない。しかし、自分の顔が人に怖いという印象を与えるのは、おそらく人間としての余裕のようなものが欠落しているからかもしれない……。

「無学、無教養……。それだな。それが顔にあらわれてるってわけだ」

桂二郎は夕刊の紙面に視線を向けながら、そう思い、時計を見た。杉本が電話をかけてきてから、まだ十分しかたっていなかった。

マンションの部屋に入ってからわずか十分では、翠英も電子メールを送れるわけがない……。

そう思ったが、桂二郎はとりあえずかつての俊国の部屋に行き、パソコンのスイッチを入れておこうと考えた。

桂二郎はパソコンの前に坐り、

「スイッチは……、ここだな」

とひとりごちてスイッチを入れた。

画面には、さまざまなものがあらわれたり消えたりした。

「砂時計のマークが消えるまでは、どこにもさわらないこと」

翠英が教えてくれて、それを自分が書き写した文章を小声で読んで、桂二郎はパソコンの画面に見入った。もうそれだけで肩が凝ってきたような気がした。

「ええっと、これをクリックだ」

なんだか「えいやっ！」という思いでクリックしたが、画面には何の変化もなかった。

「あれっ？　あ、そうか、二回クリックだ」

あらためてクリックを二回やってみたがそれでも同じだった。

「俺は教えられたとおりにやったじゃないか」

桂二郎は我知らず怒りの声をあげ、さらに二回クリックを繰り返した。

すると、意味のわからない英語の表示が出てきて、「キャンセル」か「終了」のどちらかを選択せよと指示してきた。

「終了もなにも、まだなんにも始めてないぞ」

桂二郎は、長いことパソコンの画面を見つめ、富子を大声で呼んだ。そして、俊国に電話をかけてくれと頼んだ。

秘書の小松に電話で助けを求めてもよいのだが、専用のパソコンを自宅に設置したとなれば、社用の電子メールが送られてくる可能性が生じるし、「俺は死んでもパソコンなんかにさわらない」と断言した手前、なんだかいまいましい。

そのうえ、小松にしてみれば、なぜ社長が個人用のパソコンを自宅に置いたのかという理由を知りたがるであろう。

余計な詮索はしないやつだが、それでも理由はいったい何かと気にはしつづけるはずだ……。

桂二郎はそう考えて、俊国に教えを乞おうとしたのだった。

富子が受話器を持って部屋に入ってきた。俊国はもう電話に出ているらしかった。

「仕事中、申し訳ないなァ。いま少し話せるか？」

と桂二郎は訊いた。

「うん、大丈夫だよ。資料室で調べごとをしてて、他に誰もいないから」

いったい何事かといった不安そうな喋り方だったので、桂二郎は、そういえば自分が仕事中の俊国の携帯に電話をかけるのは初めてだと思った。

「何かあったの？」

「いや、つまり、パソコンが動かなくなってね……。どうしていいかわからなくて、お前にお助け願いたいと思って……。仕事中、誠にすまん」

「パソコン？」

と俊国は大声で訊き返し、

「いまどこにいるの？　富子おばさんが電話を取りついだから、てっきり家からだと思っちゃった」

と言った。

「いや、家からなんだ。お前が使ってた部屋からだ。俺用のパソコンをさっき買ってきて、初期設定は完了したんだけど、電子メールの受信をしようと思ったら、動かなくなりやがって」

「えっ！　自分用のパソコンをお父さんが買ったの？」

俊国は驚きの声で言い、それから笑った。

「いま画面はどうなってる？」

桂二郎は俊国に訊かれて、表示されている文章を読んで聞かせた。

「ああ、それじゃあ、いちばん右側のところをクリックして、しばらく待ってみたらいいよ」

「そのクリックってやつすら、俺にはうまくできないんだよ。矢印を右に動かそうとしたら左に行きやがる。上に動かそうとしたら下に行きやがる」

「矢印ねエ、カーソルっていうんだ」

桂二郎は教えられたとおりにして、画面に見入った。

「何の変化もないぞ」

「じゃあ、いったん終了させたらいいよ」

俊国はそのやり方を順序よく教えてくれた。

言われたとおりにカーソルを動かし、俊国が指摘する箇所をクリックすると、電子メールの画面があらわれた。

「それで送受信ってところを一回クリックしてみれば？」

桂二郎はカーソルを動かして、そこをクリックした。電子メールが一通届いていることを示す表示が出た。

「ああ、できた、できた。電子メール、届いてるよ」

俊国は、そのあとの処理とか、電話回線の接続を切る方法も教えてくれた。そして笑いながら、

「お父さん、気長に頑張って」

と言った。

「またトラブルが起こって、どうにもならなくなったら、俺に電話をかけてきたらいいよ」

「うん。ありがとう。お前に逢って直接話したいことがあるんだ。こんどはいつ帰る?」

「あした、富山と長野の県境まで出張なんだ。うまくいって日帰りできたら、あしたの夜に行くよ」

桂二郎は電話を切ると、自分に届いた翠英からの電子メールを読んだ。

——上原さんからのメール、ちゃんと届いていました。ああ、よかった。私の初期設定は失敗してなかったってことですね。だから、この私からのメールもちゃんと届くはずです。

私の祖母と、上原さんの奥様の前のご主人様との一件、さっそくこれから台湾の兄にメールで説明します。兄はそれをプリントして病院の母に読ませると思います。

兄から返事が来たら、それを上原さんのパソコンに転送します。

きょうはおいしいケーキと葉巻、ありがとうございました。葉巻は基本的には肺に吸い込まないので、紙巻き煙草よりも健康には害が少ないと上原さんが仰言ったので、安心してあの甘苦い味と香りを堪能させていただきました。でも葉巻は、心や時間にゆとりのあるときに、ゆっくりと味わうものなのですね。そうでないと、せっかくの上等の葉巻も、ただの煙でしかないと、初心者中の初心者の私でもわかりました。

このメールをお読みになりましたら、その旨、お返事下さい。何事も練習練習ですよ。

上原桂二郎様。謝翠英より。——

自分が微笑んでいることにも気がつかないまま、桂二郎は何度も翠英からの電子メールを読んだ。

「すぐに返事をくれって言われてもなァ……」

桂二郎は送信する用意をしてタイトルに「メール拝受いたしました」と打とうとした。だが「めーる」というひらがなをカタカナに変換する方法をもう忘れてしまって、自分が書いたノートをひらいた。

「ああ、これか」

桂二郎は翠英への電子メールを送信するのに一時間近くかかり、そのあと居間で須藤潤介への手紙を書いた。

半分ほど書いたあたりで、富子にもう帰るよう勧め、それからあらためて時間をかけて手紙をしたためたので、封筒に宛名を書き終えると十時を廻っていた。

須藤潤介への手紙は、あした速達便で出せばいい……。

そう考え、差出人である自分の住所と氏名を書くと、桂二郎はなにか手間のかかる大仕事を片づけたあとのような疲れを感じた。

きょうは、まったく仕事というものとは無縁ですごした。それなのに、根(こん)をつめて四、五日仕事に没頭しつづけたかのようなこの疲れはいったいどうしたことだろう……。

まさに疲労困憊(こんぱい)とは、こういう状態をいうのであろう……。

「ゴルフなんて、たったの一ホールで終わったのになァ……」

桂二郎はそうつぶやき、葉巻を喫おうかとヒュミドールの蓋をあけたが、一日に一本と決めていて、すでにそれは翠英にパソコンのてほどきを受けながら喫ってしまったのだった。

なんだか神経が冴えていて眠れそうになかったので、桂二郎はパソコンを置いてある部屋へ行った。すると電話が鳴った。俊国からだった。

「メール、うまく受信できた?」

と俊国は訊いた。

「うん。なんとかね。ありがとう。送信もちゃんとできたと思うんだ。エラー表示がないってことは送信できたってことだろう?」

「うん、そういうことだよ」

桂二郎は、喉元まで出かかった言葉をおさえた。それは、どうして氷見留美子に、自分の名を偽って教えたりしたのかということであった。

十年前のあの手紙のことがまだ俊国の心にあって、「としくに」と名乗れば、手紙の主が自分だとわかってしまわないかと危惧したのであろうが、なにも弟の名を使わなくてもいいではないか。

もし何らかの機会に、氷見留美子と浩司が言葉を交わすようなことがあれば、嘘はすぐにばれるどころか、その嘘によって、十年前のラブレターの主が上原俊国だと判明してしまう。

咄嗟にとっさについた嘘とはいえ、あまり賢いやり方とは思えない……。

だが桂二郎は、自分の考えは口にしないほうがいいと判断して、きょうまでそのことは黙っていたのだった。だから桂二郎は、その話題には触れないでおこうと決めた。

「お父さんのメールアドレス、教えてよ」

と俊国は言った。

「えーと、ｋｅｕｅｈａｒａ＠……」

桂二郎は教えると、俊国はいまから電子メールを送ると言って電話を切った。

パソコンの画面を見つめて頬杖をつき、桂二郎は、もし台湾へ行くとなれば、須藤潤介もつれていってやりたいと思った。

第五章

留美子が担当する会社の税務申告期限が重なって、休日も西新宿の檜山(ひやま)税務会計事務所に出勤したり、ときには目黒の家の父の書斎で仕事をしたりして五月をすごした。その疲れで六月に入ってすぐにひどい風邪をひき、留美子は四日間高熱が下がらず、ベッドのなかですごした。

やっと風邪も治り、あしたからは仕事を再開できそうだと思い、留美子は渋谷まで出て行きつけの美容院で髪をカットして、夕方の五時前に自宅に帰ってきた。

家の前に車体すべてに泥が付着してナンバープレートまでが見えなくなっているダンプカーが停まっていた。ダンプカーの荷台には、太い木の根っこが、まるで巨大な岩石のような格好で積まれてあった。

玄関の三和土(たたき)には男物の、それもまた泥だらけのスニーカーがあり、居間からは弟の亮(りょう)の笑い声が聞こえた。

「あのダンプ、亮が乗ってきたの?」

居間に行き、ひさしぶりに亮を見るなり、留美子はそう訊いた。亮の隣には、眉の太い、色黒の青年が腰かけて、母がパート先の精肉店で揚げたコロッケを食べながらビールを飲んでいた。

「あした熊野へ行くんだ。俺の財産を熊野まで運んでくれるんだ。俺にはあんなでかいダンプ、運転できないからね」

亮は、寺内京兵という名の青年を留美子に紹介してから、そう言った。

「顔中、眉毛だらけ……」

と思いながら、留美子は寺内京兵という青年に挨拶をし、亮に、大分の製材所をやめたのかと訊いた。

「うん。親父さんがね、うちにいても、もう勉強することはないから、名人の気が変わらないうちに熊野へ行って木工の修業をしろって……。おととい、一家中で大送別会をひらいてくれて……」

と亮は言った。

「あの木の根っこ、亮がなけなしのお金で買い集めたってやつ？」

「そうだよ。あれでもまだ三分の一なんだ。残りは大分の製材所の親父さんが買ってくれたんだ。俺がこれからお世話になる熊野の木工所には置き場所がないからね。買ってくれたのはありがたかったけど、身を切られる思いだったよ。でも親父さんが買ってくれたお陰で東京経由熊野行きのダンプの運賃が払えたし……」

「何の連絡もなしに、あんな大きなダンプカーで帰ってきたから、びっくりしちゃった」

母はそう言いながら、亮の好物のビーフカツレツを揚げていた。

「どうして、大分からそのまま熊野へ行かなかったの？」

留美子は、亮と寺内京兵の食事の用意を手伝いながら、そう訊いた。

「京兵さんが、どうしてもこの家を見たいって言うから。砂利や石を扱う仕事だけど、京兵さんは俺よりも木に詳しいんだ」

寺内京兵の実家は、父の代まで製材業を営んでいたのだという。

「大分でですか？」

という留美子の問いに、

「熊本の小国町ってとこです。大分の宇佐市からそんなに遠くありません」

と寺内は言った。その声は、留美子が驚いて思わず表情を変えそうになるほどに細く高かった。ボーイソプラノとはこういう声をいうのではないのかと留美子は思った。その、「むくつけき」といった顔立ちや体軀とはまったく相反する少年のような声と、豪快なビールの飲みっぷりもまた留美子を驚かせた。

「もうこの家、ゆっくりご覧になりました？」

と留美子は訊き、揚げたてのビーフカツレツを皿に盛って、寺内の前に運んだ。

「いい木です。魂がこもってますね。亮の父ちゃん、木を見る目はとびっきりっす」

「不思議な声だろ？」

亮は笑いながら言って、二時間後には熊野に向けて出発するから、ビールはそのくらいにしろよと寺内の肩を叩いた。

「ウィーン少年合唱団みたいだろ？」

亮の言葉に、留美子は、そんな失礼なことを面と向かって口にするなんてと無言で睨み返した。

「京兵さんに美空ひばりの歌をうたわせたら九州一だよ」

「この声で、損してるのか得してるのか、わからんよ」

と寺内は言い、大きなビフカツを先にナイフで五切れに分けて、それをおかずにご飯を食べ始めた。

三口ほどでご飯茶碗を空にすると、お代わりをしてもいいかといった表情で留美子を見やった。

「あの食べっぷり……」

留美子は二膳目のご飯をよそいながら、母の耳元でささやいた。

「さっき、コロッケ五つと肉饅を三つたいらげてるのよ」

母がわざと目を大きく丸くさせて微笑みながら小声で言った。

亮と寺内は二時ごろに着いて、三時間近くもこの家を隈なく見て廻ったのだという。

留美子は二階にあがり、自分の部屋で普段着に着替え、パソコンのスイッチを入れた。檜山から仕事に関する電子メールが届いているはずだった。

だが、檜山からのものではなく、「芦原小巻です」とタイトルに書かれた文字が留美子に小さな声をあげさせた。

「……小巻ちゃんだァ」

小巻から電子メールを貰ったのは、ゴールデンウィークのさなかだったから、もう一ヵ月以上たっている。芦原小巻が十年間、どんな病気と闘いつづけてきたのかを問う電子メールに、ただの一度も返信はなかったのだった。

——メールでお返事をもらったときは、胸がどきどきするくらい嬉しかった。すぐに返事を送ったのだが、エラーとなってしまい、そのあと、従姉のお古のパソコンが故障した。小さなパソコンで画面も見にくく、機械の作動も遅かったのだが、自分が初めて持ったパソコンなので、なんとか修理をしようとメーカーに頼んだが、修理するよりも新しいパソコンを買ったらどうかと勧められた。

従姉の使い方が乱暴だったのか、ほとんど修理不能の状態だった。

やっとアルバイト先をみつけて働き始めたばかりで、新しいパソコンを買う余裕がなく、留美ちゃんには早く手紙を書かなければと思ったが、家族に次から次へと厄介な問題が生じて、手紙を書く精神的余裕が持てなかった。

きょう、思い切って新しいパソコンを買った。家に届いたのは朝だったのだが、初期設定を失敗して、さっきやっと電子メールを送受信できるようになった。一ヵ月以上も返事を送らず、さぞかしいい加減なやつと怒っていることと思う。

こんどの金曜日、東京に行く用事ができたので上京する。月曜日の朝の飛行機で小樽へ帰るので、もし留美ちゃんの都合さえよければ逢えないものか。土曜日でも日曜日でも、留美ちゃんの指定する時間や場所に従うつもりだ。——

芦原小巻からの電子メールは、そのような意味のことが書かれていた。

「よかった……。次の土日で」

と留美子はつぶやき、すぐに返信の電子メールを書いた。

——あれっきり返事がなかったのでどうしたのかと心配していた。自分は土曜日も日曜日も何の予定もはいっていない。待ち合わせの場所と時間は、小巻ちゃんが決めてくれたほうがいいと思う。東京はひさしぶりだろうから、小巻ちゃんが知っていて、道に迷わないところにしたほうがいい。お逢いできるのを楽しみにしている。——

留美子はそのような電子メールをすぐに芦原小巻に送信し、階下に降りた。

亮も寺内も食事を終えて、コーヒーを飲んでいた。もう少ししたら和歌山の熊野に向かって出発するという。新宮市から車で二十分ほどのところに、亮の木工の師となる男が工房を持っているらしかった。

寺内京兵は、亮を熊野に送り、荷を降ろしたら、そのまま大分へと帰るのだった。

「熊野って、ここから車でどのくらいかかるの？」

と留美子は訊き、新しい地で新しい師を得て、本格的に木工の修業生活にはいる弟に餞別をと思い、再び二階の自室へ行くと、財布から紙幣を出し、それを封筒に入れた。

「さあ、見当がつかないよ。名古屋から新宮のほうへ新しい道ができてるって聞いたけどね。途中、京兵さんに仮眠をとってもらったりしてゆっくり走って、たぶんあしたの昼までには着くんじゃないかな」

と亮は言った。

木工の師となる人物は宇和三郎という名の五十歳の男で、代々、宮大工の家の三男坊だという。

「宮大工っていっても、重要文化財の修復とかを専門にしてるんだよ。その人のおじいさんもお父さんも、ほとんど文化財的な木造建築専門にてがけた人で、お父さんはいま京都のなんとかっていう有名なお寺のお堂を建ててるんだ。三年前に火事で焼けたお堂をそっくりそのまま復元する仕事でね。宇和三郎さんも、十七歳のときからそんな仕事をしてたんだけど、家代々の仕事はお兄さんのひとりにまかせて、自分は机や椅子や飾り棚を作る木工の世界へ入ったんだよ。熊野の『うわ工房』っていったら、この世界では知らない人がいないくらい有名なんだ。弟子は三人いて、俺が四人目。俺はその三人の兄弟子と共同生活をするんだ」

亮は寺内京兵の息を嗅ぎ、アルコールの匂いがしないのをたしかめると、

「行こうか」

と言った。

母と一緒に表まで見送りに出た留美子は、餞別の入った封筒を亮にそっと手渡した。

「もうすぐボーナスを貰えるから、少しはりこんどいたわ。体に気をつけて」

「えっ！　留美ちゃんからも貰っていいのかなァ。さっき、お母さんから当座の生活費をいただいちゃったんだけど……」

「それはそれ、これはこれ」

「李朝の棚が売れたときの三十万円もほとんど使ってないし、集めた原木の三分の二は大分の製材所の親父さんが買い取ってくれたし、俺、いまかなり豊かだなァ」

熊野に着いたら、なにはともあれパソコンを設置して電子メールを送ると言って、亮はダンプカーの助手席に乗った。

「これは何？」

留美子は表皮がまだ乾き切っていない直径二メートルほどの木の根を指差して訊いた。

「杉だよ。樹齢四百年てとこかな」

「こっちのひらべったいのは？」

「カイヅカ。これだけのカイヅカの原木は滅多にないんだぜ」

泥だらけのダンプカーは熊野に向かって走り出した。

ダンプカーが四つ辻を曲がって行ってしまってからも、母は玄関のところに立ったまま、

「熊野って、遠いのよ」

と言った。

二十年ほど前、従姉の息子の結婚式で父と一緒に大阪に行った際、そのあと和歌山の勝浦温泉で二日間をすごしたが、大阪から勝浦までの電車の旅は、ただただ遠かったという記憶が残っているという。

「新宮って、その勝浦よりもまだ先なのよ。ちょうど熊野の火祭りのときで、お父さんはそれを観たいからもうちょっと足を延ばして熊野まで行こうって誘ってくれたんだけど、私の体の調子が良くなくて、行かなかったの」

「じゃあ、こんど二人で熊野へ行こうか。亮がどんなところで修業してるのか偵察に」

と留美子は言い、いつまでもダンプカーが曲がっていった四つ辻を見つめている母に、家に入ろうと促した。

「なんのためにアメリカに四年間も留学したんだか……。いまコンピューター業界って花形中の花形なのにねェ……。荻野さんの息子さんの年収を聞いてびっくりしちゃった。荻野さんの息子さんが勤めてる会社は、亮が就職した会社の五分の一くらいの規模なのよ」

「亮は、自分が好きな仕事をみつけたんだから、それでいいじゃないの」

居間に戻り、テーブルの上を片づけながら、留美子は言った。

「亮があっさりと辞めちゃった会社、いま入社しようと思ったら大変なんだから……。

ことし五人の大卒の社員を募集したら、四千人の応募があったって、新聞に載ってたわ。あの会社に勤めてたら、この目黒の家で一緒に暮らせるし、ひょっとしたらお嫁さんも……」

「おっかさんらしい愚痴ね」

留美子は、冷たくならないよう気遣いながら笑顔でそう言い、裏庭からの花の香りに気づくと、窓をあけた。

鉢植えのデンドロビューム、胡蝶蘭、シンビジュームが狭い裏庭のほとんどを占めていた。

「これ、どうしたの？　蘭の花畠みたい」

「佐島さんが下さったの」

「いつ？」

「私が帰って来てすぐに届けて下さったの」

ここから歩いて二十分ほどのところにも佐島家の土地があり、売りに出してもう五年たつのだが、高くて買い手がつかない。

佐島老人は、その土地に蘭栽培用の大きな温室を造り、そこで三種類の蘭を育てているのだという。

「亮と寺内さんの食事の用意で、蘭を飾る時間がなかったから、とりあえず裏庭に置いたのよ」

「これ、全部、家のなかに置く場所なんてあるかしら」

とつぶやき、留美子は鉢の数をかぞえた。全部で十二鉢あった。

佐島老人の息子夫婦がゴルフと温泉三昧の伊豆の旅から帰って以来、留美子の家にはいささか異常なほどの贈り物が頻繁に届けられた。

息子夫婦にしてみれば、自分たちが遊びに行っているあいだに年老いた父親が大怪我をし、そのことを旅から帰るまで知らずにいたという負い目もあるのであろうが、それにしても留美子へのお礼の品々は、留美子が何度辞退しようとも届けられる。

フランス製の高級バッグ、絹のスカーフ、アクセサリー類、最高級の牛肉、冷凍した本マグロの大きな切り身、イギリス製のコーヒーカップのセット……。

食品などは、母と二人暮らしなので到底食べ切れず、冷凍保存できるものはすべて冷凍庫に入れたが、氷見家のさして大きくはない冷蔵庫は、もうこれ以上はどう工夫しても入らない状態になっている。

これでもかと謝礼の品々は届くが、息子夫婦が留美子に直接礼を述べたのは一度きりで、それ以後は顔を合わせたこともない。

高価な物さえ渡しておけば、それでよしと思う類の人間なのだろうが、届け物がつづくうちに、留美子は愚弄されているような気がしてきて、不快でたまらなくなった。

けれども、どれも自分には分不相応なバッグやアクセサリー類を、儲けものだと割り切って、ありがたく頂戴しておけばいいと決めたが、まだどれも新品のまま、留美子の部屋に置かれたままなのだった。

「これはね、佐島さんがご自分で持って来て下さったのよ」

と母は十二鉢の蘭のところに行って、そのうちの一鉢を持つと言った。

「蘭の栽培は、佐島さんのたったひとつの楽しみなんだって……」

これは玄関を入ったところに置こう、この胡蝶蘭は居間に。

母はそうつぶやきながら、家のなかと裏庭とを行ったり来たりした。

「きっと、上原さんのところにも、いろんなものが届いてるんでしょうね」

と言い、留美子は白い胡蝶蘭の鉢植えは自分の部屋に飾ろうと思った。

鉢植えを持ったまま、二階の廊下の窓から何気なく外を見ると、上原家の門扉があいて、ゴルフのクラブを数本入れられる筒状のバッグを肩に掛けた上原桂二郎が出て来た。

上原桂二郎は窓のところにいる留美子に気づいて頭を下げた。留美子は窓をあけ、

「ゴルフの練習ですか?」

と訊いた。歩いて二十分ほどのところにゴルフ練習場がある。

「ええ。心を入れ換えて、少しゴルフの練習をしてみようかなんて思いまして……」

上原桂二郎はそう言い、留美子が持っている胡蝶蘭の鉢植えを見た。

「これ、佐島さんがたくさん下さったんです。十二鉢も」

と留美子は言った。

「私のところにも届けて下さいました。うちには十五鉢」

上原桂二郎の笑顔が門灯に照らされて、それは一瞬不敵な度胸といったものを彼の顔全体にもたらした気がした。

留美子は、二階の窓から見おろして話を交わすのは失礼だと思い、先日、「とと一」から車で送ってもらったお礼をあらためて述べなければとも考え、あわてて階段をおりて、上原家の門のところへ行った。

「そんな、わざわざおうちから外へ出てきてまで礼を言っていただけるほどのことじゃありません」

と言い、上原桂二郎は軽く会釈をして行きかけたが、すぐに歩を止め、留美子に、パソコンを使えるかと訊いた。

「ええ、ひととおりは」

「ぼくも、パソコンを家に置いたんですが、ある人に勧められたホームページにアクセスしてたら、まったくどうにもならなくなったんです。『フリーズした』ってやつですね。そんなときはこうしろっていう方法をやってみたんですが、どうにもならなくて……。息子に助け舟をと思って電話をしてるんですが、つながらなくて」

「フリーズって、理由もなく起こることがよくあるんです。パソコンも機械ですから」

と留美子は言い、もしさしつかえなければ直してさしあげようかと訊いた。

「ゴルフの練習からお帰りになったら、遠慮なく声をかけて下さい。私、今夜は読まなきゃいけない本があるので、遅くまで起きてますから」

「ゴルフの練習はいつでもできます」

と言い、上原桂二郎は閉めた門扉をあけたが、すぐにまたそれを閉めた。

「うっかりしてました。今夜は練習場のレッスンプロに教えてもらうことになってまして、私のほうから時間を指定したんです。氷見さんにパソコンを直してもらってると、遅刻してしまいますね」

上原桂二郎は照れ笑いのようなものを浮かべ、パソコンがフリーズしてしまったことを言いだしたのは自分のほうなのに申し訳ないと謝り、丁寧にお辞儀をして静かな住宅街の夜道を足早に歩きだした。

片道二十分歩いてゴルフの練習場に行き、練習をして、また二十分かけて歩いて帰って来れば、かなりの運動量だなと思い、留美子は自分も上原桂二郎のやり方を真似てゴルフの練習を始めようかと考えた。

新しく担当となった女性の個人事業主はゴルフが好きで、留美子にしきりにゴルフを勧める。

まだ若い美容師だが、横浜に店を持ち、近々、もう一店舗増やすことになり、有限会社にしたいというので、その手続きも含めて留美子がまかされることになったのだった。

「ダイエット効果抜群よねェ……」

往復四十分歩いて、ゴルフのボールを打って……。

「でも、ゴルフって難しいのよねェ……」

そうひとりごちながら、自分の家の玄関に戻りかけると、上原桂二郎が歩いて行った方向とは逆の、駅のほうからの道を上原家の息子が歩いて来るのが見えた。

「お父さま、いまおでかけになりましたよ」

と留美子は上原浩司に声をかけた。

「あれ？　珍しいなァ。こんな時間にでかけるなんて」

と上原家の息子は言った。

「ゴルフの練習に行かれたんです」

「ゴルフ？」

「ええ、歩いて」

携帯電話に何度か父からの電話が入っていたので、ちょっと心配になって、仕事を終えて久しぶりに実家に帰って来たのにと言い、上原浩司は苦笑した。

「ゴルフに行くくらいなら、何か大事件が起こったってわけじゃないんだな」

「パソコンがフリーズしちゃったんですって」

「またですか」

合鍵は持っているのでと言い、上原浩司が門扉をあけたとき、自転車に乗った上原家のお手伝いがやって来て、

「まあ、俊国さん、おかえりなさい」

と言った。

「忘れ物をしちゃって……」

と上原家のお手伝いは言い、留美子に挨拶をした。

留美子も挨拶を返し、二人が玄関のほうへ歩いて行くのを見ながら、自分も家に入り、二階にあがった。

「トシクニ……。やっぱり、彼、トシクニなんだ」

どうして浩司だなどと嘘をついたのであろう……。

トシクニといっても、さまざまな漢字の組み合わせがあるだろう。どんな字なのであろう……。

留美子は、そう考えながら、廊下に置いたままの胡蝶蘭の鉢植えを自分の部屋の窓のところに飾った。隣の父の書斎にも飾ろうと思ったが、すでに母が窓ぎわにデンドロビユームの鉢を置いてしまっていた。

上原家には二人の息子がいる。長男はトシクニで次男はコウジなのだ。そして、佐島老人が怪我をした夜に路上ででくわしたのは上原家の長男であることは間違いがない。

さっき会ったのも、同じ青年で、お手伝いは、はっきりと「トシクニさん」と呼んだ。

まさか双子ということはあるまい。歳が三つか四つ違うのだから……。

あの上原家の長男は幾つくらいなのだろうか。二十五、六歳といったところだが、顔を見たのはこれまでわずか二回で、それもどちらも夜だったので、あるいは二、三歳のずれはあるかもしれない。

いずれにしても、私よりも若い……。

なぜ弟の名をかたらなければならないのか……。

留美子は、亡き父の書斎の壁に穿った心地良い穴蔵に入って、CDでモーツァルトの「レクイエム」を聴いた。

最初の二小節に耳を傾けたとき、

「俊国かも」

と我ながら大きすぎると思うほどの声をあげた。

もしかしたら、十年前、私に駅の近くであの手紙を渡して走っていった十五歳の少年は、上原家の長男ではないのか……。それを私に気づかれたくなくて、弟の名をかたったのではないのか……。

「でも、あの手紙には須藤俊国って書いてあったのよね」

名は同じだが、姓が違う。けれども、十五歳の少年が十年たったら、トシクニと同じ歳格好になっているに違いない。

もし、須藤俊国がトシクニと同一人物であるならば、なぜ本名を明かさなかったのかの説明がつく……。

留美子は、いささか高揚した心でそう考えたが、それもなんだか都合のいい推理のような気がしてきた。十年前に須藤という姓だった俊国は、いつどんな理由で「上原俊国」に変わったのだろう。まさかこの十年のあいだに、須藤家から上原家へと養子にいったなどというわけがあるはずがない……。

留美子は「レクイエム」を途中まで作曲したモーツァルトが死んだあとに、弟子のジュッスマイヤーが作曲して完成したとされる部分に入ると、CDのスイッチを切った。

十年前の少年の顔を思い浮かべようと穴蔵の壁に頭を凭せかけた。

階下では、裏庭と家のなかを行ったり来たりする母の足音が響いていた。

十二鉢もの蘭をすべて家の中に飾れば、この小さな家は蘭であふれかえってしまう……。

留美子は、全身のバランスと比して、首が異様に長く見えたという記憶以外、十年前の少年の容姿に関しては何も思い出せないまま、残りの八鉢の蘭の置き場所を考えた。

「私の部屋に、もうひとつ。このお父さんの書斎にももうひとつ。お玄関にももうひとつ。お母さんの部屋にもふたつ。二階の廊下にふたつ……」

さて、これで何鉢になるのか……。

そう考えているうちに、留美子は、あるいは十年前、あの少年が手紙に書いた姓名のほうが偽りだったというふうに思考を逆転してもいいのだと気づいた。ほんとうは上原俊国なのに、上原家は引っ越して来た氷見家の真向かいにあるので、自分がどこの家の子かすぐにばれてしまう……。だから少年は、あえて姓だけを須藤と偽ったのだ……。

そう考えることが、いまのところ、留美子の疑念を解決する最も無理なこじつけのないものだった。

だがそれも、上原家の長男が十年前のあの少年だったという推理にもとづいているだけで、もしそうではなかったら、ひとりよがりな馬鹿げた妄想のようなものだ……。

留美子はそう思い、CDラックからコルトレーンの記念盤を出し、モーツァルトの「レクイエム」とそれとを入れ換えた。

コルトレーンの「マイ・フェイバリット・シングス」が低い音で狭い穴蔵のなかに流れ始めた。

「トシクニ」という名には、通常、どんな漢字を用いるだろう……。

留美子は立てた膝の上に思いつくかぎりの「トシクニ」という字を指先で書いてみた。

敏国、敏邦、敏久仁、俊邦……。

知り合いのお兄さんは、たしか斗士男だった。だから斗士国。

「これじゃあ、なんだかお相撲さんのシコ名みたいよねェ」

そうだ、ひとつのキーワードがある、と留美子は思った。いやひとつではない。ふたつだ。

ひとつは「空飛ぶ蜘蛛(くも)」と、もうひとつは「岡山県総社市」だ。

あの少年が空を飛ぶ蜘蛛を見た場所を描いた地図には「岡山県総社市」としたためてあった。

けれども、そのふたつのキーワードをどう使って上原家の長男と須藤俊国とが同じ人間かを調べようかと思案するよりも、単刀直入に訊いてみるのがいちばん早い。

上原家の長男に、

「あなたは十年前、須藤俊国という名で私に手紙をくれなかったか」

と……。

しかしそれがまったくの見当外れだったら、いささか恥ずかしすぎるし、上原家の長男にも失礼だ。

だいいち、弟の名をかたったとすれば、自分が手紙の主であることを知られたくないからで、問われても正直に「はい、そうです」と答えるはずもない……。

留美子はそう思い直しながらも、十年前の少年の姿と上原家の長男とが、やはりどことなく似かよったところがあるような気がしてきた。体つき、目元、顎から首への線……。

ほとんど思い出せないくせに、上原家の長男を十五歳にまで若返らせて、頭のなかで駅の近くの道に立たせてみると、あの少年のたたずまいになっていくのだった。

「私、つきとめてやる」

そうつぶやき、階下からの母の呼ぶ声でCDの音を消し、穴蔵から出て、留美子は居間に降りた。

「あと二鉢がねエ、もうどうにも置き場所がないのよ」

母はテーブルの上に新聞紙を敷き、そこに残りの二鉢を置いて椅子に腰かけ、茶を飲んだ。

「上原さんのところには十五鉢届いたんですって」

と留美子は言った。

「血筋かしらねェ……」

「血筋？」

「人に物をプレゼントするときは、とにかく大量に贈りたくなるっていう血筋……」

留美子は笑い、佐島老人はどうやって十二鉢もの蘭を運んできたのかと母に訊いた。

「佐島さんはご自分で一鉢持って来てくれたの。そのあと、お手伝いさんが植木屋さんの車に乗って、残りの十一鉢を」

「最初の一鉢は、佐島さんのお心遣いで、残りの十一鉢は、佐島さんの息子さんかその奥さんからじゃないの？　どう考えても、私、あの佐島さんがうちに十二鉢、上原さんちに十五鉢も蘭の鉢植えを届けるような非常識な人だとは思えないわ」

留美子の言葉に、母はしばらく考え込み、

「佐島さん、あの大怪我で、ひょっとして老人性の……」

と言いかけてやめた。

「そんなことは絶対ないわ。佐島さんとこの前ちょっと立ち話をしたけど、頭脳明晰で目にも光があって……。佐島さんて、すごく知的できれいな目だなァって、私、感心したくらいよ」

と留美子は言った。

「羽島のおばあちゃんも、知的できれいな目のままよ」

母は、以前住んでいた家の近くの老人の名を口にした。その八十四歳の老人は、月に二、三度、自分の家が千葉にあると思い込んで、電車に乗ってそこへ行ってしまう。その老人がいまの自分の住まいだと思い込んでいるところは、彼女が生まれ育った実家なのだ。

「佐島さんは、息子さん夫婦が、うちにあんなにいろんなものをお礼として贈ってくれたってこと、ご存知なかったのよ」

と母は言った。

きょう、佐島老人が一鉢の蘭を持って訪ねてきたときに、その礼を言うと、

「マグロを五キロも?」

と驚き顔で母を見やったという。

「私はべつにいやみのつもりじゃなかったのよ。量はたしかにありがた迷惑を通り越して、いい加減にしてくれっていうくらいだけど、お心遣いはお心遣いとしてありがたいから、そのお礼を述べただけなの。まァ、多少の皮肉はなきにしもあらずだったけど……」

「佐島さん、びっくりなさったの?」

と留美子は訊いた。

「お母さんと娘さんの二人暮らしの家に、マグロを五キロなんて、何を考えてるんだろ

う。食べ切れないどころか、保存するのも大変だってことがわからないんですかねェ、って謝ってらした……」

「松阪牛のすき焼き用の肉も五キロ……」

と留美子は苦笑しながら言った。そのとき、佐島家から何かが倒れたような音がしたので、留美子も母も慌てて椅子から立ちあがり、サンダルを履いて裏庭に出た。また佐島老人がどこかで転んだのではないかと思ったのだった。

だが、すぐに佐島老人の声が聞こえた。張りのある、いつになく早口の、怒りを含んだ声だった。

「出ていけ！」

その声のあとに、何かがぶつかって割れる音がした。

「息子さんか、お嫁さんとケンカしてるのかしら……」

母はそう言って居間に戻った。留美子も母のあとから居間に入り、残りの二鉢の蘭を、いまは納戸替わりに使っている亮の部屋にとりあえず置こうと思ったが、次第に佐島老人のことが心配になってきた。

息子や息子の妻とのいさかいなら、他人が介入しないほうがいいが、もしそうでないなら、放っておけない……。

「私、ちょっと見てくる」

留美子は言って玄関から外に出た。佐島老人の家の前に行き、閉ざされた門扉の前に立って、背伸びをして、なかをのぞこうとすると、佐島家の玄関の戸があく音がして、誰かが出て来た。

留美子は小走りで四つ辻のところに戻り、佐島老人の息子が自分の家へと戻って行くのを見ると、安堵して家へと引き返した。

ゴルフバッグを持った上原桂二郎が、片方の掌を右の脇腹にあてがいながら帰って来た。

「あら、もう練習はおしまいですか?」

と留美子が訊くと、

「ストレッチもしないでゴルフのクラブを思いっきり振ったもんだから、肋骨のここが変な音をたてまして」

と上原桂二郎は言った。

痛くてどうにもならないので、ゴルフの練習どころではなく、レッスンプロに病院へ行けと言われたが、こんな時間に診察してくれる病院などないので、そのまま帰って来たのだと上原桂二郎は言った。

「私のお客さまで、ゴルフの練習をしてて肋骨を折った人がいます」

と留美子は言った。

「救急病院なら診察してくれるんじゃないですか? 骨が折れてたら大変です」

「ゴルフで肋骨を折る人は多いそうですね。うちの社員にも二人ほどいて、話を聞いたとき、どうしてゴルフごときで肋骨が折れたりするのかと思いましたが、たしかにバキッていう音がしました。帰り道、深呼吸ができなくて……」

上原家の玄関があき、お手伝いの声がした。

自転車の荷台に蘭の鉢植えを載せて門から出てくると、

「あら、おかえりなさいませ」

とお手伝いは上原桂二郎に言った。

「なんだ、たったの一鉢しか持ってってくれないのか？　せめて三、四鉢は持ってってくれよ」

「でも、この自転車には一鉢しか載らないんです。落として割ったらいけませんし。俊国さんがあとで車で五鉢運んでくれるそうです」

「俊国、帰って来たのか？」

「お父さまのパソコンを直しに来たそうです」

やっぱり、あの人は「トシクニ」なのだ……。

留美子はそう思ったが、

「どうかお大事に」

と上原桂二郎に言って、家に帰った。

上原家の長男が「トシクニ」であることは、もう疑う余地がない。だがどうして彼は、「コウジ」と偽ったのであろう……。

玄関の戸を少しあけて、上原桂二郎が門のなかに消えると、留美子は再び家から出て、自転車にまたがりかけたお手伝いに声をかけた。

「うちには十二鉢の蘭が佐島さんから届いたんです。置き場所がなくて、母と頭をかかえてるんです。さっき上原さんにその話をしたら、うちは十五鉢届いたって仰言ってました」

「蘭の鉢植えだけじゃありませんよ」

とお手伝いは声をひそめて言った。

「最上級のしゃぶしゃぶ用の肉が五キロ。大きな鰻の蒲焼きが十匹。それに……」

もう思いだせないくらいの届け物で、失礼な言い方をすれば、つまり大迷惑している……。

上原家のお手伝いはあきれ顔で苦笑した。

「トシクニさんて、どんな字なんですか?」

それを訊きたくて、留美子は蘭の鉢植えの話題を投げかけたのだった。

「俊という字に、国です」

にんべんの「俊」と国家の「国」だと、お手伝いは教えてくれた。そしてなぜそのようなことを訊くのかといった表情で留美子を見やった。

「佐島さんがお怪我をなさった夜、俊国さんがいて下さらなかったら、私と母ではどうしようもなかったと思うんです。私は救急車に一緒に乗らなきゃいけなかったし、母はあのときまだお風呂に入ってる最中だったし……。だから、お礼のお葉書でも出そうかと思って」

と留美子は自分を「この嘘つきめ」と思いながら言った。

「俊国さん、ほんとにうまく偶然にあの夜実家に帰ってこられたもんですよね。二ヵ月に一回帰ってくるかどうかなのに……」

上原家のお手伝いは、笑顔で言って、自転車を漕いで帰って行った。

留美子は風呂に入っているときも、母と雑談しながらも、母が寝てしまってからも、十年前の少年のことばかり考えつづけた。

十年……。過ぎてしまえば一瞬のような気がするが、それでも十年という年月はやはり長い。

その間、自分のような平凡な女にでも、さまざまなことがあった。

十年前のあの少年は、少年らしいいたずら心で、私をからかうためにあんな手紙を渡して、逃げるように去って行ったのだろうか。

それとも、あのときは本気で、歳上の私に一目惚れしてくれて、十年後に必ず結婚を申し込むという決意をしたのだろうか……。

「似たような歳で、漢字も同じ『俊国』なんて、この近くに二人もいるはずないわ」

留美子は、パジャマ姿のままベッドの上で壁に背を凭せかけ、膝に読まなければならない税務関係の本をひらいたまま、胸の内でそうつぶやいた。

もし、上原俊国が須藤俊国と同一人物であるなら、彼が自分の名を偽ったということは、十年前のいたずら、もしくは出来心を、なかったものにしてしまいたいのであろう……。

留美子はそう思った。

「でも私、ちゃんと『飛行蜘蛛』のことをしらべて、本も最初から最後まで読んだんだから……」

空飛ぶ蜘蛛。雪迎え。冬の訪れの前の、蜘蛛のけなげな営為。そのために吐き出した糸が絡まってできる半透明の小さな玉。

日本だけでなく、蜘蛛が生息するところでは、古来、どの国の人々も、それを不思議なものとして受けとめてきた。

ある国の人々は災厄のまえぶれとして。またある国では、人智の及ばぬ超常現象として。

なかには、そのはかない浮遊物に自分の恋や人生を重ねて歌を作り、詩を詠み、音楽までを生んだ。

もし、あの少年が、上原家の長男だったとしたら……。

留美子は、

「ことしの十二月に、私を待ってるかしら」

と思った。

「手紙のことは覚えてても、そんな気持ちはもうきれいさっぱり消えちゃってるわよね」

留美子は父の書斎に行き、手文庫のなかから手紙を出して、また読んだ。

——空を飛ぶ蜘蛛を見たことがありますか？　ぼくは見ました。蜘蛛が空を飛んで行くのです。十年後の誕生日にぼくは二十六歳になります。十二月五日です。その日の朝、地図に示したところでお待ちしています。お天気が良ければ、ここでたくさんの小さな蜘蛛が飛び立つのが見られるはずです。ぼくはそのとき、あなたに結婚を申し込むつもりです。こんな変な手紙を読んで下さってありがとうございました。須藤俊国——。

こうやってあらためて読んでみると、手紙の文面に、これまでは感じなかった真摯(しんし)なものが流れている気がした。

ふざけや、からかいからとは遠いものがあると思えた。

「十二月五日かァ……」

留美子はカレンダーをめくった。ことしの十二月五日は火曜日であった。

留美子はパソコンのスイッチを入れ、岡山県総社市のホームページはないものかと捜した。

市が作っているホームページはすぐにみつかった。

倉敷市と隣接していて、とりたてて特産品があるわけでもなく、有力な地場産業に恵まれてもいない。昔から吉備路と呼ばれるところに位置していて、岡山駅から伯備線で約三十分、倉敷駅からは十分ほどのところだった。市のなかには高梁川という川幅も水量も豊かな、きれいな川が流れている。

人口は約五万七千人。世帯数は約一万九千世帯。かつては農家が多かったが、工場の誘致も進めていて、そこで働く人も増えたようだ。温暖な気候で、自然災害も少なく、安全で住みやすいところだ……。

画面にはそう紹介してあった。

ガイドマップを見ながら、留美子は須藤俊国がたくさんの空飛ぶ蜘蛛を見たのはどのあたりだろうと考えた。

東から総社市へとつながる山陽自動車道が北側の、山陰地方と山陽地方との境あたりを東西に貫く中国自動車道から分岐した岡山自動車道と交わるところに足守川という川が流れている。

留美子は、十五歳の少年が描いた地図と照らし合わせて、その足守川と西へ行ったところにある備中国分寺という寺とのあいだくらいかと推定した。

そのあたりには、小さくて低い山があるようだが、周りは田圃のようだった。

地図は普通は北を上にして描くのだが、少年は西を上にして描いていた。

空飛ぶ蜘蛛を見た地点。ことしの十二月五日に留美子を待っている場所には×印がしてあって、それはどうやら総社宮から少し東へ行ったところらしい。

「待ってるはずないわよ。本名を明かさないくらいなんだから……」

留美子は総社市のホームページをプリントしながらそう思った。

須藤俊国と上原俊国が同一人物であることを、留美子はもはや疑わなかった。

「彼、困ってるだろうなァ……」

一度も明るい昼間に見たことのない上原俊国の顔を脳裏に浮かべながら、

「この家、ずっと売りに出てたから、まさか私がこの家に戻って暮らし始めるなんて思ってもみなかっただろうし……」

留美子は、パソコンのスイッチを切りかけて、念のためにと電子メールの受信のところをクリックした。

――こんばんは。小巻です。

というタイトルが目に入った。

――メールのお返事、ありがとうございました。急遽予定が変わって、しあさって東京へ行くことになりました。二泊の予定で、足立区の弟のアパートに泊まります。しあさっての夜、留美ちゃんの予定はいかがですか？　でも、どうかご無理をなさいませんように。――

留美子はすぐに、しあさっての夜なら大丈夫だと返事を書いた。

芦原小巻が待ち合わせの場所として指定してきたのは東京駅の八重洲口から近い大き

な書店の前だった。

小巻の都合さえよければ、銀座の「とと一」で食事をご馳走しようと思い、留美子は東京駅の構内にあるデパートで小巻へのプレゼントを買うと、約束の七時よりも二十分も早く書店の前に行った。

小巻が来るまで、本でも立ち読みしていようと思ったが、小巻は先に来て、そこを待ち合わせの場所にしているらしい大勢の人間のなかに立っていた。

小学生のときとほとんど変わらない芦原小巻をみつけた瞬間、

「わあ、小巻ちゃん、ヘアスタイル、マッシュルームのままじゃないの」

と大声で言って、留美子は小柄な小巻を抱擁するように両腕で抱きついた。

「留美ちゃん、すごくきれい」

と小巻は言った。

「向こうから来る人、きれいな人だなァって思って見てるうちに、だんだん留美ちゃんじゃないかなって思い始めて……。そしたら心臓がぱくぱくしてきて……」

「嬉しいことを言ってくれて……。今夜は私、おいしいものをご馳走するわ」

お腹は空いているかと訊くと、昼、小さなピザトーストを食べただけなのだと小巻は言った。

「きのうの九時からは食べるものどころか、水も飲めなかったの」

半年に一度の検診で、きょうは胃の検査もすることになったので、きのうの夜から断食状態で朝を迎え、早朝の飛行機に乗り、病院で検査を終えたあと、とにかく喉が渇いて喫茶店に飛び込んだのだという。

「バリュウムを飲んだんだったら、あとで下剤も服んだんじゃないの？　いまから、おいしいもの、食べられる？」

留美子の問いに、小巻は、胃透視のX線写真は撮らず、胃カメラを入れられたのだと言った。

留美子はタクシーを止め、「とと一」へ向かった。

「相変わらず色が白くて、目がまん丸」

留美子は「とと一」のカウンターに坐ると小巻を見つめてそう言った。

「三十二になんてぜったい見えないわ」

「それが私の悩みなのよ。この子供みたいな顔。小学生のときの写真と比べるたびに、がっくり力が抜けちゃう……。もうちょっとおとなの女の色香が出てくれたらなアって」

と言って小巻は笑った。

「いつも東京の病院まで検査を受けに来るの？」

と留美子は訊いた。

「半年に一度だけね。きょうの検査で何の異常もなければ、もう来なくていいって。私、癌だったの。二十二歳のときに肝臓癌にかかったの」

と小巻は言った。

「えっ!」

小さく声をあげ、留美子は、まだ二十代前半といっても通用するであろう小巻の顔を見つめた。

「肝臓癌? 小巻ちゃんが?」

二十二歳でそのような病気にかかって、十年たってこんなに元気に生きているという例は極めて稀なのではないのかと留美子は思い、

「きょうの検査で異常がなければ、もうつまり完治ってことなのね」

と言った。

大学卒業を目前にしたころ、医学部にいた女の先輩を訪ねて研究室へ遊びに行き、当時はまだ実用化されていなくて最終的な実験段階にあった内臓の検査機器で自分の体を調べたのだと小巻は言った。

「ふざけ半分で、実験台になったの。その先輩もまだ医学部の五年生で、あと一年勉強して、それから研修医になってって段階だから、ほんとにお互い軽い気持ちでの遊びだったの」

だがその機器によって映しだされた小巻の肝臓にある七ミリほどの何かを、先輩は見逃さなかった。先輩は、あっ? と思ったが、それを口にせず、あとから撮影した写真を自分の担当教授に見せた。教授はすぐに、その医大生を通じて小巻に精密検査を受け

るよう勧めた。わずか七ミリの大きさの初期の肝臓癌が見つかった。

「幸運だったのね。でも、私はまだ二十二歳だったの。それも肝臓癌でしょう？　すぐに手術をして肝臓の三分の一を切除して……」

「三分の一も？」

「肝臓って、再生能力がすごく強いから、三分の一を取っても、元の大きさに戻るの」

他の臓器にも、肝臓周辺のリンパ節にも転移はなかったが、二十二歳という若さでは、手術だけで良しとするわけにはいかなかった。

「抗癌剤、つらかったよォ」

と小巻は笑顔で言った。

二年間、幾種類かの抗癌剤を服用したが、手術で残した三分の二のほうに新しい癌が発生した。

「もうおしまいだと思って、手術もしない、抗癌剤ももういやだってお医者さんに言ったの。つまり、私、あきらめたの」

だが、担当の医者は、まごころを込めて、もう一度、癌との攻防戦をやろうではないかと説得してくれた。人間の命ってのは、医学の定説や図式どおりにはいかないもんだよ、と。

「こんどの癌も七ミリ。最初にみつかったときも、偶然の幸運で七ミリ。肝臓癌が、そんな小さい段階でみつかることなんて、滅多にないんだ。小巻ちゃんは、ついてるんだよ」

医者はそう言った。

「それでまた肝臓を三分の一取ったの」

二度目の手術から半年後、頭髪はすべて抜け落ち、体重は三十八キロまで減った。

「毎日毎晩、奇跡を夢見る生活だったの……」

小巻はそれもまたさりげなく笑顔で言った。

「二度目の手術から三年目に、ひょっとしたらもう再発しないんじゃないか。私、完治したんじゃないのかしら、なんて思い始めたころにね……」

小巻の言葉が終わらないうちに、

「また癌ができたの？」

と留美子は訊いた。努めて声を小さくさせたつもりだったのに、カウンターのなかにいる若い板前は、留美子と小巻に目をやった。

まだ何も註文していないことに気づき、留美子は、

「お酒は飲める？」

と小巻に訊いた。

「ビール、大好きなの。でも、缶ビールだったら三百五十ccが限度だけど。大好きなのに弱いんだもん。三百五十ccまでだったら、とても気持ちが良くなるわ」

留美子は、ビールを註文し、品書きを小巻と一緒にのぞき込んだ。

「先にビールをお運びします。あとのご註文は大事なお話が終わってからで結構ですよ」

若い板前は言って、山椒の花を煮てつくったという先付を小さな磁器に入れて出してくれた。

「完治したのかも。奇跡が起こったのかも、って思ったころ、私、うつ病になったの」

と小巻は言った。

「不思議でしょう？　治ったかもっていう歓びが、うつ病に変わるなんて……。私、長いあいだの死の恐怖で、心が疲れちゃったのね」

その「うつ病」の苦しみも言語を絶していたと思う……。

小巻はそう言った。

「でも、すぐに精神科のお医者さんにかかったのがよかったのね。私、二十二歳のときから大病して、お医者さん慣れとお薬慣れしてたから、うつ病の薬をお医者さんの指示どおりに服むことに抵抗がなかったの」

その「うつ病」も、やっと治った。五年かかったが治った。治ったという言い方は医学的には正しくないかもしれない。多分に気質的な要因もあるので、ときどき「うつ」症状になるが、そのときはすぐに精神科医のところに行くのだ。そうやって、うまく病気をかわしながら、いまはとても元気だ……。

「癌は？」

と留美子は訊いた。

「治ったの。二度目の手術からもう八年たってるけど、年に二度の検査では、どこにも異常なし」

その「なし」という部分だけを大声で言って、小巻は陶製の薄い円筒形の器に注がれたビールの泡を見つめた。

「奇跡を起こしたのね」

と留美子は言い、小巻と乾杯をした。

「すごいわね」

そういう言葉以外、小巻のこの十年間に対する表現の術が留美子にはみつからなかった。

「きざな言い方だけど、私、この十年間、死と生の吊り橋の上で揺れて、死と生の綱引きのなかで伸び縮みして、死と生の渦巻きに揉まれて……」

芦原小巻は、そこで少し考え込み、

「死のことを考えてるうちに、生きるってことがどういうことなのか、わかってきて、そしたら、死が恐くなくなったの」

と言った。

「この十年のあいだに、お兄ちゃんは交通事故を起こして、ぶつかった車に乗ってた人を死なせてしまって……。弟は勤めてた会社が倒産して、お父さんは商売に失敗して……。なんとか元気だったのは、お母さんだけ」

留美子は、小巻が小樽に引っ越したのは、父親の転勤のためだと思っていたので、

「お父さんは自分でお商売をなさってたの？」

と訊いた。

小樽に引っ越して五年目に会社勤めをやめ、自分で商売を始めたのだと小巻は答えた。

「水産品の加工をする仕事。すごく儲かって、小樽の街が見おろせる場所に大きな家を建てたのよ。でも、私たちがその家に住んだのはたったの五年」

こんな暗い話ばっかりでごめんねと小巻は言い、品書きに目をやると、

「私、スッポンのお料理って食べたことないの。丸鍋って、スッポン鍋のことでしょう？」

と訊いた。

「京都風の言い方なんだって、丸鍋って。食べる？　私も食べたことないの」

留美子は板前に、この丸鍋は一人前どのくらいの量なのかと訊いた。

普通のご飯茶碗と丼鉢の中間くらいの大きさの土鍋で煮るのだと板前は説明した。

「スッポン、初めてなら、量は少なめにしときますよ。精がつきます。あしたの朝、全身のお肌はつるつる」

板前の言い方がおかしくて、留美子も小巻とスッポンの鍋物を註文した。

「それができる前に、私は、蛸（たこ）のやわらか煮」

と留美子は言った。

「私は揚げ出し豆腐」

小巻はどこか遠慮した言い方で註文した。このような店に慣れていないのだろうと思い、留美子は、ここは店の雰囲気と比して値段が安いし、堅苦しいところはまるでない店なのだと耳元でささやいた。

「留美ちゃんのこの十年間はどうだったの?」

小巻にそう訊かれて、父の事故死、建ったばかりの家からの引っ越し、そして、妻と別れるはずだった男との恋愛を話して聞かせた。

「つまんない、卑怯な男……」

と小巻は言い、そんな男と結ばれなくて、留美ちゃんは運が良かったと微笑んだ。

「その人と別れて、駅まで歩いて行く自分のうしろ姿が、まだ私のなかから消えてないの。見たわけじゃないくせに」

と留美子は言い、ビールを飲んだ。

小巻はいま宅配便の大手企業の配送センターで事務のパートをしているのだという。一年たって、会社が評価してくれたら正社員になれるのだが、先日、人事部の幹部から、正社員に雇いたいと言われた。働き始めてまだ数ヵ月のパート要員を正社員にすることなど、その会社ではあまり例がないので、いま嬉しくて、とてもはしゃいだ気分なのだ。

そう言って、小巻もビールを飲んだ。

留美子は、これが十年間生死の淵に立ちつづけた人間の目なのだなと思いながら、小巻の丸い目の奥の、美しいという以外にない光を見ているうちに、己の不実、己の凡庸などをつくろうのはやめようと決め、

「ねエ、約束って、どんな約束だったっけ……。私、中学生のとき、小巻ちゃんとどんな約束をしたのか、忘れたの……」

と言った。

「あんな昔の、それも十三歳の子供のころに交わした約束を覚えてる私のほうが変なのよ」

と小巻は笑い、氷見留美子と芦原小巻の二人がお金を出し合って、ネパールのT村に学校を建てようという約束をしたのだと教えてくれた。

「ネパールに学校?」

教えられても、留美子はそんな約束を交わしたことを思い出せなかった。

当時の担任の先生は中年の女性で、その人の夫も教師だったが、山登りの世界では多少は知られた登山家でもあった。

ある日、留美子と小巻が担任の先生の家に遊びに行くと、ネパールにある有名な山に登って、前日無事に日本に帰国してきた夫がいた。その人は高校の教師だったが、ゴーグルをかけた目のところだけが日に灼けていなくて、八千メートル近い山に登るあいだに生えた無精髭もまだ剃っていなかったので、子供の目にはまるで漫画に出てくる悪鬼

のように見えた。

「デビル」

留美子と小巻は、教師夫妻に聞こえないようにして、そう呼んだ。

そのデビルは、たったいま現像と焼きつけができたばかりの、自分の撮った写真を留美子と小巻に見せてくれた。そして、この村には学校がないのだと言った。この村だけではない。ここから百キロも離れた隣村にも、そのまた隣の村にも学校がない。それを知ったある日本人が有志をつのって資金を集め、五年がかりで学校を寄贈した。自分もその有志として参加したひとりだったので、登山に挑む前に、建ったばかりの学校の開校式に出席したのだ。

デビルはそう説明し、これがM村、これがM村よりも二千メートルも高地にあるT村と言って数十枚の写真を見せた。

ナムチェ・バザールと呼ばれる集落からさらに西へ行ったところにある村で、そこからはヒマラヤの山系が、手を伸ばせば届きそうに見えた。

写真のなかに、仲良しの子犬を散歩させるかのように、ヤクの子供の首に縄をつけて、段々畠の道を歩いている少年を撮った一葉があった。

この子の三人の兄も二人の姉も、父も母も、そのまた父も母も、学校というものには一度も行ったことがないのだとデビルは留美子と小巻に言ったのだった。

「これはね、家なんだ。大きな家だろう?」

デビルはT村の写真から別の一葉を示した。

古い家で、木と石と土壁でできていて、一階は家畜のためのものであり、一家は二階で生活しているという。

「大家族なんだよ。おじいさんとおばあさん。おじいさんの妹。お父さんとお母さん。六人の子供。その夫や妻。三人の孫。階下にはヤクが十五頭。山羊が二十頭」

家族はみんな礼儀正しく、働きもので、頭がいい。子供たちは、なにげなく教えた日本語をたちまち覚えてしまう。

「コラコラ、ケンカシチャイケナイ」

「ウソツキハ、ドロボーノハジマリ」

デビルが言った言葉を二、三回繰り返すだけで記憶してしまうのだ。

下から二番目の女の子は、とりわけ頭がよかった。日本語の「イチ」から「ヒャク」までの数字を三日で覚え、デビルが教えた足し算と引き算をすぐに理解した。その少女は七歳だったが、学校にはおそらく永遠に行けないままおとなになってしまう。学校がないからなのだ……。

「日本の国家予算から見れば、ネパールの村に学校を建てる費用なんて、国会議員の公用車よりも安いんだ。でも、日本はそんなことをしてやろうなんて考えもしない」

ネパールの寒村に学校を寄贈しようと運動を起こした人は植物学者で、主に薬草の研究をしていて、ネパールのヒマラヤ山系の高地を薬草採集のために訪れた。そしてそこで、ネパールの子供たちへの教育施設の実態を知った。

「百五十万円あれば、学校が建つんだ。教科書も揃えて、教師に給料を払える。ネパールは物価も安いし、学校を建てるために、村の人たちも木や石を運んだり、壁を塗ったりしてくれるからね」

留美子は次第にデビルが語ってくれた話を思い出し始め、帰り道、おとなになったらお金を貯めて、二人でネパールのT村に学校を建てようと約束したことも鮮明に甦ってきた。

「私、忘れてた……。ごめんね。小巻ちゃんは、片時も忘れてなかったのに……」

と留美子は言った。

小巻は笑顔で首を横に振り、自分も二十二歳のある瞬間まで、すっかり忘れてしまっていたのだと言った。

「おんなじ病室に、六十歳の女の人がいたの」

そう小巻は言って、揚げ出し豆腐を食べた。

「女子大の先生で、日本の古典文学を専門に教えてきた人なの。余命一年て宣告されて……。私と同じ肝臓癌だったわ。六十歳の人が余命一年なら、二十二歳の私は一ヵ月も生きられないかもしれないって思っちゃった」

その女性は、かなり複雑な家庭事情があって、両親は健在なのに、幼いときから叔父夫婦に育てられた。両親と逢ったのは、成人するまでに三回だけだったという。

自分の父と母をどれだけ憎悪しつづけたかを小巻に語り、

「でもひとつだけ感謝してることは、私が勉強をするための費用は一銭も惜しまなかったことね」

と言った。

「すばらしい宝石の原石も、磨かないと、ただの石ころなのよ。すばらしい宝石の原石が、世界中にいると思うわ。ただ、いろんな事情で、勉強できる機会がないだけ。惜しいことよねェ」

女性のその言葉で、小巻はデビルに見せてもらった写真や、デビルが語ってくれた話をふいに思い出したのだという。

「留美ちゃんと、あんな約束をしたなアって……」

自分は何のために生まれてきたのであろう。自分はなぜ二十二歳という若さで、死の床につかなければならないのであろう……。

「そんなことを考えてるうちにね、私、生きてやる、生きて、あの約束を果たしてやるって思ったの。だって、それ以外に、私には生きようとするためのよすががなかったの」

小巻は、その女性が勧めてくれた古典文学を手帳にひかえ、この十年のあいだにすべて読破したのだと言った。

「いちばん最初が『源氏物語』。古文が難しくて、現代文に訳したのを読んでから、原文を読んだの」

二番目は「今昔物語」。三番目は「新古今和歌集」……。

小巻は指折りかぞえながら、作品をあげていった。

「古事記」「枕草子」「和泉式部日記」「日本書紀」「雨月物語」「徒然草」「方丈記」「竹取物語」「平家物語」「謡曲集」。

その女性が勧めてくれたのは、日本の古典だけではなかった。

ドストエフスキーの「罪と罰」「悪霊」。スタンダールの「赤と黒」。フローベールの「ボヴァリー夫人」。エミリー・ブロンテの「嵐が丘」……。

「樋口一葉の作品も全部。小説だけじゃなくて、小林秀雄の評論も。『モオツアルト』『様々なる意匠』『ランボオ』『ドストエフスキイの生活』『ゴッホの手紙』『考えるヒント』それから……」

小巻は少し照れ臭そうに鼻の頭を爪先でかき、

「ときどきエッチな本も読んだけど」

と言った。

「エッチな本って？　たとえば？」

留美子が笑いながら訊くと、小巻はそれは内緒だと言い、

「自分では絶対に本屋さんのレジに持ってけないような本」

と声をひそめてつけくわえた。

「勉強しようと思って……」

「エッチな本で？」

「だって私、男性経験がないの。三十二歳になってるのに……」

「病気になる前に、そんなことはなかったの？　二十二歳まで？」

留美子は、自分たちの忍び声で会話している姿が、かえって「とと一」では目立っている気がして、艶のいい色白の肌の小巻に、そのことをささやいた。

「三十過ぎた女のひそひそ話って、なんだか、いやらしいわよね」

小巻はそう言って普通の喋り方に戻った。

「小学生のときに、うちのお母さんたら、本当に愛した男性以外には、首から下を見せてはいけないのよって、そりゃあしつこくしつこく私に言い聞かせつづけたの。なんだか呪文を使って催眠術をかけるみたいに。それが、じわじわ効いてたのよねェ。首から下を見せないで街を歩けないよって私が言ったら、服を着てたらいいんだって……。そんな遠廻しな言い方をしなくても、もっと単刀直入に言ってくれたらよかったのに。私、水着でプールで泳ぐのも駄目なんだって本気で思い込んじゃってたの」

「いつごろまで？」

「小学校を卒業するまで」

スッポンの鍋物を運んできた板前が笑いを嚙み殺していた。

「中学生になって、プールに行ったとき、なるべく首から下を見せないでおこうと思って、ずっと水につかってたら、体が冷えて、唇が青くなっちゃった。なんで『首から下を見せてはいけない』なんて言い方をしたの？　もっと他の言い方があったでしょうってお母さんに抗議したら、自分も母にそう言われたし、母もおばあちゃんにそう言われて育ったんだって……。私のお母さんの旧姓は峰尾っていうんだけど、『首から下』云々てのは峰尾家の家訓だったんだって……。病気になって入院したら、いろんなお医者さんに、首から下どころか、お臍から下も、これでもかっていうくらい見られちゃった」

「いやァ、いい家訓だなァ」

その声で驚いて振り返ると、「とと一」の主人が立っていた。

「うちの孫娘にも、これからそう言ってやります。まだ五つだけど」

と主人は言って、せっかくお話し中なのに割り込んで申し訳ないがと断り、手に持っていた小さな風呂敷包みをほどいた。

「すばらしいものを頂戴したんですよ」

桐箱をカウンターに置き、そのなかから湯呑み茶碗を出した。

「とと一」の本店の常連だった高名な作家が先日亡くなったのだが、この茶碗を「とと一」の主人にやってくれと死ぬ数日前に言い残していたのだという。

「三十年前に手に入れて、とても気に入って、お茶だけじゃなくて、これで日本酒も飲んでらしたんです。私がお宅にお邪魔したとき一度だけ『いい湯呑み茶碗ですねェ』ってうらやましそうに言ったのを覚えてらして……」

青味がかった、いかにも使い込んだものらしい、少しこぶりの湯呑み茶碗だった。薄茶の一筆描きで、雲とも見えるし波とも見える曲線が茶碗の胴に小さくうねっている。

小巻は、それを見るなり、留美子の知らない人物の名を口にして、

「へぇ……。こんな湯呑み茶碗も焼かれてたんですね」

と言った。

「とと一」の主人は、驚愕の目を小巻に注ぎ、

「作者がよくわかりましたね。それもたったひと目で」

と言い、小巻の横に腰かけた。

「この人の作品集を観たんです。それで、おととし、奈良で展覧会があったから観に行きました。徳利、皿、薄茶碗が三十点ほどありましたけど、湯呑み茶碗はなかったと思います」

小巻の言葉に、この湯呑み茶碗は、いわば手すさびで自分用に焼いたのを、その作家が半ば強奪するようにして持ち帰ったのだと「とと一」の主人は説明した。

そして、

「氷見さんの周りには、弟さんといい、このお友だちといい、若いのにとんでもない目利きが揃ってますねェ」

と言った。

この湯呑み茶碗を李朝の棚に飾ろうと思って持って来たらしかった。

小巻は、留美子の肩を叩き、

「ねエ、早く鍋の蓋を取らない？　なんだかおぞましいものが出て来そうな気がして落ち着かないの」

と言い、土鍋の蓋に手を伸ばした。

「熱いですから」

板前は、留美子たちが丸鍋の蓋を取ろうとするのを待っていたらしく、ふきんを持った手で素早く蓋を取ってくれた。

「その白っぽいところが、つまりスッポンのゼラチン質の部分ですよ」

と板前は教えてくれた。

「まずスープを味わってみて下さい」

その言葉で、留美子は、土鍋から立ちのぼる湯気の香りを嗅いでみた。

かすかに生姜（しょうが）の香りがして、生臭さはまるで感じなかった。

「……おいしい」

スープをひと口飲むなり、小巻は言った。

留美子もスープを飲み、ゼラチン質の部分を恐る恐る口に入れた。

「原形は思い浮かべないようにしようね」

と留美子は言い、たちまち三切れのスッポンを食べ終え、スープも残さず飲んでしまった。

「そのスープを半分残して、冷蔵庫にしまっといて、朝、フランスパンをちぎって、スープにひたひたにして食べると、うまいですよ」

と板前が言った。

若い女性のなかにはスッポンの丸鍋を註文しておいて、気味が悪いと言って、まったく手をつけない人がいる。そんなときは、そのまま調理場に下げて、若い板前同士でジャンケンをして、勝った者が別の容器に入れて持ち帰るのだという。

「たいていは、おじやにするんですけど、私は身だけ食べて、スープは取っとくんです。フランスパンのスッポンスープ粥って、私は勝手に名前をつけてるんですけど、たまらなくうまいんですよ」

小巻は、丸鍋を何かの容器に入れて持ち帰ってはいけないだろうかと板前に訊いた。

「あしたの朝、そうやって食べてみたいんですけど」

だが、板前は、なま物なので、お持ち帰りはお断りすることになっているのだと言った。

「必ず、きょう中に、とか、あしたの朝に食べる。それもちゃんと冷蔵庫に入れとくって言って持って帰って、三日も四日もたってから食べる方がいらっしゃるんですよ。それでお腹をこわしても、責任は店のほうにかかってくるもんですから……」

だが、いったん調理場に引っ込んだ板前は、大きな徳利のようなものを持って来て、

「これにスープを入れて持って帰っていいそうです。うちの大将がそうしてさしあげろって。内緒ですから、お帰りのときにお渡しします」

と他の客に聞こえないように言い、小巻の前の土鍋を調理場に持って行った。

「私も少しスープを残したらよかった」

留美子はそう言って、我ながら見事にたいらげたスッポン鍋を見つめた。

小巻は、留美子に仕事のことを訊いた。留美子は自分の仕事のあらましを説明し、

「私が一人前ぶってお客さまのところに行くのはあつかましいのよ。もっともっと税務のことを勉強して、自信がついてからクライアントを担当するのがほんとだろうって思って、自分の仕事にいまかなり自信がないの」

と言った。

すると小巻は、自分はそう思わないと言って、

「これは徒然草の第百五十段に書かれてることなんだけど、私、完璧にそらんじられるの」

と前置きし、顔を店の天井のほうに向けた。

「能をつかんとする人、『よくせざらんほどは、なまじひに人に知られじ。うちうちよく習ひ得てさし出でたらんこそ、いと心にくからめ』と常に言ふめれど、かく言ふ人、一芸も習ひ得ることなし。いまだ堅固かたほなるより、上手の中にまじりて、毀り笑は

るるにも恥ぢず、つれなく過ぎて嗜む人、天性その骨なけれども、道になづまず、みだりにせずして年を送れば、堪能の嗜まざるよりは、終に上手の位にいたり、徳たけ、人に許されて、双なき名を得る事なり。
天下のものの上手といへども、始めは不堪の聞えもあり、無下の瑕瑾もありき。されども、その人、道の掟正しく、これを重くして放埒せざれば、世の博士にて、万人の師となる事、諸道かはるべからず」

小巻の口からどこもつっかえることなく、よどみなく出てくる徒然草の第百五十段なる文章を聞いているうちに、留美子は、感動という言い方しか考えつかない、なにかしら名状しがたい思いをもって自分とおない歳の芦原小巻を見つめた。

「それが、徒然草の第百五十段の言葉なの？」

と留美子は訊いた。

「うん。意味はだいたいわかるでしょう？」

「ところどころはね……。でも四分の三はわからなかった。ねエ、小巻、もういちど言ってみて」

留美子はそう頼んで、日本酒を註文した。

小巻は、いま一気に思い出しながら暗唱したので少し緊張して喉が渇いたと言い、まだ半分以上残っているビールを飲んだ。

「もう一度？　せっかく一字も間違えなく言ったのに……。二回目は、どこかで間違えるかもしれない」

「少しくらい間違えたっていいわよ。ねェ、もう一度聞かせて」

小巻は居ずまいを正し、小さく咳払いをして、丸い目で天井を見つめ、もう一度徒然草の第百五十段を静かな口調で暗唱して聞かせてくれた。

「現代語訳には、たしかこう書いてあったと思うんだけど……」

——芸能を身につけようとする人は、「よくできないような時期には、なまじっか人に知られまい。内々で、よく習得してから、人前に出て行くようなのこそ、まことに奥ゆかしいことだろう」と、いつも言うようであるが、このように言う人は、一芸も習得することができない。まだまったくの未熟なうちから、上手の中にまじって、けなされても笑われても恥ずかしいと思わずに、平然と押しとおして稽古に励む人は、生まれついてその天分がなくても、稽古の道にとどこおらず、勝手気ままにしないで、年月を過ごせば、芸は達者であっても芸道に励まない人よりは、最後には上手といわれる芸位に達して、人望も十分にそなわり、人に認められて、比類のない名声を得ることである。

世に第一流といわれる一芸の達人といっても、初めは下手だという噂もあり、ひどい欠点もあったものである。けれども、その人が、芸道の規律を正しく守り、これを重視して、気ままにふるまうことがなければ、一世の模範となり、万人の師匠となることは、どの道でも、かわりのあるはずがない。——

小巻が、現代語に訳した文章をそらんじだしたとき、「とと一」の主人は割烹着に着替えて、さっきの湯呑み茶碗を李朝の棚のどこに飾ろうかと、あっちへ置いたりこっちへ置いたりしはじめた。

「だから、うまくできるようになってから、人前に出て仕事をしようと思うのは間違いなんじゃないかなァ。失敗したら恥ずかしいとか、間違えたら安く見られるとか考えて、それが礼儀だとか、おくゆかしいなんて自分に言い聞かせてる人は、つまりは見栄っぱりで、勇気がないから、せっかく才があってもそれが育たない……。徒然なる心は、そう言いたかったんだと思うんだけど……」

その小巻の言葉には、留美子に説教をするといった調子もなければ、自分の知識を得意がるところもなかった。

「とと一」の主人が振り返り、

「いまのは徒然草の一節ですか？」

と訊いた。

そして、じつにそのとおりですよと言って、カウンター越しに身を乗りだし、

「焼物の目利きだけじゃなく、古典にも通じてる。お嬢さん、只者じゃありませんね」

と言った。

その言い方が、どこか高揚して、声も異常に大きかったので、留美子はなんだか怒られているような気がした。

小巻も似たような気持ちになったらしく、

「すみません。なまいきなこと言って」

と上目遣いに「とと一」の主人を見やった。

「なまいきだなんて、とんでもない。いまその徒然草の解釈を聞いてて、私は昔の自分を思いだしちゃいましたよ」

そう「とと一」の主人は言い、若い板前たちに、お前らもよく聞いとけと命じた。

そして、小巻に、いまのをもう一度、こいつらに聞かせてやってもらえないかと頼んだ。

「とと一」の主人が座興で言っているのではなさそうだったので、調理場の若い衆がみんな出て来て、何事かといった表情で小巻を見つめた。

「えっ？　もう一度、ここで喋るんですか？」

小巻は、ビールの入った陶製の器を両の掌で握り、困惑の表情で言った。

「お願いしますよ。お客さまにうちの若いのを教育させちゃって申し訳ありませんが」

仕方なく、小巻は、現代文に訳したものを再びほとんど誤りなく暗唱した。

「なっ！　わかるか？　自分はいま修業中で半人前だから、もっとうまくなってから、お客さまにお出しできるものを作ろうなんて考えてるやつは、いつまでたっても一人前にゃあなれないんだよ。恥をかいて、叱られて、それでもめげずに舌の肥えたお客さまに料理を作りつづけたやつだけが、あるとき、ぱっと一皮も二皮もむけるんだ」

自分の修業時代は、半人前のお前が客に出す料理なんか作ろうと思うなと、親方や先輩に怒られて、下駄で足を蹴られたりしたものだ。自分はそれに反発して、そんな時代がかった一種の精神主義を修業だとか伝統だとかと思い込んでるやつに学んじゃいけないと、さっさと店をやめた。

自分が師匠と定めた人は、そんな狭量なことは言わなかった。やっと包丁が使えるようになると、臆して尻込みしている自分に、お客さまの前で仕事をしろと言ってくれた……。

「料理には料理の基本があるんだ。包丁の握り方、素材への向き合い方、火加減……。『芸道の規律を正しく守り』ってところが大事なんだよ。だから師匠ってものが大切なんだ。そこんところを間違えなかったら、自分がまだ未熟だってことを卑下することなんかないんだぜ。恥をかいて、叱られて、悔しい思いをして、何事も一人前になっていくんだ。人に良く見られようとか、臆病な奴は、何事につけて、大成しねェ」

そう言って、「とと一」の主人は、まだ二十歳になったばかりだという坊主頭の背の低い板前に、

「おい、あの鯛をこのお二人の前で刺身にしてさしあげな」

と言った。

「こいつらにいいことを聞かせて下さったお礼に、とびきりの鯛の刺身をご馳走させていただきますよ。こいつ、気が弱くて、客に物を運ぶだけでも緊張しやがるんです。こいつの包丁さばきは下手ですが、召し上がって下さい」

さらしの布に包んだ鯛の切り身を出すと、まだ見習い中の板前は、ほんとに自分がこれを客の前で刺身にするのだろうかといった表情で、先輩格とおぼしき板前を見た。

「大将がやれってんだから」

とその先輩格の板前は、どこかいじわるそうに言った。

見習いの板前の顔は朱が射したようになり、手を洗って包丁を持った。

そのとき客が入って来た。

「上原です」

という言葉に「とと一」の主人は、

「ああ、お待ちしてました。お父さまからお電話をいただきまして、心得ておりますので、たらふく召し上がって下さい」

と言い、留美子の右隣の席を勧めた。

若い男の三人づれのうちのひとりを見て、留美子は顔がふいに火照(ほて)った。

上原家の長男・俊国だった。

上原俊国も留美子に気づき、驚いたように声にならない声をあげ、小さく会釈をした。

それから、会社の同僚らしい二人の男に、

「ぼくの実家の真向かいに住んでらっしゃる氷見留美子さん」

と紹介した。

「親父のパソコンのフリーズをほとんど毎晩直しに行ってるもんで、親父のつけで『とと一』でうまいもんを食べていいって言われて……」

カウンターに腰かけるなり、上原俊国は留美子にそう言った。

留美子は、小巻を俊国に紹介し、自分は月に一度「とと一」で贅沢をするようにしているのだと言った。

「贅沢だなんて……。この店は採算度外視の、私の道楽のための店なんですから」

と「とと一」の主人は言い、鯛の薄造りを作っている見習いの板前に包丁使いについて小声で指南した。

「私の身分では、やっぱり『とと一』はすごく贅沢なお店なんです。だから、月に一度、ここでおいしいものを食べるのがとても楽しみなんです」

と留美子は言い、上原俊国の同僚たちが、「俊国」という言葉を使ったら、自分はどう対処しようかと考え、名ではなく姓で呼び合ってくれることを願った。

二人とも俊国のことを「うえちゃん」と呼んだ。

「うえちゃん、こんどの仕事はきついぜ」

といちばん右端に坐った同僚が言い、その左側に坐った体の大きな男は、

「きょうは、うえちゃんの親父の払いだから、遠慮なく食うぞ」

と言った。

鯛の薄造りが出来あがり、皿に載せられた。

「そんな盛りつけじゃあ、魚の活きが死ぬだろう」

と「とと一」の主人は言い、自分で形を整えてやった。

「さっきの、ネパールに学校をって話のことだけど……」

小巻がそう言ったとき、盛りつけに手を加えた刺身を見習いの板前がカウンターに置いてくれたので、留美子も小巻も礼を述べた。

坊主頭に白い鉢巻をしめたその板前は、おそらくこの世界に入って初めての体験であるはずの、客の目の前で鯛を刺身におろす仕事でよほど緊張したのか、留美子と小巻に一礼したとき、口をかすかにひらいて大きく息を吐いた。

突然の思いがけない仕事をなんとか無事にこなしたことへの安堵の溜息のようで、それがほほえましくて、留美子と小巻は顔を見合わせて笑った。

すると「とと一」の主人の、低いが腹に響くような、だが決して感情的ではない言葉が聞こえた。

「料理人が、お客さまの前で口をあけて息をするんじゃねェよ。食べ物を扱ってるんだ。それを食べるのは自分じゃなくてお客さまなんだってことを心得てたら、料理人が料理の近くで口で息をするのは御法度だってくらいは、教えてもらわなくたってわからなきゃあな」

見習いの板前は、元気な声で「はい」と返事をし、留美子と小巻に、

「申し訳ございませんでした」

と言った。

「とってもおいしいです」

小巻の言葉に、ひどく恐縮した面持ちで礼を言って、板前は調理場へと引っ込んでいった。

なるほど、他人が食べる料理を作りながら口で息をしてはいけないのか……。たしかにそのとおりかもしれない……。

留美子は、どのような分野にでも、ささやかな決まり事や作法はあって、結局それは気遣いとか心配りというものを超えた一種の教養の世界へとつながるのだなと思った。

「ネパールに学校を寄附する話……」

留美子は、鯛の薄造りをひときれ食べ、話題を元に戻した。

「癌で、助かる確率はほとんどゼロに近いって二十二歳の私は思って、とにかく死の恐怖で、どうにもならなくなったの」

と小巻は言った。

「奇跡は起こらないのか……。もし奇跡ってものが本当にあるのなら、それはどうやって自分に招き寄せるのか……。次には、そう考えたの。でも、ときどき、そのふたつの感情のなかに『あきらめ』とか『受容』とかの、なんだか悟りきった精神状態も生まれるの。だけどね……」

小巻は微笑を消し、

「私って、なんてつまらない人間なんだろうって思うことが多くなっていったの」

とつづけた。

「だって、そうでしょう? 私、何のために生まれたの? 二十二歳で癌になって死ぬため? なんてつまらない私……。そう思ったの。私が、たとえ平凡でも、正直に、悪いことをせずに生きたとしても、私というものはこの世界になんにも残らない。両親はともかく、兄や弟や、仲良しの従姉は、ときどき私のことを思いだして、なつかしんでくれたりするかもしれない。でもそれは、ただそれだけのことでしかない。……つまり、芦原小巻がこの世に生きたっていう何物かは形としてはいっさい残らない。……そう思ったの」

小巻の言葉に留美子はただ耳を傾けるだけだった。二十二歳で肝臓癌にかかり、二度の大手術を経て、三十二歳になったいま、元気に生きている小巻の心にあるものを、留美子は到底推し量ることはできないと思うからだった。

「私、何かを残したいと思ったんだけど、それを考えだすと、反対に、消してしまいたいことばっかりが次から次へと浮かんできたの」

「消したいことって?」

と留美子は訊いた。

「自分が死んでから、この世に残しときたくないもの」

「たとえば?」

「日記。こまめにつけてたわけじゃないけど、ノートで三冊あったわ。私が死んだら、家族の誰かが読むかもしれない。弟の悪口なんか、そりゃあ自分でも『これはひどい』って思う言葉で書いてあったり……。とりあえず日記は焼いてしまおうって、まず考えたの」

「次は？」

留美子はあえて笑顔で訊いた。

「自分の下着類。いつもきれいに洗濯してるから、べつに恥ずかしくはないんだけど、やっぱり残しときたくないなって気がしたの」

「次は？」

「気にいらない写り方をしてる写真を全部」

「ああ、それはわかるなァ」

「でしょう？」

小巻は笑った。

「そこまではすぐに考えついたんだけど、そのあとが出てこないの」

小巻は留美子の猪口に酌をしてくれた。

「残せるものなんて何ひとつないけど、消してしまいたいものも、私の人生にはたかがその程度なの。仕方ないわよね。まだ二十二年しか生きてなかったんだもの……」

けれども、他にもっと何かないかと考えているうちに、借りたままになってる本とビデオテープとかを思い出したと小巻は言った。

「あの人に六百三十円立て替えてもらったままになっているとか、この人においしいトンカツをご馳走になって、こんどは私がお返しするわねって約束したまま果たしてないとか……。そんなのを全部思いつくまま手帳に書きだしたら、自分の死と一緒にこの世から消したいもののあまりの少なさと、そのたいしたことのなさに、私、なさけなくなって、泣き叫びたくなるほどに死にたくないって思って、病院の屋上から飛び降りたくなっちゃった。これ、ほんとよ。死ぬのが恐いから死にたくなるの」

死にたくなるというよりも、死の恐怖から逃れるためには、もはや死ぬしかないという矛盾した精神の衝動が起こるのだと、小巻は言い替えた。

「同じ病棟の患者さんには、刺繡ばっかりやってる人もいたし、いろんな色の紙を一センチ四方に切って、それで小さな小さな折り鶴を作りつづけてる人もいた……。病室の窓ぎわで盆栽を育ててる人、自分のこれまでの回顧録を書いてる人……。いろんな人がいたけど、私、そんな人たちを見てるうちに、『自分というものを何かの形にしてこの世に残したいんじゃないのかしら』って思ったの」

「お墓じゃ駄目なのね」

不謹慎な言い方かと思ったが、留美子は小巻が言わんとするところのものが多少理解できる気がして、あえてそう口にしたのだった。

「そうなの。お墓じゃ駄目なの。自分が手をくだして形となったもの……。そんなものを残したいと無意識に望んで、小さな小さな折り鶴を何千何万も作りつづけてる……。

そのうちの何百個、何十個は、誰かに貰われて、机や本棚や、テレビの上にでも飾られるかもしれない。こんなに小さな鶴をよくもこんなに見事に折り紙細工として作れたもんだ。これは○○ちゃんが折ったのよねェ、って、ふと思い出してもらえる日もある……。具体的にそれを望んでるわけじゃないけど、自分でも気づかない心のどこかに、そんな思いがひそんでる……。私、そう思ったとき、私も何か残したいって……。自分が何の見返りも求めず、ネパールの奥地の村の子供たちが勉強できる学校を一軒建ててあげられたら、そこで勉強した子供のうちのとびきり優秀なひとりが、それを縁にして、大学に進み、欧米や日本やインドなんかの優秀な大学に留学して、何か大きな貢献を世界の人々にやってのけるかもしれない。そしたら、こんな私でも生まれてきた理由はあった……。そう思えることは幸福以外の何物でもない……」

小巻はそこで話を終え、笑顔に戻って、鯛の薄造りを食べた。

留美子は、上原俊国たち三人づれの賑やかな会話が途切れているのに気づき、それとなく三人を見やった。三人は、手酌で酒を飲みながら、李朝の棚のほうを見やったり、手元のぐい呑みに見入ったりしていた。その沈黙と表情で、留美子は、上原俊国も二人の同僚も、小巻の言葉に聞き入っていたのではないかと思った。

「いまは、私たちが中学生のころと違って、物価が上がって、一軒の学校を建てるのにだいたい三百万円くらいかかるんだって」

月に二万円貯金をして年に二十四万円。十年で二百四十万円……。

「でもこれから十年たったら、三百万円じゃ建てられなくなってるかもね。四百万円くらい必要かも」

と小巻は言い、月に二万円を貯金するのは、いまの自分には大変なのだと笑った。

「私、病気で働けない時期が長かったし、一度も社会に出たことなかったから、外に出て働くと、どんなにお金が消えて行くかが、やっとわかったわ。まあ、お給料も少ないから……」

「私も貯金なんか、ほとんどできない。一念発起して、これは一切手をつけないお金用の口座ってのを作ったんだけど、ことしの春のバーゲンで、服と靴とバッグを衝動買いしたら、結局その口座からお金を引き出さないといけなくなっちゃった」

と留美子は言った。

そして、来週までは出張があったりしてまとまった休みは取れないのだが、一段落したら、これまでの休日出勤の代休も含めて一週間くらいつづけて休暇が取れるので、そのとき小樽へ行くと約束した。

「梅雨に入る前に行かなくちゃあ」

と留美子が言うと、小巻は、北海道には梅雨はないのだと笑った。

「徒然草で、いちばん短い文章って、どんなの？　一行くらいだったら、この頭の悪い氷見留美子にも覚えられるかもしれない。ねエ、教えて」

その留美子の求めに、小巻は少し考えてから、

「これはたしか第百二十七段だったと思うけど」

と言った。

「あらためて益なき事は、あらためぬをよしとするなり」

「うーん、なるほど。しなくてもいいダイエットなんかするなってことね」

留美子が大きく頷きながら言った言葉で、上原俊国がくすっと笑った。自分の言葉に反応しての抑えた笑いだとわかって、留美子は上原俊国のほうに顔を向け、

「たいして太ってなくて、周りから見たらとても理想的な体型で健康的なのに、必死でダイエットに挑戦する女の人って、多いんですよ」

と話しかけた。

じつは自分は上原俊国との会話のきっかけを捜していたのではないかと思った。

「横から盗み聞きしてすみません」

と上原俊国は小巻に謝り、さっきの徒然草の短い一節をもう一度言ってみてくれないかと頼んだ。

小巻はその一節を繰り返すと、

「その人にとって、たいして害にならない癖とか、やり方とか、考え方とかを、あらためさせようとするのは誤りだって意味でしょうか？」

と上原俊国の右隣の青年が小巻に訊いた。

「ええ、そういう解釈も正しいと思います」

小巻は丸い目をしきりに動かしながら、そう答えた。

その小巻の表情が、なんだか若い男性と喋り慣れていないことを如実に伝えてくるようで、留美子は、小巻の二十二歳からの苛烈な十年間と、見事に生還を果たした事実に、手を合わせて拝みたいような感情を抱いた。

「そうだよな。べつにそんなことどうでもいいじゃんて思うようなことを、ごちゃごちゃ文句言って直させようってするやつが、会社には腐るほどいやがる」

と頑丈そうな体軀の青年が言った。

「野崎のおっさんだろう? 自分はなにかっていうと舌打ちをする癖があるのに、俺がクライアントと電話をしながら、ほんのちょっと貧乏ゆすりしただけで、『お前、落ち着きのない小物だな』って言いやがって。あんたの舌打ちよりましだよ、その舌打ちをする癖、いい加減に直したらどうだよって、思っちゃった」

カウンター席のいちばん右端に腰かけた青年がそう言った。

「でも、貧乏ゆすりって、やっぱり直したほうがいいぜ。あれは『あらためて益なきこと』じゃないよ。『あらためて益あること』だよ」

と上原俊国は言い、学生時代の友だちに、約束の時間に必ず二分か三分、はかったように遅れてくるやつがいたと話し始めた。話しながら、俊国はときおり留美子を見た。

「そいつ、ぼくと中学校も高校も大学もおんなじなんだよ。そいつが今晩九時に電話をかけるって言うと、必ず九時一分か二分にかかってくる。どこかで十時に待ち合わせしたら、必ず十時一分か二分、ときどき五分くらい遅れてきやがる。その遅れ方があんまり正確だから、こいつ、わざとそうしてるんじゃないかって思ったこともあるけど、そうじゃないんだ」

高校生のとき、その友だちとピクニックに行った。自分は行きたくなかったが、どうしてもと誘われたのだ……。

「帰りのバスは夕方の五時十五分に出るんだ。それなのに、そいつ、どうしてもロープウエイに乗って山頂に行きたいって言いだしたんだ。そのとき、四時四十分だった。ロープウエイに乗ってる時間を訊くと、ちょうど十五分間だって……。つまり往復三十分かかる計算だろ？　バスが出るまで三十五分しかないのに、そいつ、じゃあ俺ひとりで行ってくるって、ロープウエイに乗っちゃった。そんなぎりぎりの計算でロープウエイに乗って、山頂で五分だけ景色を観て、何が楽しいんだ。もし遅れたら、俺はお前をほっといて、バスに乗るぞって怒って叫んだくらいだよ」

バスがやって来ると同時に、山頂から下ってくるロープウエイが見えた。

「少しだけ待って下さい。友だちがあれに乗ってるんです。もうちょっとで着きますから、って運転手さんに頼んで、待ってもらったんだ。そいつがバスに駆け込んで来たのは五時十六分だったよ」

時間に関することだけではない。その男のやることなすことすべてに共通した癖なのだと気づいて、自分はそいつと距離をおくようになり今日に至っていると上原俊国は言った。

「とにかく間に合ったからいいじゃねエか、ていう考え方なんだよ。たったの一分か二分遅れて何が悪い。三十分や一時間も遅れたのなら、待たされたほうも怒るだろうけど、たったの一分か二分じゃないか。バスにだって、乗り遅れなかったからいいだろう、って、そういう考え方なんだよ」

あれ？　自分は何を言いたかったのだろうと俊国は頬杖をついた。

「つまりだなア……。ひょっとしたら遅れるかもしれないって、約束の場所へ行くとき走ったり、信号待ちでいらいらするっていう神経が欠落してるんだ。そういう欠落の部分も『癖』のなかに入れてもいいんじゃないかって、言いたかったのかも……」

その上原俊国の言葉に、芦原小巻は、

「そう、癖ですね。『無くて七癖』の単なる癖じゃなくて、その人間のありとあらゆるものを集結させた元凶が癖っていう形になってあらわれてるんだと思うんです。必ず一分か二分遅れるっていう癖に」

と言った。

「ただの横着なんじゃないの？」

と右端に坐っている青年が言い、

「舐めてるんだよ。人間とか人生ってものを」

と真ん中に腰かけた青年が言った。

留美子は、自分も何か意見を述べるというふうにして上原俊国に「浩司さん」と呼びかけてみようかと一瞬考えたが、こういうのを三十路を過ぎた女の意地悪なのだと思い直し、

「上原さん、お父さまの脇腹、どうだったですか?」

と訊いた。

「肋骨二本にひびが入ってて、その周辺の肉離れも、かなり重症だったんです」

と俊国は言った。

「えっ! ひび?」

「あの晩、診てもらった病院のX線写真ではわからなくて、単なる肉離れだって言われて、湿布してもらって帰って来たんだけど、痛くて眠れなくて、朝になったら、脇腹のところが腫れあがって、普通に息を吸うこともできなくなって、もう一度、別の外科の病院でX線写真を撮り直してわかったんです」

「じゃあ、入院でもなさってるんですか? ギプスで胸とかお腹とかを固められて」

「いや、会社に行ってますよ。右側の十二本の肋骨の一番下のところの骨って、柔らかいでしょう? そこにひびが入ってるから、ギプスで固めたってあんまり効果ないそうなんです。だから湿布だけです。自然に治るまで、なるべく動かさないようにするだけ……。だから完治するのに一ヵ月はかかるんですって。深呼吸できないもんだから、機嫌が悪くて……」

と上原俊国は苦笑した。

年齢と関係なく、ゴルフで肋骨を折る人は多いそうだと右端の青年が言い、自己紹介した。八千丸義英という名だった。

「ヤチマル……」

小巻がどんな漢字なのかという表情で訊き返し、青年は数字の八に千と丸だと説明した。

「子供のころ、近くにハチ丸っていう犬がいて、そいつがよく犬小屋から脱走するんです。そのたびに飼い主が『ハチ丸ぅ、ハチ丸ぅ』って呼びながら捜すんです。ぼくは自分が呼ばれてるのかって思って、よく返事をしたもんですよ」

八千丸義英はそう言って笑った。

真ん中に坐っている頑丈そうな体軀の青年も、

「ぼくは大西史一です。歴史の史に数字の一で『フミカズ』です。上原よりもひとつ歳上だけど、一浪したんで会社では同期なんです」

と言った。

留美子も小巻もそれぞれ自己紹介し、ほとんど同時に、

「歳はみなさんより少し上です」

と言って、顔を見合わせて笑った。

「少しだなんて、あつかましいわねェ」

留美子の言葉に、小巻は、

「留美ちゃんだって、私とおんなじ言い方を」

と言い返した。

「ほんとは、七歳くらい上なんです。七歳違ったら、大姉御ですよね」

と留美子は言って、それとなく俊国を見やった。俊国は反応を示さず、背広の上着の内ポケットから金属製の筒を出した。

「これ、親父から借りた葉巻の携帯容器。上等の葉巻が一本と、すごく安い葉巻が一本入ってるんだ。葉巻に巻いてあるシールをはがして、どっちが一本三千円で、どっちが一本七百円かを当てたら、いよいよ買い換える車の頭金を立て替えてやるって」

へビースモーカーの八千丸ならわかるかもしれないと思って持って来たのだが、ここは日本料理店だから葉巻は吸えないと俊国は言った。

「でも、この三軒隣にシガーバーがあるんだよ。そこでテイスティングしないか？」

俊国は、シガーバーのバーテンなら、一目見て、値段どころか銘柄までも当てるだろうが、それは反則なので、あとでそのシガーバーで吸ってみようと言った。

「今夜は親父の奢りですから、氷見さんも芦原さんも一緒にいかがですか？」

俊国の言葉で、八千丸義英も、シガーバーへ行きましょうと誘った。留美子は「シガーバー」というところには行ったことがなかった。そのうち、ほんとの名が「俊国」だってばれても知らないから……。

留美子はそう思いながら、小巻の都合を訊いた。

「シガーバーって、葉巻を吸うところなの？」

と小巻は訊いた。

「バーですから、葉巻はつきものなんだけど、昨今の嫌煙ブームで、バーでも『禁煙』のところがあるんです。シガーバーは、もちろん普通のバーなんだけど、お店にちゃんと何種類かの葉巻が用意してあって、お酒を飲みながら、葉巻もどうぞっていうバーなんです」

と大西史一が教えてくれた。

「アメリカでは、いま『シガーバー』のブームで、紙巻き煙草は吸わないけど、葉巻は吸うっていう人たちで大繁盛らしいんです」

と上原俊国は言った。

「へえ、行ってみたいけど、私、葉巻どころか煙草も吸えないの」

小巻の言葉に、留美子は自分もそうだと答え、

「シガーバーでは、絶対に葉巻を買って吸わないといけないんですか？」

と俊国に訊いた。

「吸いたくない人は吸わなくったっていいんです。お酒も飲みたくなかったら、ノンアルコールの何かドリンクを作ってくれますよ」

と言って、俊国は携帯用の葉巻入れから、二本の葉巻を出した。どちらも、長さと太

さに大差はなかったが、葉の色には大きな違いがあった。

片方は濃い焦げ茶色で、もう片方は光沢のある琥珀(こはく)色だった。

「葉巻って、どんなに格好つけても、若造は似合わないよ。やっぱり葉巻が似合う年齢ってのがあるよ」

と大西史一はいい、日本人ならばやはり五十歳を過ぎないと似合わない気がすると言った。

「シガーバーって、行ってみたいなァ」

と小巻は留美子の耳元でささやいた。弟のアパートには、今夜中に着けばいいのだという。

よし、今夜、正体を暴いてやる。留美子は俊国にちらっと視線を走らせて、そう思った。

最後に蕗(ふき)の炊き込みご飯と、デザートのシャーベットを食べて、留美子たちは「ととー」から歩いて十メートルほどのところにあるシガーバーへ行った。

ここ二、三年で増えたシガーバーではなく、昭和二十年代に開業したという老舗のバーだった。

上原俊国は、取引先の宣伝担当の役員につれて来てもらって、この「みずの」というシガーバーを知ったのだという。

「でも、きょうで三回目だけど」

と俊国は言い、黒光りする一枚板のぶあつい カウンター席ではなく、六人掛けの革張りのソファ席に坐った。そして持っていたブリーフケースから「葉巻」という題の本を出した。

「世界中の葉巻が、ほぼ網羅されてるんだ」

と俊国は言い、ラムベースのカクテルを作ってくれと中年のバーテンに頼んだ。

留美子は、お腹もいっぱいで、自分としてはもう限界に近いくらい日本酒を飲んだので、アルコール抜きの、なにか胃がすっきりする飲み物はないものかとバーテンに訊いた。

「甘くない緑色のレモンスカッシュはいかがです。うちの店ではブルースカイっていう名前をつけてます。創業者の奥さんが自分用に考案したんです。アルコールが駄目な人だったもんですから」

と言った。

「緑色の甘くないレモンスカッシュ……。へえ、どんなのかしら。私はそれをお願いします」

と小巻は言い、生きていたらこんなすてきなバーにも来られるのねと留美子にささやいた。

上原俊国は二本の葉巻をバーテンに見せ、どっちが値段が高いかを当てろと言われたのだと説明した。バーテンは、二本の葉巻を手に取り、微笑して、それを俊国の手に戻

し、ヒュミドールを持ってくると、

「おふたりのお嬢さんへのプレゼントです。これなんか、女性にも向いてると思いますよ」

と細くて短い葉巻を選び、吸い口をシガーカッターで切り、火もつけてくれた。

「えっ！ これ、私たちに？」

留美子は、自分も小巻も煙草は嫌いなのだがと思いながらも、丁寧に時間をかけて葉巻の先端に炭のおき火のような火をつけてくれたバーテンに礼を言って、それを受け取り、さて、どうやって吸うものなのかと、小巻と顔を見合わせた。

「口のなかで煙をころがしてればいいんです。灰は、自然に落ちるまでほっといて……。そのほうが燃焼の仕方がきれいです」

葉巻は元々はハーブだったのだとバーテンは言い、カウンターの奥で俊国たちのカクテルを作り始めた。

「なんだかいい香り……」

と小巻は言い、いかにも不慣れな手つきで葉巻をくわえ、煙を吸った。留美子もそうした。

さぞかし苦くて辛いのであろうと思っていたが、さほどではなく、これが葉巻かといぶかしく感じたほどだが、灰の長さが二センチくらいになったころ、わずかな甘みが苦さと一緒に舌を刺した。

俊国たちは二本の葉巻に火をつけたが、バーテンがやってみせたように満遍なく先端に火をつけることはできなかった。三人は二本の葉巻を交互に吸い、味を比べつづけた。

「なんだかこっちの色の濃いほうが甘くていい香りだよ。黒砂糖の匂いに似てるな」

と八千丸は言い、俊国は俊国で、

「いや、こっちの色の薄いほうが、上等って感じするぜ。葉の巻き方が繊細だよ」

と言った。

ああでもない、こうでもないと三人の青年は意見を出し合い、濃い焦げ茶色の葉巻のほうがうまいという結論を出した。

「うまいほうを高いと考えるのはだなァ、いささか短絡的だなァ。俊国、そう思わないか?」

と大西史一は言った。

「俊国」という名が同僚の口から出た瞬間、留美子は心臓の鼓動が速くなったが、バーの暗い照明のなかでは、俊国の表情もぼんやりとかすんで見えた。

ひょっとしたら、葉巻のせいなのか、眠気に似た酩酊感があった。

「裏をかいて、この苦いほうが値段が高いってことにしようか?」

と八千丸が言った。

「……」

「いや。俺は決めた。この色の濃いほうが上等だ。これはうまいよ。香りも甘くてと俊国は言った。

「もう決めた。こっちだ。なにしろ新車のローンの頭金がかかってるんだからな。ちょっと親父に電話してくる」

そう言って、俊国は携帯電話を持って店の外へ出て行った。

「なんだか、緊張感が薄れていくって感じね」

と小巻は言い、その言葉どおり、「とと一」にいたときとはあきらかに異なる余裕のようなものを表情に漂わせて、葉巻の煙を目で追った。

「私は駄目。口のなかが苦くて辛くて。だけどこの緑色のレモンスカッシュを飲むと、葉巻の苦さがすうっと消えていくの」

留美子はまだ半分も吸っていない葉巻を灰皿に置き、色鮮やかな甘くないレモンスカッシュをお代わりした。

バーテンはカウンターのなかから、

「どっちが値段が高いか、決まりましたか？」

と訊いた。

もうあと三センチくらいの長さになってしまった濃い焦げ茶色の葉巻をつまんで、大西史一が、

「こっちだってことになりました」

と言った。

「それはねェ、なかなかの名品ですよ。イギリスの首相だったチャーチルが愛用してた葉巻のうちの一品です」

そのバーテンの言葉に、八千丸は、

「やった！　俊国のやつ、これであのポンコツとおさらばだな」

と笑った。

「もう一本のほうは、ハバナシガーです。一本三千円」

とバーテンは言った。

「えっ！　葉巻って、そんなに高いんですか？　私たちがいただいた葉巻は？」

留美子の問いに、それは一本千二百円ですとバーテンは答えた。

俊国が店内に戻って来て、笑顔を向けているバーテンに、

「外れた。俺たちが選んだほうは一本七百円で、そっちのキューバ産のは三千円」

と言い、後頭部をかきむしりながら、元の席に腰をおろした。

「これ、フィリピン産の葉巻で、『ラ・フロール・デ・ラ・イザベラ』のタバカレラっていう名前で、七百円なんだって。こっちはキューバ産で三千円。うーん、俺には、この七百円のほうがはるかにうまいよ」

俊国は言い、勝ち誇ったように電話口で笑った親父は、笑うなり肋骨に痛みが走って、

「いたた！」

と叫んだと説明した。

「新車、ボーナスが出るまで、おあずけだよ」

なにしろいま乗っている車は、走行距離が十万キロを超えて、エンジンのシリンダーが摩滅しているらしく、排気ガスは真っ黒だし、以前なららくに登れていた坂も青息吐息という感じで、いつ停まって動かなくなっても不思議ではないという代物なのだと俊国は言った。

「このフィリピン産のタバカレラは、ちゃんとしたプレミアムシガーなんですよ」

バーテンはおかしそうに微笑みながらやって来て、留美子がお代わりした飲み物をテーブルに置き、葉巻のことについて話してくれた。

「職人が、手で巻いた立派なシガーなんですが、工場から出荷された段階では、理想的な湿度を保ってるのに、九〇年代に入るまでは、それが市場に出廻ったり、船で日本に輸入されるときに、ぼろぼろに傷めつけられて、つまりドライシガー状態になってしまってたんです。ドライシガーなら初めからそのための作り方をしてありますけど、これは元々はプレミアムシガーで、保存状態が最悪のまま店頭に置かれたもんだから、ドライシガーよりもはるかに荒れちゃって……。フィリピンの煙草屋さんが、みんなヒュミドールを持ってるわけじゃありませんし、輸入するほうも、フィリピン産だというので小馬鹿にして、船のなかに保湿機なんか設置しないで、あの暑い海を渡ってきたんです。今はちゃんと管理されてますが」

バーテンは、タバカレラという葉巻の吸いさしを指で持ち、

「きっとあなたのお父さまは、乾燥しきって、ぼろぼろになったこのシガーをヒュミドールのスペイン杉に囲まれた揺り籠のなかに入れて、じっくりと治療して、熟成してあげたんですよ。そうやって時間をかけて復活したタバカレラを、いまみなさんがお吸いになったわけです」

だが、こっちのキューバ産も名品だ。世界のレイティングでは、いつも一位か二位になる葉巻で、自分も好きな葉巻のなかの三品のうちのひとつだ、とバーテンはつづけ、

「その人がうまいと思ったり、ああ、これが好きだっていうのが、その人にとっては『マイシガー』ってことになるんです。値段とか世間の風評とかじゃないんです」

それに、葉巻は、とりわけその人の体調とか精神状態によって、味わいが左右されるのだとバーテンは言った。

「いつ吸ってもうまいなア、俺はこれが一番だなアって思ってる葉巻が、ある日突然まずくなる……。そんなことがよく起こりますよ」

「ぼくの親父は、このタバカレラってのを友だちから二十数年前に貰ったそうなんです。十本入りの箱を五箱。だから、この葉巻だけを保管してあるヒュミドールが一個あるんです。あと三十本くらい残ってたかなア。……そうかア、じゃあ親父は保管状態の悪い瀕死の葉巻を自分のヒュミドールのなかで甦らせたってことか……」

その傪国の言葉に、

「甦らせて、結果としてそれがさらに熟成させることになったんでしょうね」

とバーテンは言った。

「俺、これ一本七百円だったら買うよ。月に一回くらい、ちょいと格好をつけて、太い葉巻を吸ってみたくなるときもあるからな。七百円で月に一度の贅沢」

そう八千丸は言った。

「プレミアムシガーは、一本だけのばら売りもしてくれますからね」

バーテンは言って、カウンターのなかに戻っていった。

「深いもんだなァ、葉巻って」

そうつぶやいて、大西史一は長い棒状の飴をしゃぶるかのように葉巻を吸いつづけている小巻の目をのぞき込み、

「肺に入れないっていっても、口の粘膜からニコチンが吸収されるから、あんまり無理しちゃ駄目ですよ。なんだか芦原さんの目、あっちへ飛んでるって感じなんだけど」

と言った。

「なんだか、ほんとに、ほんわかとしてるの。口のなかはにがにがだけど……」

大昔、葉巻はハーブの一種だったというバーテンさんの言葉は、きっと本当なのだろうと思うと小巻は言い、やっと葉巻を指から灰皿へと移した。四センチ近くにも伸びた灰が、灰皿に落ちた。

「私、これと同じ葉巻を一本か二本買って帰ろうっと」

そう留美子に言って、小巻は眠たげな目を向けた。

八千丸と大西は立ちあがり、名刺を留美子と小巻に渡した。二人はこれからまた仕事に戻るのだという。

「こいつら、羽田の近くのスタジオで撮影に立ち合うんです」

と俊国は言った。

留美子も三人に自分の名刺を渡したが、俊国は名刺を切らしてしまってと名刺入れだけをだして弁解した。

「俊国」という字を私に見られたくないのであろうと思い、留美子は、また意地悪な考えが浮かび、

「私、佐島さんが怪我をした夜、上原さんのお名前を『コウジ』って聞き間違えたんです。俊国さんなのに、どこでどうやって『コウジ』なんてふうに聞き間違えたのか不思議なんですけど」

と言った。

「ああ、そうですか……。へェ、どうしてかな」

俊国は言って、店を出て行く二人の同僚に軽く手を振った。

芦原小巻も、それとなく腕時計を見たので、留美子はそろそろバーから出て、帰らなければならない時間になったことに気づいた。

「ひとりで弟さんのアパートに無事に辿りつける?」

と留美子が訊くと、弟のアパートに行くのはこれで三度目だから大丈夫だと小巻は答

え、必ず小樽へ遊びに来てくれと言った。

上原俊国は、小巻に、弟のアパートの場所を訊き、最も効率的だと思える交通機関を教えて、

「地下鉄の駅まで送ります」

と言い、バーテンに勘定を頼んだ。

バーから出ると、小巻は、送っていこうとする留美子と上原俊国を制し、弟に何かおみやげを買っていきたいからと言い、手を振って銀座の本通りへの、まだ人通りの多い道に消えていった。片方の手には、スッポンスープの入った徳利がぶらさがっている。

「ちょっとラム酒を飲みすぎちゃった。『とと一』で日本酒を三合飲んだから、ラムベースのカクテル三杯は多かったなァ……」

俊国はそう言って、自分は今夜は父親の家に泊まるので、もしこれからほかに予定がないのなら一緒に帰りましょうと誘った。

「上原さんは、どうしてアパート住まいをしてるんですか？　せっかく都内に実家があるのに」

と留美子は駅へと歩きながら訊いた。

「ぼくの仕事、時間が不規則なんです。夜中どころか、明け方に帰って来ることもあるし、昼過ぎに家を出て行くこともあるんです。親父は、あんな怖い顔をしてるけど、すごく気遣いをする人で、ぼくが仕事を終えて夜中の三時とか四時とかに帰って来て、な

るべく音をたてないようにして風呂に入ったり、寝る前にリビングでビールなんか飲んでると、心配して起きてきて、こんなチーズがあるから食べないか、とか、野菜ジュースを飲めとか……。で、親父はそれっきり眠れなくなっても、いつもの時間に会社に行きますから……」

自分と一緒に暮らしていると、親父が疲れてしまうと思ったし、一度、親元から離れてひとり暮らしもしてみたかったのでと俊国は言った。

「奥さまを亡くされて、もう四年くらいになるって誰かから聞いたんです。お父さまは五十……」

「五十四歳です」

「おふたりの息子さんも家を出て、夜、お手伝いさんが帰ってしまったら、あの広いおうちでひとりぼっちなんですね」

と留美子は言った。お父さまに再婚の話などはないのかと口にしかけたが、やめたのだった。

「あれでなかなか隅に置けなくて、ガールフレンド、多いんですよ」

と俊国は言った。

「祇園の芸妓さんとか、お茶屋や料亭の女将とか……。最近、若いガールフレンドができちゃって」

「えっ！　若いって、お幾つくらいの？」

と留美子は訊いた。

客待ちのタクシーの長い列のあいだを縫って歩きながら、俊国は笑顔で、

「二十八歳の中国人なんです。台湾から日本の大学に留学のために来た人で、その人とどうやら電子メールでなにやかやとやりとりしてるみたいで」

「上原さんのお父さまは、女性にもてます。女の私が言うんだから間違いありません」

と留美子は言った。

「あの、一見とっつきにくい、怖そうな顔が、かえっていいのかな。うちとけて話してみると、すごく優しいですから」

弟が、いささかふざけた調子で、再婚したらどうかと冗談混じりに勧めたら、父は怒ったのだと俊国は言った。

「その怒り方、ほんとに怖かったですよ。弟のやつ、びっくりして青ざめちゃって……」

会社の秘書のひとりが、いたずら心を起こして、インターネットのアダルトサイトのアドレスを父に教えた。父曰く「どんなものかという向学心」で、そのサイトにアクセスし、いろんな画面をクリックしているうちに、パソコンがフリーズしてしまった……。

「とんでもない画像のまま、どこをどうやってもそれが消えなくなっちゃって、夜中にぼくの携帯に電話をかけてきたんです。頼むから、この画像を消してくれって……」

俊国は笑ってそう言った。

「このままじゃあ、パソコンの前から離れるわけにいかない。お手伝いさんが来て、パソコンの画像を見たら、何と思うだろう。おい、消し方を教えろ……」

だが、自分がその方法を電話で教えても、画像は消えなかったのだと俊国は言った。

「その間、親父のパソコンは、ずうっと国際電話につながったままだったんですよ」

電源のコンセントを抜き、バッテリーも抜くという荒っぽい強制終了をさせたのだが、きのう国際電話の料金の請求書が届いてロシアに四十五分も国際電話をかけたことになっていた……。

「親父、びっくりしてました。ロシアになんか一度も電話をかけた覚えはないのにって……」

と俊国は言った。

「へえ、ああいうサイトの画像って、ロシアから送られてるんですか?」

留美子の問いに、

「ロシア、ドミニカ共和国、あとはアメリカとかカナダですね」

そのようなサイトの送り手は、手口が次第に巧妙になり、さあ、ここをクリックしたらお金がかかりますよとは教えず、自動的に国際電話につながる仕掛けにしてあるのだと俊国は言った。

「私のボスも、おんなじ目に遭ってました」

と言って留美子は笑った。どんな画像だったのかわからないが、その消えない画像の前で頭をかかえている上原桂二郎の顔を想像して、笑いはいつまでも止まらなかった。

電車は混んでいて、休日の前夜ではないのに、いやに酔客が多かった。

留美子と俊国は、とりわけ酒臭くて吊り革を握って立っているのもままならない様子の男の傍を避けて、車輛の真ん中のところに並んで立った。

車窓のガラスに俊国が映っていて、顔の上半分が黒く翳って、その目鼻立ちは見えず、首と肩だけが浮きあがって見えた。

それを目にした瞬間、ああ、ここに十年前のあの少年がいると留美子は思った。成長途上の少年にありがちな首の長さと、緊張しながらもなにか挑みかかってくるような肩の尖りが、電車のガラス窓に甦っていた。

話題は途切れ、その電車から降りて、別の電車に乗り換えてからも、留美子と俊国とのあいだに会話はなかった。

こんなときは、何か話題をつくって会話しなければと留美子が思ったとき、

「芦原さんは、独身ですよね?」

と訊いた。

「ええ。三十二歳で独身です。私とおんなじ」

と留美子は答えた。

「八千丸のやつ、あの芦原さんにちょいと心が動いたな」

「へえ、どうしてそう思うんですか?」

「あいつが、仕事以外で、初対面の女の人に名刺を渡したのは、ぼくが知ってるかぎりでは初めてです。芦原さんは、八千丸の好きなタイプなんです。小柄で、なんとなくくりくりっとした顔立ち……」

「でも七つも歳上だとお姉さんすぎるんじゃありません？」

「そんなことはないですよ。ぼく、氷見さんにお姉さんていう気持ちは抱かないです」

どう応じていいのかわからず、

「二十五歳と三十二歳とでは、女はぜんぜん変わってしまいます」

と留美子は言った。

「何が、どう変わるんです？」

「その七年間で、女って、いろんなものを喪うんです。……肌というか皮膚というか、まずその張りが無惨なくらいに変わっちゃう……」

「でも、人間として得ていくものも、おんなじ比率で増えるでしょう？」

「七年間生きてきたんですから、学んだことも多いでしょうけど、私は、この七年間で、大事なものをたくさん失くした気がして仕方がないんです」

すると、俊国は、なんだかまわりくどい言い方で、いま好きな人はいるのかという意味のことを留美子に訊いた。

「いません。仕事、仕事、仕事。仕事ばっかりの花のない三十二歳」

と言って留美子は微笑を向け、

「上原さんは？」

と訊いた。

「好きな人はいます。でも、ずうっと長いこと、片思いです」

と俊国は顔を車窓に向けたまま言った。

「長いことって、どのくらい？」

留美子は少し不安になるくらい心臓の鼓動が速くなり、窓ガラスに映っている俊国の、輪郭のさだかではない顔に視線を注いで訊いた。

「さあ、どのくらいかなア……。いつからなのかわからないくらい長いことです」

と俊国は言った。そして話題をふいに変えた。

「親父の再婚については、弟のほうがこだわってないんです。ぼくは、少し、というより、かなりこだわってます。親父はまだ五十四歳だから、いい人があらわれたら、やはり再婚して当然だって思いとは別に、やっぱり、新しい奥さんを迎えるってのは、いやだなアって……。変ですよね。弟は上原桂二郎の本当の子ですけど、ぼくはそうじゃないってのに……」

留美子は、窓ガラスに映っている俊国から、横に並んで立っている俊国の横顔に視線を移した。

「そうじゃないって……？」

「ぼくは母の連れ子なんです。母は、ぼくの本当の父が死んで、まだ小さいぼくを連れて上原桂二郎と再婚したんです。ぼくが二歳のときです」

だから、血のつながっている弟が、父の再婚に寛大で、血のつながらない自分がこだわるのはおかしな話だと思うが、自分は上原桂二郎という父親が好きなのだと俊国は言った。

「本人は、断じて再婚なんかしない、そんな話はたとえ冗談でも話題にするなって怒ってるのに、ぼくと弟は再婚を勝手に想定して兄弟ゲンカしてる。『兄貴は子供だなァ』って弟のやつ、笑うんですよ」

そして、俊国は、

「そろそろ家に戻って、親父と一緒に暮らそうかなァ……」

とつぶやいた。

「私、そうしたほうがいいと思います」

と留美子は言った。

「だってアパートの家賃だって馬鹿にならないし、きっと食事のほとんどは外食でしょう？　でもそんな金銭的なことじゃなくて……」

「うん、そうなんです。金銭的なことじゃなくて……。うん、決めました。ぼく、アパートを引き払ってあの家に戻ります。今夜、親父にそう言います」

「決めるの、早いんですね。いま思いついて、いま決めたんですか？」

留美子は笑いながら訊いた。

「ええ、いま思いついて、いま決めました」

「お父さま、きっとお喜びになるでしょうね」

「まったく表情を変えずに、『そうか』ってひとこと言うだけでしょうけど」

あの二十八歳の中国人女性が妙に気になる、と俊国はやっと笑みを留美子に向けて言った。

「気になるって？」

「どうもロマンスの香りってやつが漂ってる気がして……」

その言い方は、なんだか年頃の娘の行状をあやぶむ父親のそれに似ていて、留美子は笑った。

そして二十八歳という自分よりも四つ歳下の中国人を、なぜかチャイナドレスの似合う妖艶な女性として想像した。

「その中国の方にお逢いになったこと、あるんですか？」

留美子の問いに、

「いいえ、顔を見たこともないし、声を聞いたこともありません。パソコンのトラブルを直してやったとき、その人からの電子メールの文面がちらっと見えたけど、読んじゃいけないと思ってすぐに画面を消しました。でもほとんど毎日、彼女から電子メールが送られてきてますね。中国の女って、したたかだっていうからなァ……。色恋にも中国四千年の歴史ありって、会社の誰かが言ってました」

と俊国は言った。

留美子は吊り革をつかんだまま、体を前に折るようにして笑い、自分の父は五十歳で死んだので、五十代の男性が女性に対していかなる視線を隠しているのか、まったく想像がつかないのだと言った。

「壮年て言葉は、壮(さか)んな年齢っていう意味でしょう？ でも私の職場には、五十代の男性がいないんです。いちばん年長の人は所長で三十八歳。取引先の担当者とか社長さんたちのなかにも、五十代の人っていないんです。四十代半ばか、六十代半ば……。五十四歳っていう男の人の、つまり何て言うのか、生理的状況ってのは、見当がつかないんです」

その留美子の言葉に、自分もまだ二十五歳で、五十代どころか、三十代や四十代の男のことも推し量れないと俊国は言った。

「うちの部長は五十五歳だけど、とにかく若い女の子のいる六本木のクラブへ行きたがるなァ……。美人の女子大生ばっかり揃えてる、おっそろしく高いクラブだけど、あれはクライアントを接待するためじゃなくて、自分が行きたいんですよ。なまなましさの塊みたいなやつですからねェ」

そう言ってから、女性はどうなのかと俊国は訊いた。

「五十代の女性の、つまり生理的状況はどうなのかなァ……。ぼくの母が生きてたら、五十二歳。自分の父や母が五十代だから、ぼくには五十代の人って、すごく年寄りに見えるんです」

「私、父が死んで二、三年たったころ、母に、その、つまり生理的状況について訊いてみたことがあるんです。そしたら、あなたも五十代になったらわかるわって言われました。……やっぱり、なまなましいのかしら」

電車は、二人が降りる駅に着いた。

留美子は俊国と改札口を出て、夜道を歩きだしたが、パン屋の前でわざと歩を止めた。十年前、少年から手紙を手渡された場所だった。

あの一件について、なにかほのめかすようなことを口にしてみたくなったが、留美子は「調子に乗ってはいけない」と自分に胸の内で言い聞かせた。

それでもなお、私はあなたが十年前の、あの須藤俊国だということを確信しているのだと、なんらかの形で伝えたくてたまらなかった。

「このパン屋さん、十年前と比べたら味が落ちたって、母が言ってました」

その留美子の言葉に、俊国も、

「富子さんもおんなじ意見だったなァ」

と応じ返した。

「富子さんて？」

「うちのお手伝いさんです。あの人、パンが好きだから……」

そして俊国は、自分は高校生のとき、たったの一週間だったが、このパン屋でアルバイトをしたことがあるのだと言った。

「そのころは、電話で註文を受けて、朝、焼きたてのパンをお客さんのおうちにまで配達してたんです。でも、テレビで紹介されて、大繁盛するようになったら、各家庭への配達をやめちゃった……」

自分は、早朝に、焼きたてのパンを自転車の荷台の籠に入れて配達するアルバイトに雇ってもらったが、配達中に自転車を盗まれて、パン屋の奥さんになじられ、一週間でやめてしまった、と俊国は説明し、住宅街への道を歩きだした。

「マンションの三階に住んでる人にパンを届けて、階段を降りてきたら、まだ籠にたくさんパンが入ってる自転車がなかったんです。盗まれたんだって気づくまでに、なんだかずいぶん時間がかかっちゃった……。まだちゃんと目が醒めてなくて、夢でも見てるのかって、おたおたしちゃって」

パン屋の奥さんに、自転車は弁償しなくてもいいと恩きせがましい電話をもらって、母は新品の自転車を買って返し、あんな店でのアルバイトはやめなさいと珍しくきつい口調で命じたのだと俊国は言った。

「友だちと夏休みに自転車旅行に行くためのアルバイトだったんです。でも、その友だち、お父さんの会社が倒産して、結局、旅行には行けなかったんだけど……」

上原家の門灯が見えてきて、犬を散歩させている中年の女性が佐島家の門のほうへと曲がった。

「ローカル鉄道に乗って、古い町に行きませんか?」

と俊国は言った。

「古い町って?」

留美子は俊国の唐突な誘いに驚きながらも、その切り出し方に、十年前の手紙の文面と共通した雰囲気を感じた。そしてそのことが、なぜか身の置きどころのないような嬉しさを留美子にもたらした。それなのに、留美子は小首をかしげる格好をして、バーでご馳走になった礼を述べ、自分の家に入って行った。

〈下巻につづく〉

参考文献　錦三郎著『飛行蜘蛛』
（一九七二年　丸ノ内出版刊
復刻版　二〇〇五年　笠間書院刊）

初出　産経新聞朝刊
（二〇〇〇年十月一日から二〇〇一年十月三十一日まで連載）
単行本　二〇〇三年五月　文藝春秋刊

文春文庫

©Teru Miyamoto 2006

約束の冬 上

定価はカバーに表示してあります

2006年5月10日　第1刷

著　者　宮本輝

発行者　庄野音比古

発行所　株式会社　文藝春秋

東京都千代田区紀尾井町 3-23　〒102-8008

TEL 03・3265・1211

文藝春秋ホームページ　http://www.bunshun.co.jp

文春ウェブ文庫　http://www.bunshunplaza.com

落丁、乱丁本は、お手数ですが小社製作部宛お送り下さい。送料小社負担でお取替致します。

印刷・凸版印刷　製本・加藤製本

Printed in Japan

ISBN4-16-734820-9

（　）内は解説者。品切の節はご容赦下さい。

文春文庫

宮本輝の本

星々の悲しみ
宮本輝

大学受験に失敗し、喫茶店の油絵を盗む若者を描く表題作他、青春を描き、豊かな感性と卓抜な物語性を備えた珠玉の短篇集。「星々の悲しみ」「西瓜トラック」「北病棟」「火」「小旗」他二篇。

み-3-1

青が散る
宮本輝

新設大学のテニス部員椎名燎平と彼をめぐる友人たち。青春の短い季節を駆けぬける者、立ちどまる者。若さの不思議な輝きを描き、テニスを初めて文学にした傑作長篇小説。（古屋健三）

み-3-2

春の夢
宮本輝

父の借財をかかえた一大学生の憂鬱と真摯な人生の闘い。それを支えた可憐な恋人、そして一匹の不思議な小動物。生きようとする者の苦悩と激しい情熱を描く青春小説の傑作。（菅野昭正）

み-3-3

道行く人たちと 対談集
宮本輝

深い人生の歩みを通して語られる〃このひとこと〃を聞くよろこび。作品背後の生活と自らの使命と宿命を素直に語るさわやかさ。注目の小説家のすべてを赤裸々に伝える十の対話。

み-3-4

メイン・テーマ
宮本輝

悠々とたくましく、自らが選んだ道をゆく人々と、あるときは軽妙に、あるときは神妙に、人の生き方と幸せを語る心ゆたかなひととき。宮本氏の小説世界を深く知るための絶好の一冊。

み-3-5

愉楽の園
宮本輝

水の都バンコク。熱帯の運河のほとりで恋におちた男と女。甘美な陶酔と底知れぬ虚無の海に溺れ、そして脱け出そうとする人間を描いて哀切ここにきわまる宮本文学の代表作。（浅井愼平）

み-3-6

文春文庫

宮本輝の本

（　）内は解説者。品切の節はご容赦下さい。

宮本輝
海岸列車（上下）
幼い日、母に捨てられた兄と妹。その心の傷をいだきながら、二人は愛を求めてさまよい、青春を生きぬく。そして青春との訣別。人生の意味を深く問いかける一大ロマン。（栗坪良樹）
み-3-7

宮本輝
真夏の犬
照りつける真夏の日差しのなかで味わった恐怖の時間。歳月のへだたりを突き抜けて蘇る記憶を鮮烈に刻みつける短篇小説の魅力。「真夏の犬」「暑い道」「階段」「力道山の弟」「香炉」他四篇。

み-3-9

宮本輝
葡萄と郷愁
東京とブダペスト。人生の岐路に立つ二人の若い女性、純子とアーギ。同時代を生きる二人はどんな選択をするのか。幸福への願いに揺れる生と性を描く、宮本文学の名篇。（大河内昭爾）
み-3-10

宮本輝
本をつんだ小舟
コンラッドの『青春』、井上靖の『あすなろ物語』、カミュの『異邦人』等、作家がよるべない青春を共に生きた三十二の名作。自伝的な思い出を込めて語った、優しくて痛切な青春読書案内。

み-3-11

宮本輝
異国の窓から
ドナウ河の旅をふりかえり著者は述懐する。「この旅が私の人生の喜びと悲しみをつくった。喜びと悲しみの種を持ち帰った」。小説『ドナウの旅人』の原風景を記す紀行文集。（松本徹）
み-3-12

宮本輝編
魂がふるえるとき
心に残る物語――日本文学秀作選
川端康成、井上靖、水上勉、武田泰淳、荷風……。宮本輝氏自身が若き日に耽読し、こよなく愛する十六篇を精選。「あなたに読んでもらいたい」日本文学名作集。宮本氏によるエッセイも。
み-3-17

小説

（　）内は解説者。品切の節はご容赦下さい。

彗星物語
宮本輝

城田家にハンガリーから留学生がやってきた。総勢十三人と犬一匹。ただでさえ騒動続きの家庭に新たな波瀾が巻き起る。泣き、笑い、時に衝突しながら、人と人の絆とは何かを問う長篇。

み-3-13

胸の香り
宮本輝

男と女、母と子、人それぞれの愛憎と喜び悲しみ、人生の陰翳を三十枚の原稿に結晶させた短篇七篇。表題作の他「月に浮かぶ」「舟を焼く」「しぐれ屋の歴史」「道に舞う」など。（池内紀）

み-3-14

睡蓮の長いまどろみ（上下）
宮本輝

突然、目の前で身を投げた女から、死後に手紙が届く。「三千人の私を生きたい」そう言って四十二年前に自分を捨てた母が暗闇に見たものは？　人間の宿命を問う傑作巨篇。（辻井喬）

み-3-15

海辺の扉（上下）
宮本輝

息子を死なせた宇野はギリシャに渡る。そこで出会ったエフィーとの恋。だが、宇野を陥れようとする不気味な影が二人を囲み始める。ギリシャを舞台に展開する傑作ロマン。（村田奈々子）

み-3-18

冬のはなびら
伊集院静

親友真人の遺志を継ぎ、小島に教会を建てた元銀行員月丘と彼を支える真人の両親との温かい心の交流を描く表題作など、市井の人々の確かな〝生〟を描く六つの短篇小説集。（清水良典）

い-26-10

眠る鯉
伊集院静

六月晦日の朝、一人の老人が鉄橋の下で眠るように死んでいた。生涯独り身を通した老人の秘められた過去の美しい物語、表題作他、「花いかだ」など胸を打つ七つの短篇小説集。（清水良典）

い-26-11

文春文庫

エンタテインメント

（　）内は解説者。品切の節はご容赦下さい。

真珠夫人　菊池寛

気高く美しい男爵令嬢・瑠璃子は、借金のために憎しみ抜いた相手のもとへ嫁ぐ。数年後、希代の妖婦として社交界に君臨する彼女の心の内とは——。話題騒然の昼ドラ原作。（川端康成）

き-4-4

貞操問答（ていそうもんどう）　菊池寛

美しい三姉妹の次女・新子は、ある富家の家庭教師として軽井沢の別荘に赴くが、夫人の露骨な侮蔑に遭い……。女同士の舌鋒が冴え渡る、昭和初期の大流行小説、復刊第二弾！（江藤淳）

き-4-5

無憂華夫人（むゆうげ）　菊池寛

古き因縁で敵同士の侯爵家と伯爵家。侯爵の妹、名花と謳われる絢子姫と、伯爵の弟、青年外交官の康貞は、惹れ合うが苛酷な運命に翻弄される。九條武子をモデルとした悲恋小説。（猪瀬直樹）

き-4-6

ひるの幻　よるの夢　小池真理子

老作家の許で密かな妄想を紡ぐ秘書、年下の青年の「手」に惹かれる中年女性……。エロスにはさまざまな形がある。禁色のエロティシズムを描いた妖しく艶めかしい六篇。（張競）

こ-29-1

天の刻（とき）　小池真理子

いつ死んでもいい……。四十代の女たちが、思いがけず、恋愛の極みへと誘われていく。エロスとタナトス、そして官能の一瞬が、絶妙の筆致で描かれる極上の恋愛作品集。（篠田節子）

こ-29-2

虚無のオペラ　小池真理子

日本画家の専属裸婦モデルを務める結子と、ピアニストの恋人島津は「別れ」のために冬の京都の宿に籠もる……。恋情と性愛の極みを艶やかに奏でる恋愛文学の極北！（髙樹のぶ子）

こ-29-3

（　）内は解説者。品切の節はご容赦下さい。

小泉吉宏
四月天才
四月のある朝、目覚めると一篇の物語が頭の中に入っていた。以来、毎日アイディアを書きとめて……。「ブッタとシッタカブッタ」でお馴染みの漫画家による掌篇小説集。（白井晃）
こ-33-1

佐藤亜紀
バルタザールの遍歴
一つの肉体を共有する双子、バルタザールとメルヒオールは、ナチス台頭のウィーンを逃れ、転落の道行きを辿る。日本ファンタジーノベル大賞に輝いた、歴史幻想小説の傑作。（池内紀）
さ-32-2

佐藤亜紀
天使
第一次大戦前夜、天賦の〝感覚〟を持つジェルジュは、オーストリアの諜報活動を指揮する〝顧問官〟の配下となる。〝選ばれし者たち〟の運命は!? 芸術選奨新人賞受賞作。（豊﨑由美）
さ-32-3

真保裕一
トライアル
ゴールを見つめ、彼らはひた走る。競輪、競艇、オートレース、競馬。四つの世界に賭けるプロの矜持と哀歓を描く「逆風」「午後の引き波」「最終確定」「流れ星の夢」を収録。（朝山実）
し-35-1

白川道
カットグラス
高校時代の同級生三人の友情と一人の女性への愛を描いた「カットグラス」など全五篇を収録。主人公はいずれも四、五十代の男たち。人生の哀切が静かに胸に迫る珠玉短篇集。（小松成美）
し-36-1

鈴木博之
東京の［地霊（ゲニウス・ロキ）］
江戸・明治から平成の現代まで数奇な変転を重ねた都内十三カ所の土地の歴史を、［地霊（ゲニウス・ロキ）］という観点から考察した興趣溢れる東京の土地物語。サントリー学芸賞受賞作。（藤森照信）
す-10-1

（　）内は解説者。品切の節はご容赦下さい。

カカシの夏休み
重松清

ダムの底に沈んだ故郷を離れて二十余年。旧友の死が、再会した四人の心の底を照らし出す。僕たちはどこに往くのだろう……。人生を問いかけ続ける作家の原点をなす作品集。（松田哲夫）

し-38-1

口笛吹いて
重松清

偶然再会した少年の頃のヒーローは、その後、負けつづけの人生を歩んでいた――。家庭に職場に重荷を抱え、もう若くはない日々を必死に生きる人々を描く著者会心の作品集。（嘉門達夫）

し-38-2

トワイライト
重松清

二十六年ぶりの同窓会。夢と希望に満ちていたあの頃の未来を背負った子ども達は、厳しい現実に直面する大人になった。人生の黄昏に生きる彼らの幸せへの問いかけとは？（中森明夫）

し-38-3

ハル
瀬名秀明

魂を感じさせるヒューマノイド、幼い日の記憶の中で語るロボ次郎、地雷探知犬とタイ東部国境をゆくデミルⅡ。周到な科学知識のもとに綴られた機械と人間を結ぶ感動の物語。（山之口洋）

せ-7-1

地を這う虫
高村薫

――人生の大きさは悔しさの大きさで計るんだ。夜警、サラ金とりたて業、代議士のお抱え運転手……。栄光とは無縁に生きる男たちの敗れざるブルース。「愁訴の花」「父が来た道」等四篇。

た-39-1

君が代は千代に八千代に
高橋源一郎

これぞニッポンの小説！ポストモダンを突き抜けた過激さで危ないテーマを軽く、ポップにこなして新しい小説世界の扉を開く、問題作にして超傑作短篇が十三。巻末に自作解題付き。

た-59-1

（　）内は解説者。品切の節はご容赦下さい。

筒井康隆
わたしのグランパ
中学生の珠子の前に、ある日、突然現れたグランパ（祖父）は、なんと刑務所帰りだった。それから、侠気あふれるグランパと孫娘がくりひろげる大活劇。読売文学賞受賞作。（久世光彦）
つ-1-10

筒井康隆
エンガッツィオ司令塔
豚が飛ぶ、月笑う、大仏は空で回る――エログロ、スカトロから抱腹絶倒のパロディ。表題作ほか「魔境山水」「ご存知七福神」など断筆宣言解除後の超過激短篇十篇を収録。（小谷野敦）
つ-1-11

筒井康隆
大いなる助走〈新装版〉
同人雑誌の寄稿者が、文学賞をめざして抱いた野望と陰謀。そして文壇に巣食う俗物たちの醜い姿を徹底的にカリカチュアライズして文壇を震撼させた猛毒抱腹の伝説的名作。（大岡昇平）
つ-1-13

藤堂志津子
ソング・オブ・サンデー
大工の鉄治から突然ドライブの誘いを受けた絵描きの利里子。四十二歳の男女の会話はいつしか、人生の真実にそっと触れはじめる――穏やかな感動が胸に満ちる、島清恋愛文学賞受賞作。

と-11-12

藤堂志津子
あの日、あなたは
チャンスは何度もあった。でも、失うのが怖かった。十年間、勇介だけを思いつづけて三十一歳になった郁子は最後の賭けにでた。人間の弱さ、純粋さ、自由が描かれる傑作恋愛小説。

と-11-13

藤堂志津子
心のこり
心はいらない、体だけ借りたい。胸の内で呟きながら、十一歳年下の美しい男と情事を交わす四十六歳の澄礼。現代の女性の性愛を描いた表題作他、「片想い」「ピアノ・ソナタ」を収録。

と-11-14

文春文庫

エンタテインメント

（　）内は解説者。品切の節はご容赦下さい。

兄弟　なかにし礼

十六年間絶縁状態だった兄が死んだ——。その報せを聞いた作詞家の弟の胸中に、破滅的な生涯を送った兄の姿がよみがえる。ビートたけし主演でドラマ化もされた直木賞作家の自伝的傑作。

な-25-2

長崎ぶらぶら節　なかにし礼

長崎の歴史研究に全てをかけた学者・古賀十二郎と彼を慕う芸者愛八。古賀の破産を契機に、二人きりで長崎に眠る数々の名もなき歌を探す旅に出る。直木賞受賞作。（田辺聖子）

な-25-3

永遠も半ばを過ぎて　中島らも

ユーレイが小説を書いた？　三流詐欺師が写植技師と組み出版社に持ち込んだ謎の原稿。名作の誕生だ。これが文壇の大事件となって……。輪舞する喜劇。痛快らもワールド！（山内圭哉）

な-35-1

サイレント・ボーダー　永瀬隼介

渋谷で自警団を率いる十八歳の三枝航と、家庭内暴力の息子を抱えるライターの仙元との邂逅。航のカリスマ性の裏に潜む狂気は暴かれるのか。著者鮮烈の小説デビュー作。（西上心太）

な-48-1

輓馬　鳴海章

事業に失敗した男は故郷の輓曳競馬の厩舎に逃げ込む。黙々と馬を世話する男たち、重い橇を引き必死に走る馬たち。その姿を見て男の中にある決意が生まれていく。映画化。（加藤正人）

な-50-1

M（エム）　馳星周

義妹の媚態のイメージが頭から離れない三十五歳の男は、その後、遂に……。些細なきっかけで異常な性の世界にはまった人間の苦悩と快楽、そして絶望を描いた四篇を収録。（池上冬樹）

は-25-2

エンタテインメント

（　）内は解説者。品切の節はご容赦下さい。

野沢尚
龍時（リュウジ）01—02

スペインとの親善試合で世界の壁を感じた無名の高校生リュウジは、単身スペインに渡ることに。家族との葛藤や友情を描きJリーガーの間でも話題沸騰の本格サッカー小説。（金子達仁）

の-12-1

野沢尚
龍時（リュウジ）02—03

様々な困難にぶつかりつつ、プロ一年目を終えた彼はベティスに移籍。フラメンコで有名なアンダルシア地方セビリアの地に舞台を移し、活躍する。新たな恋の行方にも注目。（森岡隆三）

の-12-2

坂東眞砂子
蛇鏡

永尾玲は姉の七回忌のために婚約者の広樹と故郷の奈良へ帰ってきた。結婚を目前にして姉の綾が首を吊った蔵の中で、玲は珍しい鏡を見つける……それが惨劇の始まりだった。（三橋暁）

は-18-1

坂東眞砂子
夢の封印

会社の上司と七年越しの愛人関係を続けている紘子。それなりに関係は安定していたが、ある男の出現で心が揺らいで……。日常の中の官能が合わせ持つ残酷と豊饒を描いた七作を収録。

は-18-2

花村萬月
ゲルマニウムの夜 王国記Ⅰ

人を殺し、育った修道院に舞い戻った青年・朧（ろう）は、なおも修道女を犯し、暴力の衝動に身を任せる。世紀末に暴走する「神の子」を描いた戦慄の芥川賞受賞作。（解説対談 小川国夫）

は-19-3

花村萬月
月の光（ルナティック）

改造バイクで暴走する物書きのジョーは、麻薬漬けの知人を救出するため、絶世の美女にして空手の有段者・律子と、狂信者集団に潜入する。性と麻薬と宗教を描いたハードボイルド長篇。

は-19-4

エンタテインメント

（　）内は解説者。品切の節はご容赦下さい。

服部真澄
バカラ
違法なバカラ賭博で多額の借金に喘ぐ週刊誌記者・志貴。自己破産寸前のところで探り当てた大スクープの影。金の魔力に蕩かされた男たちの夢と現実を描いた傑作長篇小説。（髙橋治）
は-30-1

姫野カオルコ
受難
修道院育ちの汚れなき処女・フランチェス子と、その秘所にとりついた人面瘡・古賀さんの奇妙な共棲！　現代人の性の不毛を見つめるクールな視線が冴え渡る傑作小説。（米原万里）
ひ-14-1

姫野カオルコ
ちがうもん
一九六〇年代、関西の田舎町。少女はなぜ「特急こだま」の玩具を買ってもらったのか。子供だからこそ鮮明に焼きついた記憶。大人のためのリアルな童話とも言うべき短篇集。（辰濃和男）
ひ-14-2

藤本ひとみ
大修院長ジュスティーヌ
人間の性を認め、その快楽を許す異端の女子修道院で繰りひろげられる淫らな礼拝。大修院長は聖女か魔女か!?　表題作の他に「侯爵夫人ドニッサン」「娼婦ティティーヌ」。（舛添要一）
ふ-13-3

藤本ひとみ
バスティーユの陰謀
持ち前の美貌を頼りに、人生を遊び暮らそうと考えていた青年が、なぜ〝バスティーユ襲撃〟に加わったのか？　フランス革命の舞台裏を描き、人間の生き方を探った長篇。（水口義朗）
ふ-13-6

藤本ひとみ
貴腐（きふ）　みだらな迷宮
フランス革命の激動のなか、頽廃の極みにあった貴族社会でくりひろげられる性の宴。狂乱の果てに辿りついた真実の愛とは、人生とは……。「貴腐」「夜食」の中篇二篇を収める。
ふ-13-7

文春文庫

エンタテインメント

（　）内は解説者。品切の節はご容赦下さい。

ベリィ・タルト
ヒキタクニオ
跳ねっ返りの野良猫のような美少女リンは、元ヤクザで芸能プロ社長の関永と出会い、アイドルへの道を歩み出す。だが人気が上昇しはじめた矢先、大手プロからの横槍が――。（吉田伸子）
ひ-16-1

巴里（パリ）からの遺言
藤田宜永
放蕩生活を送った祖父の足跡を追って僕はパリにやってきた。娼婦館、キャバレー、パリ祭……。70年代の魔都のパルファンを余すところなく描いた日本冒険小説協会最優秀短篇賞受賞作。
ふ-14-2

求愛
藤田宜永
全裸で奏でられるラヴェルの「水の戯れ」は破滅への旋律なのか。心を病んだピアニストの激しい愛を描く、恋愛小説の第一人者の記念碑的長篇。島清恋愛文学賞受賞作。（青柳いづみこ）
ふ-14-3

艶（ひかりべに）紅
藤田宜永
生家の祇園の茶屋を出て染織作家となった女。妻子と別居中の競走馬装蹄師。ある雪の日、縁切り岩で知られる安井金比羅宮で出会った二人は急速に惹かれ合っていく――。（槇野修）
ふ-14-5

愛の領分
藤田宜永
仕立屋の淳蔵はかつての親友夫婦に招かれ、昔追われるように去った故郷を三十五年ぶりに訪れて佳世と出会う。二人は年齢差を超えて惹かれ合うのだが……。直木賞受賞作。（渡辺淳一）
ふ-14-6

陽炎の。
藤沢周
呉服問屋をクビになった32歳の男が、失業生活のなか徐々に壊れゆく姿を描いた表題作の他、著者の故郷・新潟の海を舞台にした自伝的作品など全4篇収録。現代社会を鋭く捉えた短篇集。
ふ-19-1

文春文庫

エンタテインメント

（　）内は解説者。品切の節はご容赦下さい。

ダックスフントのワープ
藤原伊織
大学生の「僕」は自閉的な小学生・下路マリの家庭教師を引き受ける。彼女の心を開かせるために「僕」は異空間にワープしたダックスフントの物語を話しはじめるが……。他三篇。（藤沢周）
ふ-16-1

てのひらの闇
藤原伊織
20年前に起きたテレビCM事故が、二人の男の運命を変えた。男は、もう一人の男の自死の謎を解くべく孤独な戦いに身を投じる……。傑作長篇ハードボイルド待望の文庫化。（逢坂剛）
ふ-16-2

ろくでなし
冨士眞奈美
結婚した男が、女癖の悪いマザコンだった麻裳。元夫とAV鑑賞セックスを楽しむ由紀子、放浪夫を見切った静子。躍動する女たちを描く、ユーモアと官能あふれる八篇。（ねじめ正一）
ふ-22-1

新宿・夏の死
船戸与一
バブル崩壊後の日本の混沌と閉塞を象徴する街・新宿。真夏の灼熱のなか、そこでうごめく人間たちが直面する苛酷な現実。「夏の残光」「夏の曙」など異色中篇八本を収録。（関口苑生）
ふ-23-1

あたしが帰る家
群ようこ
昭和三十年代の子供は、みんなこうだった⁉ 大笑いして、後にゾッとしてしまう、無邪気で可愛くてちょっぴりコワイ「恐るべき子供たち」が主人公の、傑作短篇小説集。（小林聡美）
む-4-7

挑む女
群ようこ
編集者、家事手伝い、子持ちの主婦にお気楽OL。年齢も立場もバラバラな女四人が、今の生活を変えようと動きだした。それぞれの生活と奮闘ぶりをユーモアたっぷりに描く痛快小説。
む-4-9

文春文庫　最新刊

約束の冬 上下　宮本輝
出会いと別れ、運命の変転の中で、謎めいた約束は十年後に果たされるのか？　傑作長篇

街の灯　北村薫
上流家庭の花村家にやってきた若い女性運転手の〈ベッキーさん〉。そして不思議な事件が

群青の夜の羽毛布　山本文緒
家族というものが、恐い。恋愛の先にある家族の濃い闇を描いて、熱狂的支持を得る長篇

プルミン　海月ルイ
見知らぬ女に貰った乳酸飲料を飲み、男児が死んだ。いじめっ子の彼は復讐されたのか？

ぐるぐるまわるすべり台　中村航
塾講師の傍らバンドメンバーを募集、僕の中で物語が始まった――。野間文芸新人賞受賞作

龍時（リュウジ） 03―04　野沢尚
アテネ五輪代表に選ばれリュウジは熱き聖地へ。渾身の本格サッカー小説、最後の文庫化

イッツ・オンリー・トーク　絲山秋子
引っ越しの朝、男に振られたのだけれど。新芥川賞作家の鮮烈デビュー作。六月映画公開

歴史を動かす力　司馬遼太郎対話選集3　司馬遼太郎
海音寺潮五郎、江藤淳、大江健三郎らと日本の歴史の転換期、おもに幕末を振り返る対談集

決定版 **世界サッカー紀行**　後藤健生
主要42カ国、サッカースタイルはなぜ違うのか、超一級の批評眼が分析。W杯観戦に必携

本の話 絵の話　山本容子
銅版画で描く東西の文豪七十二人の肖像。山本容子が明かす、文学と美術の「幸せな結婚」

ヤンキー母校に生きる　義家弘介（よしいえひろゆき）
新聞、TVで話題になった汗と涙と血にまみれる真の教育。元ツッパリ熱血教師の奮戦記

元刑務官が明かす **死刑のすべて**　坂本敏夫
拘置所の日常から人間関係、そして執行の瞬間まで。元刑務官が、死刑囚のいまを明かす

マイホームレス・チャイルド　下流社会の若者たち　三浦展（あつし）
『下流社会』で話題の著者が「いまどきの若者」を浮き彫りにする。隠れた名著が文庫で登場

大往生の島　佐野眞一
瀬戸内の沖家室島。高齢化率日本一の島では死ぬまで現役。現代日本の死生観を問う力作

日本プラモデル興亡史　子供たちの昭和史　井田博
昭和三十三年、東京タワーと同じ年にプラモデル誕生。そして子供たちの暮しが一変した

FICTION! フィクション!　石丸元章
脳細胞全開！ノンフィクションの鬼才がはじめて挑んだ前人未踏のショートショート集

邪神創世記 上下　スティーヴ・オルテン　野村芳夫訳
救世主の宿命を負う若き双子と邪神の嗣子たる美少女の対決。話題のSF伝奇活劇大作！

七番目のユニコーン　ケリー・ジョーンズ　松井みどり訳
中世の美しきタペストリー「貴婦人と一角獣」の謎をめぐるロマンティック・サスペンス！